Ultime espoir

Du même auteur
aux Éditions J'ai lu

FIÈVRE À DELHI

N° 9150

MEREDITH
DURAN

Ultime espoir

ROMAN

Traduit de l'américain
par Béatrice Pierre

Titre original
BOUND BY YOUR TOUCH

Éditeur original
Pockets Books, a division of Simon & Shuster, Inc., New York

Pour ma mère et mon père,
dont les encouragements
sont ma plus grande force.

Remerciements

Au fur et à mesure que j'écrivais ce livre, ma gratitude s'est accrue en proportion du nombre de mots écrits. Quatre-vingt-seize mille mercis, donc, aux personnes suivantes : Steve, pour être lui-même c'est-à-dire un encouragement vivant ; Janine, dont les aperçus avisés m'ont aidée à y voir plus clair ; BFF Ronroe, pour, entre autres choses, l'intérêt qu'il porte à ma boîte de mouchoirs en papier ; Lauren McKenna, éditeur exceptionnel dont chaque commentaire a renouvelé mon inspiration ; Nancy Yost, mon agent efficace et astucieux ; et Megan McKeever, berger patient d'un auteur en proie aux doutes. Enfin, j'ai la chance incroyable d'avoir une famille et des amis qui, comprenant pourquoi je disparais, réapprovisionnent la forteresse lorsque la disette s'annonce, et attendent patiemment que j'émerge : Shelley, Rob, Betsey, Maureen, Maddie, Elizabeth, Royal, maman, et papa – vous m'avez tant manqué durant ce long voyage !

Prologue

Dans le jardin, le soleil de l'après-midi se répandait tel du miel liquide sur les gravillons de l'allée, et le lilas en fleurs tremblait dans la brise. Debout devant la fenêtre du salon, elle avait l'impression que ses membres n'étaient guère plus fermes. Le reflet de George dans la vitre l'encouragea. Cet homme digne et raffiné avait omis de confier son chapeau au majordome. Il le serrait contre lui tel un bouclier. Ne disait-il pas pourtant qu'un homme politique n'était rien s'il manquait de sang-froid ? Eh bien, puisqu'il ne trouvait plus sa voix, elle parlerait à sa place.

— Je vous aime, murmura-t-elle.

La première réponse qu'elle obtint fut le crissement du cuir des chaussures de George lorsqu'il fit un pas en avant.

— Je vous demande pardon ?

Elle se vit sourire dans la vitre. Enfant, elle avait rêvé de cet instant. Plus tard, découvrant dans le miroir qu'elle n'aurait pas la beauté de sa mère, elle avait craint de ne pas trouver de mari. D'autant plus que son éducation livresque et ses goûts excentriques ne parlaient pas en sa faveur.

Puis elle avait fait la connaissance de George. Peu habituée aux bavardages mondains et gênée de débuter dans le monde à un âge déjà avancé, elle s'était rendue à contrecœur au bal des Hartley. Mais valser dans les bras de George s'était révélé étonnamment facile. « Voilà pourquoi les jeunes filles aiment valser », s'était-elle dit avec ravissement. Ils avaient discuté pendant le souper et le jeune homme avait abordé des sujets intéressants auxquels elle avait su apporter sa contribution. « Votre conversation m'enseigne quelque chose, mademoiselle Boyce, avait-il déclaré. J'ignorais que l'intelligence ne nuisait pas à la grâce féminine. »

Elle pivota sur ses talons ; la tête lui tournait à la pensée du bonheur qui allait fondre sur elle. Il se tenait à côté d'un bouquet de roses jaunes qu'il avait envoyé la veille. Tranchant sur l'acajou du chiffonnier, elles brillaient tels des fragments de soleil. En fait, tout dans ce petit salon lumineux était doré – les murs jaune pâle, le chintz des fauteuils, l'air frais qui embaumait le parfum des roses. Et cet instant, dont elle se souviendrait à jamais.

— J'ai dit que je vous aimais.

Il inspira bruyamment.

Dans le vestibule, l'antique horloge se mit à sonner. Elle avait toujours détecté une note d'ennui dans son carillon grave et lent, comme s'il était las de satisfaire leur incessante curiosité quant à l'heure qu'il était – ce qu'elle avait confié à George le mois dernier. En riant, il l'avait appelée son philosophe horloger. Le souvenir de sa plaisanterie lui donna envie de sourire, mais les muscles de ses joues s'y refusèrent, car ses yeux avaient remarqué quelque chose de bizarre : George avait rougi, son front s'était plissé, et il la fixait sans mot dire. Que se passait-il ?

Un fardier cahota lourdement dans la rue. Le plateau du thé tinta, ce qui parut tirer le jeune homme de sa stupeur. Il pinça les lèvres, carra les épaules.

— Mademoiselle Boyce…

Cinq minutes plus tôt, il l'avait appelée Lydia. Lissant sa moustache, il secoua la tête.

— Ma chère demoiselle, je suis navré. Si je vous ai induite en erreur d'une manière ou d'une autre… croyez-moi, ce n'était pas dans mes intentions.

Elle posa la main sur le dossier du fauteuil dans lequel elle était assise un instant plus tôt. Elle lui avait servi du thé, leurs tasses étaient encore au milieu de la table, la cuillère de Lydia pendant de la soucoupe de façon peu élégante. « Je dois vous entretenir d'un sujet de grande importance », avait-il annoncé, et elle avait bondi comme un diable de sa boîte, les yeux brillant de joie. *Induite en erreur ?*

— Je…

Sa voix la trahissant, elle avala sa salive et reprit :

— Je ne comprends pas.

— Je suis honteux, fit-il en sortant un mouchoir de sa poche pour se tamponner le front. Croyez-le, mademoiselle Boyce, je suis… *affreusement* désolé.

Elle ne put retenir un cri étranglé. Il était désolé ? Que faisait-il là, dans ce cas ? Seigneur ! *Induite en erreur ?* C'était impossible. Que penser de tous ses signes d'attention ? Les roses. Jaunes, certes, mais tout le monde ne connaissait pas le langage des fleurs. Leurs promenades au parc ? Cela faisait six semaines que, tous les mardis, il l'emmenait parcourir en voiture la grande allée du Rotten Row, au vu et au su de toute la bonne société ! Et, hier, lorsqu'il l'avait aidée à descendre du barouche, il lui avait pressé la main et avait souri en la regardant comme si ce contact l'émouvait autant qu'elle. Elle ne s'était pas *trompée* !

— Parlez-moi franchement, commença-t-elle d'une voix hésitante. Il me semblait que nous étions devenus très… proches, ces dernières semaines…

— En effet, admit-il tout en triturant les bords de son chapeau, lequel ne se remettrait jamais d'un tel traitement. J'ai conçu pour vous une très haute estime. Au point que... mon plus cher désir est d'avoir l'honneur de vous donner le beau nom de belle-sœur, acheva-t-il d'une traite, toute couleur ayant déserté son visage.

Un petit cri étouffé leur parvint. Sophie. Elle devait les épier par le trou de serrure.

— Votre belle-sœur, répéta-t-elle dans un souffle.

Son corps s'était douloureusement pétrifié, comme si on l'avait brutalement plongé dans un lac en plein hiver. *Sophie*, bien sûr. Sophie qui avait été de toutes leurs promenades. Pourtant ce n'était pas *Sophie* que George avait invitée à valser lors de leur première rencontre ! Ce n'était pas à *Sophie* qu'il avait envoyé des fleurs le lendemain de ce bal !

Mais c'était *Sophie* qui insistait pour les accompagner ici ou là. *Sophie* qui n'avait pas hésité à poser la main sur l'avant-bras de George alors que la timidité empêchait Lydia d'esquisser le moindre geste intime. *Sophie* qui se penchait devant elle pour rire de chaque plaisanterie de George.

Juste Ciel ! Sophie ne refuserait pas la demande de George, c'était évident.

Lydia lâcha le fauteuil et recula.

— Voilà qui est contraire à l'usage, non ? observa-t-elle d'une voix sèche qu'elle ne reconnut pas. Demander la main de la cadette alors que l'aînée est encore célibataire ?

La couleur revint sur les joues de George – il était sans doute vexé, pensa-t-elle.

— Cela m'a troublé, je le confesse. Mais votre père étant en Égypte, je ne savais à qui m'adresser. Je lui ai envoyé un télégramme voilà deux semaines, mais je n'ai pas reçu de réponse.

— Deux semaines ?

Cela faisait deux semaines qu'il songeait à Sophie ? Lorsqu'il était venu à la vente de charité et avait acheté un châle qu'elle avait brodé (« Le cadeau idéal pour l'anniversaire de ma mère ; je crois vous avoir déjà dit combien elle vous admirait. »), il rêvait d'épouser *Sophie* ?

— Oui, répondit-il. C'est pourquoi je voulais vous voir aujourd'hui. D'après votre sœur, c'est vous le véritable chef de famille. D'ailleurs, j'admire la compétence avec laquelle vous assumez ces lourdes responsabilités, à un âge si tendre et en ayant aussi peu d'expérience. J'ai du mal à imaginer quel fardeau ce doit être de veiller aux affaires de votre père...

Une pensée affreuse traversa l'esprit de Lydia.

— Ma sœur... connaissait le motif de votre visite ? l'interrompit-elle.

Un bref silence. Il baissa les yeux. Le caractère odieux de la situation lui apparaissait enfin.

— Oui.

Le bonheur censé fondre sur elle se transformait en honte, chagrin et colère. Car il n'était pas possible de refuser à Sophie cette alliance brillante. George – *mon George* – était l'héritier d'une baronnie et d'une fortune. On ne pouvait espérer mieux. Mais songer... songer que sa propre sœur l'avait trahie de cette façon ! Sophie savait depuis le début quels espoirs elle nourrissait vis-à-vis de George. Elle avait écouté ses confidences, l'avait encouragée à se laisser conter fleurette, tout en *sachant* vers qui se portaient les sentiments de George !

La vérité tournoyait dans la tête de Lydia, telle une devinette dont elle était la seule à ignorer la réponse.

Seigneur, quelle idiote !

Elle jeta un coup d'œil vers la porte. Pourquoi Sophie les épiait-elle ? Pour la voir se ridiculiser ? Car c'était bien ce qu'elle avait fait. Il avait commencé sa déclaration – la déclaration de ses sentiments pour *Sophie* ! – et elle l'avait interrompu pour lui jeter au visage ce grotesque « Je vous aime ».

Grands dieux ! Si seulement Perséphone voulait bien l'entraîner sous terre avec elle. Jamais elle ne s'était trompée autant sur quelqu'un. Elle qui se targuait de ses dons d'observatrice !

Hélas, la terre ne s'entrouvrit pas ! Le silence emplissait l'espace, et semblait gagner en poids et en intensité à mesure que les secondes s'égrenaient. Bientôt, il serait impossible de le briser. Pourtant le cerveau de Lydia demeurait engourdi. Son père était au loin. Vers qui se tournerait-elle lorsqu'elle quitterait cette pièce ? Son père ne serait pas là pour la serrer dans ses bras, la taquiner, lui rappeler les nombreuses raisons pour lesquelles un gentleman avisé serait heureux de la prendre pour épouse. « Tu es ma perle, Lydia. Promets-moi que tu ne gaspilleras pas ton temps à soupirer après un crétin quelconque ? »

Elle devait dire quelque chose. Sinon elle allait fondre en larmes, et il n'était pas question que George en soit témoin. Cette humiliation-*là,* elle ne la supporterait pas.

Elle inspira à fond. Elle avait beau se sentir atrocement mal, elle devait prononcer les propos convenus que George attendait.

— Je suis heureuse d'être la première à vous féliciter, dit-elle, s'efforçant d'adopter un ton posé. Je sais que vous serez *très* heureux.

1

Quatre ans plus tard

Éclairé par cette nouveauté qu'était la lumière électrique, le sol en marbre blanc du vestibule était vraiment aveuglant, songeait James Durham, appuyé à la balustrade du palier du premier. Il avait cédé à la mode du style grec, et voilà que cela lui donnait la nausée. Tout ce blanc… Hormis le bourdonnement des lampes électriques, qui évoquaient des vautours planant dans l'attente du festin, le silence était total. La tête lui tournait, sa bouche était sèche. Que ce serait facile de basculer en avant ! Un mouvement maladroit, la plongée douce d'un cygne, et le sol ne serait plus blanc du tout.

Le souffle lui manqua. Il recula, et sa tête parut se détacher de ses épaules. Seigneur ! Il ne goûterait plus aux décoctions de Phin…

Hum ! Cette résolution avait un quelque chose de… familier. Comme s'il l'avait déjà prise. Plusieurs fois, même. Il était vraiment désespérant. Un petit rire lui échappa. Oui, ennuyeusement, inévitablement désespérant.

— Sanburne !

Le mot atteignit sa conscience, en chassa le brouillard. Avec surprise, il découvrit qu'il n'y avait jamais eu de silence. Musique, rires, éclats stridents dévalaient l'escalier. Oui, c'était cela la réalité ! Une vingtaine d'invités s'ébattaient en haut ; une fête était en cours depuis la veille au soir, et il était l'hôte.

— Bonté divine !

Le ton étonné lui parut si excessif qu'il rit, modérément, car sa tête semblait ne pas pouvoir supporter d'excès.

— *Sanburne !*

Elle avait l'air très proche à présent, cette voix aiguë qui appartenait peut-être à Elizabeth. Impossible de le savoir avec certitude sans regarder. « Eh bien, lève les yeux, idiot », s'ordonna-t-il. Oui, excellente idée. Il le ferait dans un instant.

— Sanburne, vous êtes devenu sourd ?

Avec effort, il leva la tête. C'était bien Elizabeth ; elle avait l'air de flotter dans l'escalier. De la magie ? Non. S'il y avait de la magie en ce monde, elle ne choisirait pas Elizabeth pour lieu de résidence, même si la pauvre chérie en aurait eu bien besoin. Empli de compassion, il voulut se diriger vers elle avec l'intention de lui prendre les mains, car elle avait l'air affolé, sa coiffure, la veille canaille, glissant tristement sur un œil empli de larmes.

Mais marcher s'avéra au-delà de ses capacités. Il trébucha sur Dieu sait quoi et se retrouva assis sur le sol. Le choc le prit de court. À quoi avait-il pensé en omettant de mettre un tapis ici ?

Il secoua la tête, puis tendit la main vers la balustrade. Avant qu'il ait pu se redresser, Elizabeth fut près de lui, les jupes – tachées de… vin, vu l'odeur – retroussées sur les mollets.

— Sanburne, il… il a pris une f-f-femme…

Elle lâcha un sanglot qui poussa son décolleté dans le nez de James. Quelques grains de caviar s'y étaient nichés. Il les chassa de la main. Que diable fichaient-ils là ?

— Il a pris une femme sur les genoux ! Une de vos servantes ! Il la tripote juste sous mon nez !

Il sentit les doigts d'Elizabeth s'enfoncer dans son bras, réclamant toute son attention.

— Vous m'entendez ? Regardez : c'est moi, Elizabeth.

— C'est vous, acquiesça-t-il. Vos yeux sont particulièrement beaux lorsque vous avez pleuré, très chère. Un vert fantastique. Ce qui est beaucoup plus beau que le blanc. J'aurais dû y penser pour ce foutu sol.

Les lèvres d'Elizabeth se mirent à trembler.

— Nelson lu-lutine une des servantes, insista-t-elle.

Quelque chose... n'allait pas. L'escalier, le sol du vestibule, sa maison, une soirée. Une dernière seconde de vertige, puis son cerveau se remit à fonctionner dans un grincement de rouages.

— L'une des *servantes*, vous avez dit ?

S'accrochant à la balustrade, il se releva, puis entreprit de gravir l'escalier. La première marche fut la plus difficile. Quelle calamité, ce Nelson. Il ne pouvait s'empêcher de faire des âneries.

— Attendez ! cria Elizabeth en lui emboîtant le pas. James, vous n'allez pas... lui faire de *mal*, n'est-ce pas ? Il a trop bu, c'est tout. À moins que ce ne soit à cause de ce qu'Ashmore lui a donné. Je ne voulais pas déclencher une bagarre !

— Bien sûr que si.

La drogue lui fouettait le sang. Nelson ! Il connaissait pourtant les règles. On n'avait pas le droit d'enfreindre les règles de celui qui recevait. Quelle faute de goût !

Arrivé au palier, il découvrit que les invités s'étaient égaillés hors du salon. Elie Strathern titubait dans le couloir, Christian Tilney sur les talons. Colin Muit, ce maudit Écossais, tentait de faire boire le buste en pierre de l'un des ancêtres de

James, tandis que son public – les jumeaux Cholomondley, bien sûr – approuvait en pouffant de rire.

Le salon jaune n'offrait pas une apparence plus civilisée. Le verre cassé crissait sous les pieds, et l'air empestait l'opium et le cigare froid. Quelqu'un avait arraché les feuilles de palmier censées faire écran entre les musiciens et les convives, et... est-ce que le violoniste n'avait pas le front ceint d'une ceinture de smoking tandis qu'il s'escrimait vaillamment sur la dernière rengaine à la mode ? Le flûtiste, lui, avait renoncé et regardait avec ahurissement Mme Sawyer se trémousser sur la longue table de banquet – table sous laquelle le violoncelliste et son instrument étaient couchés dans une flaque de punch.

Dans un coin, Nelson se disputait avec Dalton, et Elizabeth avait raison (le stupide intérêt que lui inspirait Nelson ne lui faisant manquer aucun détail concernant cet abruti) : il tenait sous le bras une servante qui se tortillait vainement. Écrasant les débris de verre, James les rejoignit au moment où Nelson levait un poing incertain en direction de Dalton.

James lui agrippa le poignet.

— Voyons, voyons, les enfants.

— Je vais lui faire payer ça, Sanburne ! Il me traite de tricheur !

— Parfaitement, renchérit Dalton avec un sourire d'ivrogne. Sur le bateau, tu as baisé cette Égyptienne tandis que Sanburne vomissait tripes et boyaux.

— Espèce de...

James enroula le bras autour du cou de Nelson, qui en lâcha la servante. La pauvre fille tomba sur les fesses en poussant un cri puis, sur un regard de James, elle rampa se mettre à l'abri.

— Sur ce point, chuchota-t-il à l'oreille de Nelson, tu es *bel et bien* un tricheur. Elizabeth te le confirmera.

Nelson cessa aussitôt de se débattre.

— Elizabeth… ?

— Absolument, s'écria cette dernière en se plantant devant lui. Espèce de porc !

James desserra son étreinte.

— Une personne énergique, notre Elizabeth, n'est-ce pas ?

La rage déformait le visage de la jeune femme. Elle avançait, les mains levées au-dessus de sa tête – des mains qui tenaient quelque chose que James était censé livrer ce matin. *Sa stèle funéraire égyptienne !*

— Elizabeth, non !

La pierre s'abattit sur l'épaule de Nelson avec un bruit si affreux que le violoniste en fit une fausse note. Lâchant un cri, Nelson s'effondra à genoux.

— Mon épaule !

— Cassée, annonça Dalton, avant de se laisser glisser le long du mur pour une petite sieste impromptue.

— Mon Dieu ! cria James en arrachant la stèle des mains d'Elizabeth.

Il l'examina sous toutes les coutures. Il dorlotait cet objet depuis des jours, fêtant sa découverte tous les soirs en buvant un cognac, jubilant d'avance à l'idée de la jalousie que son père éprouverait en la voyant. Et Elizabeth s'en servait pour *assommer* quelqu'un !

— Je l'ai cassée ? voulut-elle savoir.

Elle fixait Nelson, le visage curieusement dépourvu d'expression.

— Non, répondit-il avec un soupir de soulagement. Elle semble intacte.

— Son épaule, espèce de pitre, pas votre précieux caillou.

— Mon précieux… ? Les priorités, Elizabeth !

Elle renifla avec mépris.

— Oh, arrêtez ! Mes priorités n'incluent pas vos stupides disputes avec votre père.

James sourit. Moreland devait être à la conférence en ce moment, bienheureusement ignorant de ce qui l'attendait.

— Elizabeth, mon cœur, vos priorités ne me concernent pas. À présent, reprit-il plus sèchement, soyez gentille et envoyez chercher un médecin. Et dites à Gudge qu'il peut installer Nelson dans la chambre bleue.

Nelson gémissant de nouveau, James lui jeta un coup d'œil.

— Avec un grand seau à côté de lui, ajouta-t-il. Il est plutôt verdâtre.

— Ne pars pas, balbutia Nelson. J'ai besoin… d'aide.

— Vous *me laissez* ? s'écria Elizabeth. Avec Nelson quasiment *mort* ?

James tapota la stèle et se redressa.

— Jamais. L'amitié est éternelle, etc. Mais j'ai un rendez-vous à l'Institut d'archéologie, rappelez-vous.

Un mois en Égypte, à souffrir du mal de mer à bord d'un bateau qui se balançait comme un pendule. D'innombrables lettres entre Port Saïd et l'Angleterre. Une fortune dépensée en antiquités qui se révélaient finalement sans valeur. Des milliers de livres pour enfin acquérir la bonne pièce. Six mois de travail pour arriver à cet instant, et il avait failli l'oublier ! À cause de Phineas et de ses décoctions toxiques.

— Oh, bien sûr ! fit Elizabeth. L'Institut d'archéologie. Même si Nelson était mort, je doute que vous manqueriez votre rendez-vous !

Manquer un rendez-vous de cette importance pour un crétin ?

— Vous avez probablement raison.

Il déposa un baiser léger sur la joue d'Elizabeth, et s'empressa de filer avant qu'elle se remette à pleurer.

Lydia était parvenue à empêcher sa voix de trembler. Et personne ne s'était encore levé pour la traiter de folle. Sophie s'endormait – le chapeau sur l'œil, remis d'aplomb lorsque Antonia lui donnait un coup de coude, puis plongeait de nouveau –, mais cela n'avait rien d'inhabituel. Plus important, lord Ayresbury, assis au premier rang, écoutait avec un intérêt visible. L'un dans l'autre, se dit-elle prudemment, tout allait plutôt... bien.

L'espoir qu'elle s'efforçait de contenir depuis des jours se libéra et la submergea avec une telle force qu'elle en bafouilla.

— Si... euh... si les découvertes de mon père sont justes, la probabilité est grande...

Une porte s'ouvrit avec fracas au fond de la salle et un gentleman dépenaillé entra. Elle en resta muette de stupéfaction. Il était presque midi, et le nouveau venu était en tenue de soirée.

Une partie de l'assistance se retourna. L'intrus était suivi d'un valet en livrée cramoisie, qui portait une redingote sur un bras et une sorte de pavé sous l'autre.

Un retardataire excentrique. Inutile de se sentir mal à l'aise. Lydia rajusta ses lunettes et se concentra sur son texte.

— ... la probabilité est grande que ce ne soit *pas* à Tel-el-Maskhuta que se sont arrêtés les Juifs après avoir fui l'Égypte.

Un reniflement de mépris fut émis par l'homme aux cheveux roux assis à côté de lord Ayresbury. Lydia ne le regarda pas ; cela n'aurait fait que la déconcentrer. Depuis le début, il n'avait cessé d'émettre des petits bruits désapprobateurs. Dans la zone de son cerveau qui n'était pas occupée par la conférence, elle avait déjà préparé les condoléances qu'elle lui offrirait plus tard pour ses soucis de santé. Son père lui avait écrit une longue lettre sur ce à quoi elle devait s'attendre. *Hospitalité, tempérée de suspicion, et de quelques foyers d'hostilité auxquels le directeur de l'Institut te présentera à la fin de la séance. Fais-toi une colonne vertébrale en acier et réplique-leur sans peur !*

La sueur lui perla à la nuque comme elle arrivait à la dernière page. Elle avait travaillé sur cette conclusion pendant des jours, afin d'exposer les découvertes paternelles de la façon la plus diplomatique qui soit. Ses données étaient justes, mais elles contredisaient les affirmations des érudits qui prétendaient avoir localisé Pithom et Succoth. Certains d'entre eux étaient présents et, s'ils décidaient de conspuer son propos, cela n'aiderait pas son père à trouver des financements.

« En acier », se rappela-t-elle. Lord Ayresbury avait beaucoup d'influence sur l'*Egypt Exploration Fund* et, à en croire la rumeur, il appréciait les innovations. Avec son appui, ils obtiendraient sûrement l'aide de la fondation. Son père n'avait besoin que de deux saisons supplémentaires pour prouver sans le moindre doute possible qu'il avait trouvé le site réel du premier arrêt lors de l'Exode. Et ensuite… eh bien, tous ses soucis seraient terminés. Il n'aurait plus à perdre son temps dans le commerce des antiquités. Il recevrait tellement de propositions de soutien financier qu'il devrait en *refuser*. L'idée était euphorisante. Il désirait cela depuis si longtemps. Et c'était grâce à elle qu'il l'obtiendrait ! Elle humecta ses lèvres soudain sèches.

— Bon, si je puis…

— Ah, c'est *là* que vous êtes !

Le nouveau venu s'était immobilisé au milieu de l'escalier et s'adressait à quelqu'un qui était assis au bord d'une rangée. Un murmure courut dans l'amphithéâtre.

— Inutile de vous cacher, reprit-il.

Le cœur de Lydia se serra. Tout s'était si bien passé jusqu'à présent, elle aurait dû savoir qu'il ne fallait pas vendre la peau de l'ours avant de l'avoir tué.

Bien sûr, son père, dans sa grande sagesse, avait prévu l'incident. *Et si un goujat te ravit l'audience... eh bien, reprends-la-lui, tout simplement.*

S'armant de courage, elle inspira à fond, posa les mains à plat sur le lutrin.

— S'il vous plaît, lança-t-elle d'une voix un peu trop aiguë.

Surpris, l'inconnu se tourna vers l'estrade où elle officiait. Comme s'il ignorait qu'une *conférence* était en cours ! Il la fixait comme s'il tentait de la situer. Le cœur battant (car elle n'avait aucune expérience pour « ravir une audience », activité qui sonnait terriblement martiale), elle soutint son regard. Il avait une crinière d'un fauve ahurissant, la mâchoire ferme et le nez droit. Peut-être était-il beau aux yeux des gens qu'émouvait l'air épuisé de certains mondains, car ses cernes bleus trahissaient d'innombrables nuits blanches.

— Pas maintenant, riposta-t-il en se détournant.

Puis, revenant à elle, il l'étudia attentivement et ajouta :

— Mais plus tard, peut-être.

Curieusement, son impertinence la rasséréna. Un Adonis pouvait être déconcertant, mais affronter la canaille ordinaire ne demandait pas de talents particuliers.

— Peut-être pourriez-vous, monsieur, me laisser terminer ma conférence d'abord !

Mais c'était à des nuques qu'elle s'adressait à présent. Le mufle s'était détourné, emportant avec lui l'attention de l'assistance. *Son* assistance. *Celle de son père !*

— Très bien, déclara-t-il à un vieux monsieur. La montagne vient à Mahommet.

Il fit signe à son valet, lequel s'avança en tendant à bout de bras la pierre dont il était chargé.

Plusieurs personnes se levèrent, dont lord Ayresbury.

Le vieux monsieur à qui s'adressait l'intrus bondit sur ses pieds.

— Qu'est-ce que cela signifie, espèce de sacripant ?

— C'est à *vous* de me le dire.

Sur un autre signe, le valet déposa la pierre au pied du vieux monsieur.

— Ma stèle. À ne pas confondre avec *Stella*, que vous avez ôtée de ma vue de façon permanente. Je n'ai aucune idée de ce que c'est, mais je suis sûr que ça a beaucoup de valeur. Et que c'est *très* rare.

Il y eut un silence durant lequel le valet disposa la pièce selon les directives de son maître. La conférence de Lydia avait viré au spectacle de foire. S'apercevant qu'elle regardait la scène à travers un étrange brouillard, elle découvrit avec horreur que ce devait être des larmes. Seigneur, pleurer comme un bébé, *en public* ! Heureusement que la foule regardait ailleurs, se dit-elle en s'essuyant vivement les yeux. Quelle sotte elle faisait ! Son attitude manquait vraiment de dignité.

L'espoir mourait beaucoup moins agréablement qu'il n'était né.

— Ça alors ! s'exclama un homme, avant de se frayer un chemin dans la foule, provoquant moult grognements et protestations.

— Est-ce que ce n'est pas *Néfertiti* ?

L'intrus examina la stèle.

— C'est possible, répondit-il.

Il ne le savait même pas ? Ces beaux messieurs étaient toujours les pires des amateurs.

— Vous parlez de celle qui se blottit contre le type qui porte le… ?

Il dessina des mains une forme étrange au-dessus de sa tête.

Ah ! Le chapeau conique des pharaons. Lydia prit son courage à deux mains.

Courage qui lui fut nécessaire dans le chaos qui s'ensuivit. Fauteuils renversés, programmes volant dans les airs, exclamations et suppositions tandis que les trois quarts de ses auditeurs se ruaient vers l'objet en question.

Deux de ceux qui étaient restés sagement assis à leur place lui adressèrent un regard compatissant. Elle les remercia d'un sourire poli. Le gentleman roux la gratifia d'une grimace ravie, et elle tourna la tête, rebuffade que même les yeux de fouine de cet imbécile ne purent ignorer. Du coin de l'œil, elle le vit murmurer quelque chose à la femme qui l'accompagnait, une splendide blonde de l'âge de Lydia dont les lèvres fines de patricienne s'incurvèrent légèrement.

Lydia se retint de lever les yeux au ciel. Elle avait l'habitude de ce genre d'expression. À douze ans, elle signifiait que votre amour des livres était ridicule et vos jupes courtes honteusement démodées. À dix-sept, que l'intérêt que vous portiez aux civilisations païennes n'étaient vraiment pas féminin. À vingt-deux, que vous aviez dit quelque chose de bizarre et que l'on ne devait pas s'étonner que votre beau-frère vous ait plaquée pour votre sœur. À vingt-six... ? À vingt-six ans, Lydia était trop mûre pour se soucier de ces petites mimiques. Elle se pliait aux exigences d'une conduite acceptable, et c'était tout ce qu'elle devait à la société. Elle ne demandait assurément rien en retour.

En silence, elle entreprit de rassembler les feuillets de sa conférence. Ses doigts tremblaient. Pathétique. *Ah, ces orientalistes !* Elle avait vu ça toute sa vie : à peine le mot de *pharaon* était-il prononcé que ces messieurs se retrouvaient dans leur salle de classe. Même son père, pourtant mari dévoué, était parti en courant lorsqu'il avait appris qu'une statue venait d'arriver du Caire. Lydia était restée dans la chambre aux rideaux tirés, la main sur le front de sa mère, l'autre passant de l'épaule de Sophie aux petits doigts tremblants d'Antonia, tandis que leur parvenait le bruit de la voiture s'éloignant à vive allure. Elle n'avait que seize ans, et, bien sûr, personne ne pouvait deviner que la fièvre de leur mère serait fatale. Néanmoins, l'avenir avait paru évident. Son père lui paierait des études, soit, mais elle ne pouvait compter sur son attention sans partage. Sauf si elle courtisait la maîtresse qu'il s'était choisie : lady Égypte.

Au moins, la passion de celui-ci était-elle scientifique. Alors que nombre d'égyptologues utilisaient l'archéologie pour dissimuler une fascination puérile pour les babioles en or. Elle regarda de nouveau l'intrus. Il s'était écarté de la foule et contemplait avec un sourire satisfait, partiellement caché par le doigt qui tapotait sa lèvre supérieure, le tohu-bohu qu'il avait déclenché. Les babioles lui plaisaient visiblement. Ses doigts étaient couverts de bagues. Une turquoise et une montre en argent décoraient son gilet. Et il avait sûrement fallu des heures à son valet de chambre pour obliger cette mèche blondie par le soleil à retomber pile au milieu de son front. Un paon. Un paon avait saccagé sa conférence ! Pire, avait anéanti d'un seul coup le plan que son père et elle avaient mis au point !

Et voilà que le rouquin clabaudait. Elle le devinait au rythme des mots qu'il débitait à l'oreille d'Ayresbury. Raillerie, médisance, dénigrement. Toute chance d'obtenir des fonds s'écroulait. Lorsque la nouvelle de l'échec atteindrait Le Caire, son père serait affreusement déçu.

Furieuse, elle empoigna ses jupes et fonça. Le perpétuel critique ricana sur son passage, mais elle l'ignora. Jouant des coudes, elle fendit la foule et s'approcha de la stèle jusqu'à la frôler.

Un seul coup d'œil lui suffit.

— C'est un faux, déclara-t-elle.

Personne ne parut entendre.

— C'est un *faux* !

Elle fut même surprise par sa véhémence. Durant le bref silence qui s'ensuivit, tandis que sa colère commençait à refluer, elle s'inquiéta de son audace. Elle ouvrit la bouche dans l'idée d'atténuer sa critique, mais quelqu'un la devança.

— Pas du tout ! s'exclama un gentleman qui, oubliant les convenances, s'était mis à quatre pattes pour examiner l'objet de plus près. Au contraire, elle présente tous les signes d'authenticité.

Voilà qui était trop fort ! se dit-elle.

— Une pièce unique ! renchérit un autre. Lord Sanburne nous a apporté une merveille. Regardez la...

— Taisez-vous, coupa le vieil homme à qui la stèle avait été présentée.

Son regard bleu pâle se fixa sur Lydia.

— Vous vous y connaissez en objets de ce genre, mademoiselle Boyce ?

— Bien sûr que oui ! répondit Antonia à la place de sa sœur.

Comme elle la rejoignait, laissant dans son sillage un parfum particulièrement entêtant, Lydia reconnut sans peine le mélange que Sophie faisait venir de Paris. Et qu'Antonia utilisait bien que son aînée lui eût dit et répété qu'une débutante devait éviter les parfums aussi lourds.

— Comment ne s'y connaîtrait-elle pas ? continua la jeune fille en glissant le bras sous celui de Lydia, Elle lisait les signes cunéiformes alors qu'elle était encore sur les genoux de papa. Et elle passe tous ses après-midi à étudier l'arabe à la bibliothèque !

Le vieil homme parut se satisfaire de ces exagérations.

— Bien sûr, je suis un grand admirateur des travaux de M. Boyce, fit-il en tendant la main à Antonia. Permettez-moi de me présenter : Moreland. Comte de Moreland.

Antonia prit sa main et esquissa une révérence, tâche quasi impossible étant donné l'ampleur de ses jupes et les gens qui se pressaient autour d'elle et de sa sœur.

Lydia fut distraite de la scène par l'intrus, Sanburne, dont la vue, à cette distance, révélait l'étendue de son désordre vestimentaire. Ses manchettes ouvertes pendaient dans le vide. Une tache de vin s'étalait sur son gilet pervenche.

Le sourire qu'il lui adressa sentait la vengeance imminente.

— C'est un faux, vraiment ? demanda-t-il en désignant la stèle.

« Une colonne vertébrale en acier », se rappela-t-elle.

— Cela ne fait aucun doute.

— Sans blague ? répliqua Sanburne dont elle remarqua les yeux injectés de sang.

— Sans blague.

— Expliquez-vous.

Elle prit une profonde inspiration. Cet homme avait un regard redoutable.

— Veuillez excuser les manières de mon fils, intervint le comte en décochant un regard féroce à l'intéressé, lequel, haussant un sourcil, montra aussi peu de contrition que Lucifer.

Lydia n'aurait pu être plus mal à l'aise. La famille Durham était célèbre : la sœur, coupable de meurtre, avait été enfermée dans un asile, et le fils, se souvint-elle soudain, était un épouvantable anarchiste qui s'amusait à provoquer son père chaque fois qu'il en avait la possibilité.

Dieu du Ciel ! Elle avait mis le pied dans un conflit familial. Chacune de ses paroles ne ferait que l'y impliquer davantage.

— Vous devriez peut-être demander l'avis de quelqu'un d'autre, hasarda-t-elle.

Sa colonne vertébrale n'était pas vraiment en acier, après tout. Du reste, c'était une expression idiote, inventée par quelqu'un qui ignorait ce que c'était que d'être maltraité.

— Ce n'est pas ma spécialité. Et au milieu de tant de savants distingués...

— Précisément, dit le fils du comte.

— Absurde, contra le comte. Je constate que vous êtes la seule à avoir eu le bon sens d'examiner l'objet avant de vous joindre à ce... *chœur* d'alléluias. Finissons-en, jeune fille : quel est votre verdict ?

Antonia pressa le bras de sa sœur.

— Oh, dis-leur, Lydia !

Cette dernière se rendit compte avec embarras que le regard de sa cadette s'attardait sur le visage furieux du fils prodigue.

Il lui sembla alors que la façon la plus rapide de mettre un terme à ce dilemme était de donner son opinion. Cherchant un soutien, elle posa sa main sur celle d'Antonia.

— Plusieurs choses me poussent à émettre des doutes quant à l'authenticité de cet objet, commença-t-elle d'un ton mesuré.

Elle prit le temps d'étudier attentivement la stèle et, à son grand soulagement, découvrit que son intuition était justifiée.

— On a essayé de faire croire à une stèle funéraire du Moyen Empire mais, dans ce cas, on devrait voir des cruches de bière au lieu de ces pots d'onguents. Et ce n'est pas...

Son regard s'aventura du côté de Sanburne, et se détourna aussitôt. La colère avait fait rougir la cicatrice qui barrait l'un de ses sourcils.

— Ce n'est pas Néfertiti, et elle ne se blottit pas, continua-t-elle. Elle est à genoux, ce qui est une grossière erreur. On ne s'agenouille que devant une divinité. Je soupçonne que, si vous examinez les marques au dos, vous découvririez que le travail n'a pas été fait avec une herminette mais avec un ciseau moderne. Bref, ce n'est pas… C'est un faux.

— Quelqu'un ayant une meilleure vue pourrait regarder, suggéra lord Sanburne avec mépris.

Les doigts de Lydia étreignirent le bras d'Antonia.

— Je vois parfaitement bien. C'est à cela que servent les lunettes, après tout.

— Bonté divine ! s'écria quelqu'un derrière elle. Elle a raison.

Le comte sourit.

— Ma chère, quel regard perspicace ! Nous avons de la chance que vous ayez décidé de suivre les traces de votre père.

Telle n'était pas son intention, mais le moment lui paraissait mal choisi pour rectifier.

— Je vous remercie, monsieur.

Rassemblant son courage, elle se tourna vers son fils.

— Je crois que ce champ de recherches exige de nouvelles façons de procéder. L'égyptologie sert trop souvent d'excuse à des hommes fortunés pour acquérir de jolies babioles.

Son regard descendit sur les doigts chargés de bagues du jeune homme, puis remonta.

Elle ne savait trop à quelle réaction elle s'était attendue – un rougissement, une protestation, peut-être même un geste agressif (elle ne l'en croyait pas incapable) –, mais ce n'était certainement pas à un sourire. Et quel sourire ! D'abord très lent, comme hésitant, puis s'épanouissant soudain, avant de se transformer en éclat de rire. Son visage en fut complètement métamorphosé. Et apparut d'une beauté à couper le souffle.

Puis quelque chose dérapa. Le rire semblait lui échapper, s'amplifier, prendre une ampleur démente. Lydia entendait les gens regagner leur place mais, fascinée par le visage du jeune lord, elle ne leur accorda aucune attention. Ce n'était pas de la curiosité morbide. Jamais elle n'avait vu quelqu'un perdre la tête aussi magnifiquement. Spectacle déchirant. Elle eut du mal à se retenir de…

De faire quoi ? Grands dieux, que dire à une telle créature ? Sa beauté était sans signification, aussi fortuite et imméritée que le dessin des ailes d'un papillon. S'en émouvoir serait stupide

Le comte, quant à lui, semblait plus irrité qu'inquiet.

— Arrête immédiatement, fils ! Seigneur, qu'as-tu fumé ?

Sanburne cessa de rire aussitôt.

— Vous m'avez bien eu, lança-t-il à Lydia.

Puis, sur un autre éclat de rire, il claqua des doigts à l'adresse de son valet qui s'empressa de lui tendre sa redingote.

— Vous devriez engager cette jeune personne pour vérifier votre collection, conseilla-t-il à son père tout en enfilant ladite redingote. Après tout, il y a entre vous une certaine… euh, complicité.

Lydia se raidit. Il y avait quelque chose de sordide dans la façon dont il avait prononcé ce mot.

— Ma collection ? répéta le comte. Je ne suis pas bête au point d'investir mon argent dans des escroqueries.

— *Vous* devriez l'engager, dit Antonia à Sanburne. Vous manquez visiblement de discernement.

— En effet, admit-il en examinant la jeune fille d'une façon qui inquiéta Lydia.

— Je suis sûre que la faute est imputable à quelqu'un d'autre, dit-elle. La personne qui vous a vendu cet objet…

— Oui, oui, l'interrompit-il avec impatience. Tant pis pour lui. Père, un mot.

Il s'éloigna, puis, voyant que le comte ne le suivait pas, se retourna.

— Tu ne veux pas de ta pierre ? s'enquit lord Moreland d'un ton suave.

— Si. Je vais la garder pour votre tombe. Ce sera très approprié, non ?

Cette remarque donna le vertige à Lydia.

— Allons retrouver Sophie, murmura-t-elle à sa sœur. Nous n'avons plus rien à faire ici.

Elle s'éloignait lorsque le comte l'appela.

— Mademoiselle Boyce, venez me voir que je vous remercie convenablement. Je vous suis très reconnaissant de l'avis que vous venez de me donner.

— Oh, moi aussi, je pourrais vous rétribuer, observa Sanburne. Nous pouvons vous partager, non ? Je possède beaucoup d'antiquités qu'il vous plairait sûrement de critiquer.

Elle compta jusqu'à dix. Puis, ne trouvant comment répliquer sans franchir les limites de la bienséance, elle fit une révérence au comte, pivota vivement, et entraîna sa sœur à sa suite.

2

Le dernier visiteur parti, Lydia regagna son fauteuil. Dieu que ces réceptions étaient épuisantes ! Un flot de paroles sans intérêt, auxquels les rites qui les entouraient tentaient de donner un peu de substance. Sophie avait tenu cour aujourd'hui pour ce qui devait être la moitié de la ville. C'eût été un vrai triomphe si beaucoup n'étaient venus uniquement pour dévisager Lydia. Toutes les chroniques mondaines des journaux avaient mentionné la débâcle à l'Institut.

Comme elle se penchait pour prendre sa tasse de thé, la voix de George lui parvint du couloir. Horripilée, elle se rassit. Les débuts dans le monde d'Antonia les avaient réunis sous le même toit, et cette promiscuité commençait à lui porter sur les nerfs. La veille au soir, Sophie l'avait prise à part pour lui signaler l'*immense* détresse qu'avait éprouvée son époux lors de la conférence. « Il trouve que tu aurais dû garder le silence, et laisser à quelqu'un d'autre le soin de signaler que la stèle était un faux », lui avait-elle dit.

Une telle hypocrisie avait laissé Lydia muette. En général, George évitait de critiquer sa conduite, dans quelque domaine que ce soit. Après tout, l'erreur la plus choquante qu'elle ait jamais commise avait eu lieu dans cette pièce, sous la pression de George *lui-même.*

Le souvenir la décontenança au point qu'elle songea à rabattre le caquet à qui oserait l'ennuyer au sujet de la conférence. Mais, lorsque la porte s'ouvrit, seule Antonia entra. Elle feuilletait les cartes de visite laissées par les invités.

— Que de gens ! En avons-nous jamais reçu autant ?

Ses nerfs se calmant, Lydia lui rendit son sourire. Les sourires d'Antonia étaient contagieux : M. Pagett, le troisième fils du comte de Farlow, était sous leur charme. Les trois sœurs étaient d'accord : s'il faisait sa demande dans la quinzaine, le mariage aurait lieu en septembre. Antonia avait envie d'une lune de miel en Italie du Nord où l'automne, disait-on, était splendide. Sophie voulait être débarrassée de son rôle de chaperon avant son voyage annuel sur la Riviera. Et plus vite Antonia serait casée, plus vite Lydia pourrait reprendre sa campagne pour obtenir des fonds pour leur père. La conférence n'en avait été que le début. Elle avait l'intention de sillonner le pays, de solliciter personnellement tout amateur fortuné d'antiquités égyptiennes qui aurait acheté ne serait-ce qu'un papyrus. Dépendre du commerce d'antiquités pour financer les projets de son père était un pur gâchis. Cela le distrayait de son vrai travail, et la retenait à Londres au lieu d'aller en Égypte participer aux fouilles, ou effectuer ailleurs ses propres recherches.

Antonia jeta les cartes sur la table et s'installa à côté de son aînée. Elle portait une jolie robe en tulle blanc, tout à fait ce qu'il fallait à une jeune fille qui débutait. Détail moins approprié, on voyait ses chevilles.

— Tu as eu beaucoup de succès aujourd'hui, Lydia, commenta-t-elle.

Il y avait une pointe de perplexité dans sa voix, et Lydia retint un sourire. Aucune de ses sœurs n'avait l'habitude de rester dans son ombre. Toutes trois avaient hérité des yeux noisette et des cheveux bruns ondulés de leur mère, mais Sophie et Antonia étaient bâties sur un modèle plus menu et plus gracieux que leur aînée, avec leur bouche en bouton de rose et leurs yeux en amande. Fillette, Lydia s'était suffisamment regardée dans le miroir pour savoir que c'était cette bouche qui les rendait jolies, et ces yeux en amande qui faisaient leur beauté. Privée des deux, elle avait décidé de renoncer à toute vanité.

— Si j'ai eu du succès, il faut en remercier le vicomte, répondit-elle. Son esclandre a suscité beaucoup d'intérêt.

— Oh, c'est vrai. Je me demande s'il sera au dîner des Durham demain soir ?

Lydia haussa les épaules et s'empara de sa tasse de thé.

— J'en doute. Le père et le fils ne s'entendent pas, tu l'as constaté.

— Comme c'est triste.

— C'est la faute du fils. Ne gaspille pas ta pitié pour ce vaurien.

Puis, inquiète de voir Antonia s'intéresser au vicomte, elle changea de sujet.

— As-tu eu une agréable conversation avec M. Pagett ?

Antonia rougit.

— Il est très gentil. Il m'a proposé une promenade demain.

— C'est charmant.

Les choses se déroulaient bien.

— Mais tu emmèneras Sophie avec toi. Et s'il arrive avec une voiture à deux places, tu insisteras pour prendre notre barouche.

Il avait déjà joué ce petit tour, avec la complicité d'Antonia. La chère enfant ignorait encore qu'une jeune fille pouvait aisément fauter, et qu'un gentleman pouvait tout aussi aisément cesser de s'intéresser à elle à cause d'une imprudence que lui-même aurait encouragée.

— Je te l'ai déjà promis, répliqua Antonia avec agacement. Sophie m'a dit qu'une lettre de papa était arrivée ? ajouta-t-elle.

— Oui. Il prépare un envoi, et me demande d'entrer en contact ses clients.

— Il a écrit quelque chose pour moi ?

— Je suis désolée, chérie. Il ne parle que de ses affaires.

Antonia fronça le nez.

— Avec lui, il n'y en a que pour les affaires.

Ainsi qu'il devait en être pour tous les savants qui n'avaient pas hérité de fortune pour financer leurs recherches.

— Il est très occupé, chérie. S'il n'a pas fini les fouilles avant l'arrivée des pluies, toute la saison sera perdue.

Antonia se contenta de soupirer. D'ordinaire, elle montrait plus de compassion pour la vie difficile de leur père, mais, ces derniers temps, l'attitude de Sophie déteignait sur elle.

— George disait hier que c'est une honte que papa ne vienne jamais nous voir.

Lydia en tressaillit d'indignation.

— George est prêt à payer les frais des travaux de papa ? répliqua-t-elle. Cela lui permettrait de nous rendre visite.

— Il le ferait peut-être, fit Antonia en croisant les doigts sur ses genoux. Il prétend que le commerce des antiquités n'est pas digne d'un gentleman. Ce n'est pas vrai, bien sûr, mais certains pourraient penser que papa fouille les tombes pour trouver des choses à vendre.

Lydia en eut le souffle coupé. Comment George osait-il répandre de telles rumeurs ?

— Antonia, je ne peux pas croire que tu ne t'es pas élevée contre de tels propos !

Oh, elle n'aurait pas de repos tant qu'elle n'aurait pas obtenu assez d'argent pour que son pauvre cher père puisse enfin renoncer au commerce ! Il n'exportait que des pièces dont le gouvernement égyptien autorisait la vente, mais il n'en demeurait pas moins vulnérable aux plus odieux commentaires.

— Franchement, tu pourrais faire montre d'un peu de loyauté ! poursuivit-elle. Tu vis sous le toit de George, mais ce n'est pas ton père.

— Bien sûr qu'il ne l'est pas… Lydia, pourquoi George et toi vous détestez-vous autant ? demanda Antonia après une hésitation.

Était-ce aussi visible ?

— Allons, ne dis pas de bêtises. Je n'aime pas qu'il critique papa, c'est tout.

Antonia fronçant davantage les sourcils, elle ajouta d'un ton sec :

— Il n'a pas le droit de dire ce genre de choses.

— Je sais, murmura Antonia en lui prenant la main. Ce n'est pas grave. Lorsque je serai mariée, tu viendras vivre chez moi. En fait, je ne me marierai qu'avec celui qui voudra bien t'accueillir !

La promesse aurait pu apaiser Lydia si elle n'avait entendu sa sœur faire la même déclaration la semaine passée en parlant de son chiot – lequel, malgré tous leurs efforts, continuait de faire pipi sur les tapis et de mordiller les pantoufles des uns et des autres.

— Comme c'est gentil, dit-elle, pince-sans-rire. Mais quand tu dénicheras ce parangon, fais attention.

Elle se pencha et tira sur le bas de la robe d'Antonia.

— Il pourrait être d'avis que seules les actrices montrent leurs chevilles.

— Oh, et moi qui essayais d'être gentille !

Bondissant sur ses pieds, Antonia se dirigea à grands pas vers la console, où elle entreprit de réarranger le bouquet avec force gestes dramatiques.

Honteuse, Lydia allait s'excuser lorsque sa cadette se pencha en avant, révélant une tournure à la dernière mode. La bouche de Lydia se referma brutalement. Elle s'était opposée à ce genre d'artifice, mais Sophie avait visiblement circonvenu la couturière. Résultat, l'arrière-train d'Antonia occupait trois fois plus d'espace que la nature ne l'avait prévu, et gigotait frénétiquement comme si un petit animal s'était caché sous les jupes. Quelle horreur ! Cela n'avait d'autre objectif que d'attirer l'attention des messieurs sur des parties du corps censées être ignorées.

Un grommellement annonça le retour de Sophie. Elle était très en colère contre la cuisinière à cause des biscuits ramollis qu'on avait servis aux invités.

— Incompétence, marmonna-t-elle en se laissant tomber dans un fauteuil à côté de Lydia. C'est une honte.

Lydia désigna la console du menton. Antonia s'était déplacée devant un bouquet de roses thé entrelacées de feuillage. Il n'y avait pas de carte, mais le langage des fleurs disait : *Je n'oublierai jamais ; mes plus beaux jours ont fui ; je suis décidé à vaincre ; je compte sur un rendez-vous.*

— Une véritable honte.

Sophie haussa un sourcil.

— Tu es sûre que cela vient de Sanburne ? C'est un bouquet affreux alors que, selon la rumeur, c'est un homme de goût.

— Ah. D'autres rumeurs circulent.

Elles enchaînèrent : Sanburne était un vaurien, un bandit, disait l'une. Non, c'était un Adonis et un excellent sportif, protestait l'autre. Il buvait trop – mais avec quelle classe. C'était un barbare des temps modernes ; son oncle du côté maternel lui avait laissé des terres, qu'il avait vendues pour acheter d'affreuses usines dans le Yorkshire. À présent, il se bâtissait une fortune en faisant suer sang et eau ses ouvriers, et se réjouissait de narguer son père en montrant des talents d'homme d'affaires.

— Les fleurs sont de lui, c'est sûr, marmonna Lydia.

Se rappelant la profusion de bagues qui ornaient ses doigts, elle ajouta :

— Je les trouve tout à fait assorties à sa personne. Il est aussi vulgaire que son bouquet.

— Il a beaucoup de succès, tu sais.

— Du succès ! Auprès d'une bande d'ivrognes et de Sud-Africains, sûrement. Mme Bryson m'en a parlé. Elle prétend que ses soirées sont surtout célèbres pour la foule de débauchés qui s'y précipitent.

Sophie eut un sourire méprisant.

— À ses yeux, tous les hommes bien rasés sont des débauchés. Et le cercle dans lequel il évolue est très chic – presque aussi chic que le Marlborough House Set, l'entourage du prince et de la princesse de Galles –, mais il est plus difficile de s'y faire admettre parce qu'ils sont tous amis depuis une éternité.

Un soupir d'envie la fit s'interrompre brièvement.

— Tu te rappelles comme, il n'y a pas si longtemps, George aimait sortir dans le monde ? Lui a peut-être connu Sanburne. Au début de notre mariage, il ne manquait pas une réception. Et regarde maintenant : tout ce qu'il aime, c'est parler politique avec les membres de son club. Même leurs épouses n'ont pas d'autres sujets de conversation.

« À quoi t'attendais-tu ? faillit répliquer Lydia. Ce sont des politiciens. » Elle s'en abstint. Répondre à une plainte ne faisait qu'en susciter une autre. Sophie découvrait chaque jour de nouvelles raisons d'être déçue par George. Une aînée plus noble et plus gentille aurait sans doute souligné les qualités de son mari. Mais elle n'était ni noble ni gentille.

— Du reste, Sanburne ferait un brillant parti, reprit Sophie en sortant son petit carnet. Tu as un crayon ?

Lydia ne put s'empêcher de s'esclaffer. Étant mariée, le rôle de chaperon pour Antonia avait échu à Sophie. Sur un petit carnet qu'elle appelait son « journal de campagne », elle avait dressé la liste de tous les célibataires bien nés, et chaque fois qu'un détail sur l'un ou l'autre lui parvenait, elle le notait consciencieusement. Mais là, elle exagérait.

— Tu ne comptes quand même pas l'ajouter ! protesta Lydia. Il est déjà fiancé à la fille de Gatwick.

— Vraiment ? Je n'en ai pas eu confirmation. De toute façon, il paraît qu'elle est amoureuse de quelqu'un d'autre.

— Oh, c'est exactement ce que nous voulons pour Antonia ! répliqua Lydia. Un homme qui s'amuse à provoquer son père et garde une fiancée qui ne l'aime pas.

Seigneur, quel salmigondis ! Ces mondains étaient incompréhensibles. Ils semblaient n'avoir rien de mieux à faire que de gâcher leur vie sous les applaudissements de leurs pairs. Alors que les mêmes sottises coûteraient l'exclusion, ou même la prison, à des mortels moins favorisés par la naissance.

— Eh bien, je ne la pousserai pas dans ses bras, mais s'il s'intéresse à elle…

C'était exactement pour cela que leur père avait prié Lydia de garder un œil sur les manœuvres de Sophie.

— Surtout pas ! Et qu'en est-il de M. Pagett ? Je croyais que tu étais sûre de recevoir une demande en mariage d'ici deux semaines ?

Sophie se pencha en avant avec une moue rebelle.

— Je l'aurai, mais il faut être discret. Pérore autant que tu veux sur les cailloux et les peuplades étrangères, mais, quand il s'agit des hommes, tu ne sais rien.

Si ces murs pouvaient parler, ils répondraient pour elle ! songea Lydia.

— Peut-être, mais quand Gladstone est venu dîner la semaine dernière, et que tu as failli tomber de sommeil au milieu du repas, qui a sauvé la conversation ? riposta-t-elle.

— Tu as parlé pendant une demi-heure de la *Home Rule*, à laquelle je ne comprends rien, grommela Sophie. Je m'étonne que *lui* ne se soit pas endormi. George a eu honte.

— George a été reconnaissant de mon intervention, répliqua Lydia. Et, à titre d'information, la *Home Rule* accorde à l'Irlande une certaine autonomie tout en la gardant sous la tutelle de la couronne britannique. C'est important, non ?

Sophie haussa les épaules.

— George a été trop gêné pour te dire quoi que ce soit, je suppose.

Gêné, George ? Il ne l'avait pas été, trois ans plus tôt, lorsqu'il avait sauté sur Lydia pour l'embrasser. Dans cette même pièce.

— M. Gladstone m'a demandé mon opinion sur le sujet. Et j'ai répondu. De quoi étions-nous *censés* discuter à la place ? De ton décolleté ? Du nouveau gros postérieur d'Antonia ? Vraiment, Sophie, que prétends-tu lui enseigner ? De jolis yeux ne sont pas l'unique atout d'une femme – et ils ne servent pas à grand-chose lorsqu'un homme a de plus nobles intérêts que le flirt ?

Sophie lui sourit.

— C'est là ton erreur, rétorqua-t-elle d'un ton mielleux. Tu prends du désintérêt pour de la noblesse d'âme. Chère Lydia, ce n'est pas parce qu'un homme ne *te* trouve pas séduisante qu'il n'a pas envie de flirter avec d'autres femmes plus jolies. Alors inutile de te donner en exemple à Antonia : elle n'aura jamais besoin des talents qui te sont si nécessaires.

— Comme tu manies habilement la cruauté, remarqua Lydia d'un ton placide. Tu en es fière ?

— Je dis la vérité, c'est tout. Une grande savante telle que toi devrait apprécier.

Jamais la tentation de l'aveu n'avait été aussi forte. Les mots étaient si près d'émerger que Lydia en sentait le poids et la forme sur sa langue.

Mais elle se tairait. L'épisode avait eu lieu longtemps auparavant. Et elle en sortait aussi peu grandie que George. Après tout, lui avait l'excuse de l'alcool. Mais comment expliquerait-elle la façon dont elle avait refermé les bras autour de lui ? Durant quelques secondes avant qu'elle se dégage, la trahison de George lui avait fait… plaisir. « Vous avez fait le mauvais choix, et vous le savez à présent », avait-elle pensé.

Comme toujours, ce souvenir lui souleva le cœur. Hormis le mépris de soi et la colère, une seule chose était claire : elle avait voulu savoir ce que c'était que d'être embrassée, eh bien, il n'y avait pas de quoi en faire tout un plat.

— Je n'ai pas envie de me disputer avec toi, dit-elle. Il se trouve que c'est à nous deux que papa a confié Antonia. Nous lui trouverons donc un mari toutes les deux.

Sophie étouffa un bâillement.

— Papa est en Égypte. Et je doute qu'il cracherait sur un futur comte.

— Papa se ficherait complètement d'un titre si Antonia devait se retrouver mariée à un ivrogne, riposta Lydia.

Un petit sourire narquois retroussa les lèvres de sa sœur.

— Ce n'est pas ce qu'il m'a dit, *à moi*.

— Quoi ? Quand ?

— Oh, je ne t'en ai pas parlé ? Il m'a envoyé une lettre.

Lydia éprouva un choc.

— Non.

— Non ? répéta Sophie en souriant. Tu n'es pas son unique fille, tu sais.

Le bon sens s'imposa de nouveau. Quoi qu'il ait à dire, leur père passait toujours par Lydia.

— C'est vrai, admit-elle en haussant les épaules. Montre-moi la lettre.

— Pourquoi le ferais-je ? Elle ne t'était pas adressée.

Il n'y avait pas de lettre, bien sûr. Sophie essayait seulement de l'embêter. D'où était partie la discussion ? Ah, oui.

— Bon, eh bien, cela n'a plus d'importance, maintenant, répliqua Lydia. Sanburne est déjà lié à Mme Chudderley.

— Mme Chudderley ? s'écria Antonia qui, lassée de triturer les bouquets, les avait rejointes.

Son ton allègre était délibéré : les disputes de ses sœurs la mettaient mal à l'aise.

— La femme dont tous les magazines vantent la beauté ? ajouta-t-elle.

Lydia se hâta de répondre avant Sophie :

— Oui. La fiancée de lord Sanburne.

— Oh, ils sont fiancés ? Cela ne m'étonne pas. On voit son portrait partout. Elle est très belle.

Le ton admiratif déplut à Lydia.

— Tu devrais avoir pitié d'elle. Fiancée à un homme qui se montre en public dans un état d'ébriété avancé ! Nous ferons certainement mieux pour toi.

— *Je* ferai certainement mieux, intervint Sophie.

Le regard inquiet d'Antonia passa de l'une à l'autre. Elle n'avait aucun élément pour comprendre les raisons de l'animosité latente qui persistait entre ses deux aînées.

— Je l'espère, dit-elle en se laissant tomber dans un fauteuil.

— Gracieusement, murmura Lydia. Ne t'affale pas ainsi.

— Laisse-la tranquille, jeta sèchement Sophie.

— Je suis sûre qu'ils font un beau couple, déclara Antonia. Quelle allure il a !

— La beauté n'est que la beauté, lui rappela Lydia d'un ton prude et guindé qui l'horrifia.

— D'après mon expérience, elle est essentielle, contra Sophie, péremptoire.

Levant les yeux, Lydia s'aperçut que sa sœur la fixait.

— Je suis sûre que *cela*, tu ne le nieras pas, insista celle-ci.

Lydia soutint fermement son regard.

— Si. J'ai appris que la beauté physique peut cacher toutes sortes de laideurs.

Assis sur le toit de sa voiture, James eut une bonne vue de l'instant où le chahut balaya le champ de course d'Epsom. Tout Londres s'y était déversé. Des citoyens de tout rang buvaient, mangeaient, se bagarraient, regardaient bouche bée les cracheurs de feu, applaudissaient les acrobates, jetaient des pièces aux accordéonistes qui circulaient entre les groupes. L'air sentait la sueur, le cidre renversé et la fumée des saucisses grillées et des clams frits. L'atmosphère de carnaval aurait prédominé si le Derby ne s'était achevé par un ex aequo.

Cette nouvelle bouleversante eut du mal à se répandre car, par endroits, la foule s'étendait sur plusieurs centaines de mètres. Perché sur sa voiture – une île au milieu d'une mer de têtes –, James déjeunait d'une salade de crabe et de champagne, et assistait à l'arrivée de la vague de chaos. Un parieur stupéfait, reculant sous le choc, heurta un promeneur qui tomba sur la couverture d'une famille pique-niquant à l'ombre de la voiture de James.

— Voilà pourquoi je ne joue pas, commenta Phin à côté de lui. Avec le hasard, on ne peut que perdre.

James fut surpris de le voir enfin réveillé. Durant les quatre dernières heures, tandis que James sautait de sa voiture à celle de Dalton (que les mouvements de foule avaient mise hors d'atteinte), Phin était resté affalé sans bouger, les yeux fermés, se chauffant au soleil tel un chat de gouttière. Un chat ascète, car toutes les propositions de bière, vin, rôti de bœuf froid et œuf dur avaient été repoussées.

Si Phin n'avait eu qu'un objectif ornemental, il l'avait atteint. La peau dorée par un soleil étranger, mince et musclé, il affichait une silhouette magnifique. Lorsque James était revenu de la tribune principale un peu plus tôt, il avait trouvé une bande de petites vendeuses assiégeant la voiture et dévorant des yeux les épaules *larges comme la Manche* de Phin, la longueur *exotique* de ses cheveux bruns et sa mâchoire *si virile*. Quant à James, il avait des yeux *divins* et le visage d'un *dieu,* mais son rire ne leur avait pas plu. Aussi s'étaient-elles éloignées et avaient-elles pris Dalton pour cible.

Or, si Dalton était capable de se jeter au feu pour un ami, ses cheveux carotte, ses sourcils invisibles et son menton fuyant n'en faisaient pas une réincarnation de Roméo. Personne ne le savait mieux que Dalton lui-même, qui avait invité les filles à monter sur sa voiture. Tilney ayant protesté, les demoiselles s'étaient vengées en le repoussant peu à peu jusqu'au bord du toit. À présent, il buvait sec et boudait. Plus joli qu'une fille, il n'avait pas l'habitude qu'on l'ignore.

— Pauvre Tilney, murmura James comme l'une des filles écartait grand les bras, obligeant leur ami à chercher où se cramponner pour éviter la chute. Nous devrions le secourir avant que sa vanité ne meure.

— C'est vrai, acquiesça Phin. Sans elle, il ne resterait pas grand-chose de lui... À part ses dettes, ajouta-t-il après une courte pause. Je crois que son cheval est arrivé le dernier, comme hier et la semaine passée.

C'était, hélas, la vérité : Tilney n'avait pas de chance avec les chevaux. James l'avait tiré d'affaires plus de fois qu'il ne s'en souvenait, et pour des sommes de plus en plus importantes. Mais la remarque de Phin trahissait un penchant spontané au soupçon vis-à-vis des aristocrates. Qu'il en fût un lui-même n'y changeait rien. Et, pour être juste, lorsqu'ils étaient tous à Eton cela ne changeait rien non plus pour Tilney. Que Phin doive hériter d'un comté n'avait ému personne, ses pairs ne voyant en lui qu'un cas de charité – irlandais, qui plus est.

« Des balourds, sans intérêt », avait-il décrété dès l'âge de dix ans au sujet de garçons appelés à devenir les chefs politiques de demain. Regardant James, il avait ajouté : « Vraiment, j'ignore comment vous faites pour être intéressant. J'espère que vous parviendrez à le demeurer. »

James avait essayé. Durant des années, chaque fois qu'il s'était trouvé dans une situation où sa position lui procurait des avantages, il se mettait à l'épreuve des règles de Phin: *Est-ce intéressant?* – ce qui en vint à signifier: *Est-ce original?* Et, trop souvent, la réponse était *Non*. Séduire les filles du village en les bombardant de cadeaux achetés grâce à sa généreuse allocation: banal. De même qu'embêter le personnel, injurier les étrangers, soudoyer ses tuteurs et émettre des jugements catégoriques sur la conduite d'autrui – ce que Phin venait de faire.

— C'est vrai, il n'a pas de chance au jeu, reconnut James en haussant les épaules. À part cela, il est devenu quelqu'un d'à peu près convenable. Viens chez moi ce soir, tu verras.

— Je ne peux pas. Le devoir m'appelle.

Voilà qui était nouveau.

— Cela fait cinq mois que tu es rentré. Je pensais que tu étais dégagé de toute obligation.

— Presque.

Phin semblait regarder la piste, mais James (qui était doué pour parier mais qui, hélas, n'aimait pas cela) aurait parié qu'il regardait autre chose.

— Il me reste quelques problèmes à régler, ajouta Phin. Après quoi, j'en aurai terminé.

S'ensuivit un silence familier. Et plutôt ennuyeux. Avant que Phin parte pour l'étranger, ils discutaient de tout, puis, au fil des années, des dérobades et des ambiguïtés, leurs dialogues s'étaient embourbés. Phin n'était pas un simple « cartographe » de l'armée, avait fini par comprendre James. Toutefois, sa fonction réelle demeurait opaque. Et la distance qu'il mettait dans ses manières ne laissait pas de l'intriguer.

— Si je peux t'aider, dit James, fais-le moi savoir.

Phin lui jeta un coup d'œil.

— Je te remercie. Et ne te méprends pas. C'est bon d'être de retour à la maison. Même si cela me paraît un peu... irréel par moments. Je me demande quand cette impression cessera, acheva-t-il avec un haussement d'épaules.

— Jamais, si tu continues à préparer ces étranges décoctions. La dernière a failli avoir ma peau.

Phin éclata de rire.

— Oui. Un café bien tassé serait plus judicieux. Ah... voilà Elizabeth.

D'un mouvement preste, il se leva et sauta du toit. Trop vite. Toute conversation approchant des sujets personnels le faisait fuir comme un lapin poursuivi par un renard.

Étonné, James remarqua le léger trébuchement de Phin lorsqu'il toucha le sol. La distance était importante, et la plupart des gens n'y auraient pas accordé d'importance. Mais Phin avait toujours été gracieux, doté d'une maîtrise de son corps si entière qu'à côté de lui une ballerine aurait eu l'air pataud. « Une vieille blessure de guerre », avait-il expliqué ce matin comme il trébuchait de la même façon sur le marchepied de la voiture. Cependant, l'odeur qui émanait de ses vêtements suggérait une autre explication. James avait tenu sa langue. Il n'avait rien contre les expériences mais, comme préambule au petit déjeuner, il y avait mieux que l'opium.

À terre, la courtoisie de Phin ne fut pas appréciée. Elizabeth passa devant lui sans s'arrêter, sauta par-dessus un chien endormi, contourna des enfants qui gambadaient et, d'un regard sévère, réduisit au silence trois ivrognes, tout en visant de la pointe de son ombrelle lavande la tête de James. Un valet de pied la suivait de près, sa perruque poudrée – seule Elizabeth exigeait de son personnel de l'accompagner au Derby la tête poudrée – flétrie par la chaleur.

— Ho, manant ! lança-t-elle. C'est pour éviter de partager votre champagne que vous m'avez abandonnée dans la tribune ?

— Je ferais n'importe quoi pour éviter Nelson, répondit James avec sincérité.

— Ce tricheur ? fit-elle en riant. Qu'il aille au diable ! Vous devriez lire votre courrier, Sanburne. J'ai rompu il y a deux jours et, depuis, je ne cesse de chanter.

D'un geste, elle fit signe au valet de mettre un genou à terre. Puis, agrippant le rebord du toit de la voiture, elle monta sur la cuisse de l'homme.

— Voilà qui est mieux. À présent, dites-moi la vraie raison pour laquelle vous boudez là-haut.

— Je n'ai pas droit à un petit caprice ?

— Non. Votre fonction est d'être amusant.

— Et si je ne suis pas d'humeur à m'amuser ?

— Alors, vous êtes vraiment dans le pétrin, car je ne vous vois pas en banquier.

— Il n'y a pas d'autres choix possibles ? hasarda-t-il.

Elizabeth s'esclaffa.

— Eh bien, il y a toujours la politique, mais je suis quasiment sûre qu'aucun parti ne voudrait de vous.

Elle jeta un coup d'œil de côté, ce qui la fit osciller – James dut lui agripper le bras pour l'empêcher de tomber.

— Arrêtez-vous ! Là, tout de suite ! cria-t-elle à Phin qui opérait une retraite furtive vers la voiture de Dalton. Vous vous êtes sauvé de la fête de James la semaine dernière avant que nous ayons pu parler. Revenez vous racheter – de préférence en montrant plus de charme qu'un morceau de papier peint.

Comme Phin s'exécutait en haussant les épaules, elle reporta son regard sévère sur James.

— Ce n'est quand même pas des commérages que vous vous cachez ? La rumeur raconte qu'un bas-bleu vous a presque déchiqueté à mort.

— J'ai entendu cette histoire, renchérit Phin.

Son expression était passée de celle du sphinx indéchiffrable au sourire jusqu'aux oreilles : la présence d'Elizabeth suffisait à l'égayer. Elle avait grandi dans un domaine voisin de celui de James où Phin était convié pour le temps des vacances, ce qui avait permis à Stella et à Elizabeth de l'initier au flirt. D'année en année, il avait veillé à ce qu'elles constatent l'excellence de leur éducation.

— Soyez gentille avec lui, chérie, reprit Phin. La rumeur prétend qu'elle est maigrichonne, jaunâtre et acariâtre.

— Pas maigrichonne du tout, rectifia James.

Voyant que le valet virait au rouge brique sous le poids d'Elizabeth, il sauta à terre.

— Ni jaunâtre, ajouta-t-il en brossant son pantalon.

Il aida Elizabeth à descendre de la cuisse tremblante de son valet.

— Vous voyez à quoi mènent les ragots avec les douairières. En fait, Mlle Boyce a très joliment rosi lorsqu'elle m'a passé un savon.

— Très joliment ?

L'air sceptique, la jeune femme pivota sur elle-même.

— C'est la sœur de lady Southerton, n'est-ce pas ? Elle a l'air d'une créature... *formidable*.

Par ce terme prononcé d'un ton dédaigneux, Elizabeth, dont la tête arrivait à peine à l'épaule de James, entendait *grande*.

— Oui, je le suppose.

Le visage de Mlle Boyce n'arrêterait bien sûr jamais un regard distrait. C'était son comportement qui captait l'attention. Faisant fi des bonnes manières, telle une Walkyrie, elle avait traversé la salle au pas de charge, résolue à châtier le stupide mortel qui l'avait interrompue. Il se rappelait avoir eu une gouvernante aussi redoutable, mais il avait sept ans à l'époque, et elle avait l'avantage d'avoir un martinet à la main et de peser cinq fois son poids. Adulte, il était enfin capable d'apprécier à leur juste valeur les femmes qui ne se fondaient pas dans le décor.

— Il paraît que Moreland était là, continua Elizabeth en chassant une mouche.

À l'évocation de son père, le sourire de Sanburne se mua en grimace.

— Hélas !

— Intéressant, commenta Phin. L'aurait-il incitée à réagir ainsi ?

L'idée décontenança James.

— Pour quelle raison ?

Phin cilla, comme surpris par sa propre remarque.

— Aucune, en fait. C'est juste que j'ai la sale habitude de voir un complot derrière chaque coïncidence. Avez-vous un remède à cela, madame Chudderley ?

Elizabeth battit des cils.

— Ne vous en prenez pas à moi, Ashmore.

Tandis qu'ils bavardaient, le regard de James avait dérivé vers les salons privés qui bordaient la pelouse. Les fenêtres scintillaient tels des yeux aveugles dans le soleil. Derrière l'une d'elles était assis son père, sans doute en train de ricaner au souvenir de l'incident à l'Institut. Ce n'était pas son style de manigancer un spectacle public, mais il s'était sûrement réjoui de voir son fils se faire remettre à sa place. Était-il possible qu'il y soit pour quelque chose ?

Riant, Elizabeth lui tapa sur le bras.

— Je reconnais cette expression. Vous avez déclenché la chasse aux sorcières, Ashmore !

— Ce ne serait pas la première fois, remarqua ce dernier d'un ton qui n'était pas celui de la plaisanterie.

L'entrepôt de Carnelly était situé près du quai St Katherine. De l'extérieur, le bâtiment délabré évoquait un atelier. Toutes sortes de gens s'affairaient toujours à proximité. Aujourd'hui, un homme faisait griller des marrons sur un brasero tandis qu'un petit garçon sautait à travers des cerceaux, puis ramassait les pièces que lui jetaient les passants. Une femme rôdait près de l'entrée, avalant des rasades de gin à même la bouteille et flirtant avec un soupirant – le genre qui payait, soupçonna James.

Ce n'était pas le plus gai des quartiers. mais Carnelly n'était pas non plus le plus gai des hommes. À l'intérieur, la lumière glauque conspirait avec l'odeur de moisissure, de papyrus, de divers produits d'entretien pour créer une atmosphère à même d'étouffer l'éventuel enthousiasme d'un innocent visiteur. James redressa discrètement son nœud de cravate et s'assit sur un banc près de la porte. Il savait d'expérience qu'il valait mieux attendre Carnelly que de partir à sa recherche : les travées étaient étroites, sombres et menacées de disparaître sous de soudaines avalanches de caisses. Du reste, la stèle offrait un excellent repose-pieds.

Il bâilla. Il était fatigué. Il y avait eu un cambriolage chez lui la nuit passée – des bougeoirs en argent et deux vases avaient disparu – et le personnel en était tout ébranlé. Il avait passé une matinée ennuyeuse à interroger et rassurer chacun. Avec quelle noblesse il assumait ses responsabilités de seigneur et maître ! Il adressa une grimace au mur. S'il avait été encore sous l'emprise de la décoction de Phin, le mur aurait grimacé en retour. Il fut quelque peu déçu par son impassibilité.

Au bout de longues minutes, des pas traînants se firent entendre. Suivis d'un reniflement puissant. À cause de la poussière, l'homme souffrait d'un rhume permanent.

— Carnelly ? appela James. Pour l'amour de Dieu, mouchez-vous !

— Hein ?

Un bruit sourd, suivi d'un fracas. La tête de Carnelly émergea d'un amas de caisses renversées.

— Patron ! s'exclama-t-il. Quelle surprise !

— Arrêtez, répliqua James. Je sais que vous avez vu les journaux.

Carnelly sortit de la pénombre. Il portait un tablier de boucher et avait un chiffon sale à la main. Bâti comme un colosse, avec des épaules et des cuisses deux fois plus grosses que la moyenne, il était tout sauf redoutable Cela tenait à ses cheveux, pensait James. Comment avoir peur d'un homme dont le crâne était recouvert d'une forêt de bouclettes rouges ?

— Je ne peux pas dire que je sois un grand lecteur, monsieur.

James braqua les yeux sur les revues d'archéologie empilées dans un coin.

— Oh, c'est juste pour la façade ! se défendit Carnelly.

— Votre illettrisme, réel ou non, ne me regarde pas, déclara James en se levant. En fait, une seule chose m'intéresse. Essayez de deviner.

Un silence, puis :

— Ce n'était pas une question de pure rhétorique.

L'homme déglutit bruyamment.

— Les impôts ?

— Essayez autre chose.

— Les vierges ?

— Sources d'ennuis, je vous assure. Mais qui peuvent s'arranger.

Carnelly baissa la tête, mais pas assez vite pour dissimuler son sourire. Il frotta le sol du pied.

— Lord Moreland, lâcha-t-il à contrecœur.

— En plein dans le mille, fit James. Bref, je me suis demandé : sachant que j'étais à la recherche d'un objet remarquable, susceptible de rendre mon père vert de jalousie, pourquoi ce brave M. Carnelly prendrait-il le risque d'encourir mon *immense* déplaisir en me vendant une grossière contrefaçon, et de perdre ainsi ma clientèle ?

— Milord ! protesta violemment Carnelly. Jamais je ne ferais une chose pareille !

James laissa échapper un soupir.

— Depuis combien de temps est-ce que nous nous connaissons ?

— Deux magnifiques années, répondit Carnelly avec ferveur. Et je ne me rappelle pas avoir vécu jour plus heureux que celui où vous êtes entré dans ma boutique.

— Je crois que j'étais venu reprendre mon portefeuille, lui rappela James. Mais laissons de côté les talents de votre neveu.

— Le pauvre garçon, Dieu lui vienne en aide, il a pris du côté de son père. Mais aucun Carnelly ne vous vendrait un faux.

— Je ne m'y attendais pas, en effet. Alors, qu'est-ce que c'est que ce truc ? s'écria James en tapant du talon sur la stèle.

Carnelly contourna le comptoir et vint s'accroupir près du « truc » en question.

— Eh bien... eh bien...

Ses doigts balayèrent la surface gravée de la stèle.

— Oui. C'est un faux, en effet. Mais il ne vient pas de chez moi.

— Si. Il est arrivé dans la même caisse que l'urne et le papyrus d'Amenemhat.

— Quoi ? s'écria Carnelly en se redressant. Je vous ai envoyé ça ? Cela ne faisait pourtant pas partie du chargement de Colby. Attendez une minute. J'ai la liste des objets de cette cargaison.

Il retourna derrière le comptoir et entreprit de fourrager dans le bas du meuble, d'où s'éleva un énorme nuage de poussière.

— Là, fit-il en sortant un grand livre.

Il le feuilleta jusqu'à l'une des dernières pages.

— Toutes ces pièces ont été achetées au Caire. Mon gars fait un inventaire avant qu'elles partent pour Port Saïd.

James s'approcha pour se pencher sur le registre. *Un collier avec un scarabée en amulette* ; *la statue de la déesse Bastet, avec une tête de chat* ; *un papyrus de la Dix-neuvième dynastie*. L'énumération consciencieuse se poursuivait ainsi sur plusieurs pages.

— Vous ne laissez rien à l'Égypte, dites donc.

— Vous voyez, fit remarquer Carnelly sans relever, la stèle ne figure pas sur la liste.

James tourna la page.

— Non, admit-il au bout d'un moment. Est-ce que votre gars pourrait l'avoir rajoutée à la dernière minute ?

— Il n'a aucune raison de risquer sa place pour une pierre sans valeur. Ne vous méprenez pas, ajouta précipitamment Carnelly. Je vous crois, patron. C'est seulement que... Attendez !

Il referma le livre et se pencha pour en sortir un autre. Se léchant le pouce, il le feuilleta très vite.

— Oui ! C'est là. Elle provient d'une autre caisse, vous voyez. Elle était destinée à un autre gentleman. Maudit Wilkins ! J'aurai sa peau. C'est la troisième cargaison qu'il égare.

James commençait à s'amuser.

— Vous avez un autre livre pour les faux ? Quel admirable système de comptabilité.

Carnelly se renfrogna.

— Non, monsieur. Je parlais sérieusement – je ne fais pas commerce de faux. Trop de risque par rapport au profit. Je dois penser à ma réputation. Ceci me déçoit énormément, ajouta-t-il en tapotant la page. Boyce est d'ordinaire quelqu'un de toute confiance.

James se raidit. Par Dieu, un point pour Phin.

— Vous avez dit Boyce ?

Carnelly avait l'air consterné.

— Oui, c'est un homme de grande réputation. Ce n'est pas un pilleur de tombes comme Colby ou Overton. Il écrit dans les journaux les plus sérieux. Depuis que Mariette est mort et que le commerce a repris, il n'a envoyé que de bonnes pièces. Pas du clinquant, attention, mais de beaux objets, acquis honnêtement. Je ne comprends pas ce qui s'est passé. Ce caillou n'aurait pas trompé un gamin de dix ans.

James ne releva pas cette évaluation peu flatteuse de sa perspicacité.

— Est-ce que sa fille voit les pièces qu'il envoie ?

— Mlle Lydia, vous voulez dire ?

Carnelly fredonna un petit air guilleret avant d'ajouter :

— Un beau brin de fille, pas vrai ?

Ce n'était pas les termes qu'aurait choisis James pour la décrire. L'expression était trop banale pour dépeindre ses attraits – et sa stupide audace, si elle pensait pouvoir conspirer avec Moreland contre lui.

— Oui, répondit-il. J'imagine qu'elle vient ici jeter un œil.

— Elle voit les pièces, c'est sûr, puisque c'est elle qui s'occupe des ventes.

— Et elle a vu celle-ci ?

— Je ne pense pas. Elle était destinée à Hartnett. L'un des clients personnels de Boyce.

— Vous ne pensez pas, ou bien vous ne *savez* pas ?

Carnelly hésita.

— En fait, je ne me souviens pas. Il faudrait que je consulte mes dossiers pour retrouver les instructions de Boyce.

— Vos dossiers, répéta James d'un ton sceptique tout en jetant un œil sur le désordre qui régnait dans l'entrepôt.

— Ça prendra une heure ou deux, mais je les trouverai.

— Faites, s'il vous plaît.

C'était une chose d'être éclipsé par un bas-bleu plus compétent que lui en matière d'antiquités, c'en était une tout autre que de l'être par une vieille fille malhonnête. Si la petite friponne avait conspiré avec Moreland, elle allait le regretter amèrement.

3

— À quoi pensez-vous, mademoiselle Boyce ?

Surprise, Lydia leva les yeux. Lassé de ses réponses monosyllabiques, M. Romney s'était très vite tourné vers sa voisine de gauche, laquelle somnolait à présent sur son siège. Que cela soit dû à la chaleur ambiante, au vin coulant à flots ou aux propos de M. Romney, il était impossible de le deviner. En tout cas, le pauvre homme n'avait plus qu'elle à ennuyer.

Elle s'éclaircit la voix et répondit :

— Je contemplais la jolie table que notre hôtesse avait dressée.

Elle désigna la débauche de vases et de chandeliers autour desquels lady Moreland avait entrelacé du lierre et diverses plantes. Un tel décor avait eu raison d'au moins un invité, le pauvre lord Stratton qui, à peine installé, fut pris d'une crise d'éternuements qui l'avait contraint à s'excuser.

— Cela n'a rien d'inhabituel, fit-il.

M. Romney était de bonne humeur ; il rompit avec son habitude et ne saisit pas l'occasion de la prévenir des dangers de la gloutonnerie et de l'intempérance auxquels vous soumettaient les mondanités de la Saison.

— Mais dites-moi plutôt ce que les dames pensent des récents attentats ?

Lydia retint un soupir. La police venait d'arrêter certains des Irlandais responsables d'attentats visant Scotland Yard et le *Junior Carlton Club*. M. Romney n'était bien sûr pour rien dans ce succès mais, en tant que rédacteur en chef de l'un des plus grands quotidiens londoniens, il se sentait plus ou moins responsable des bonnes nouvelles, puisque c'était lui qui les annonçait.

— J'avoue que nous en parlons peu. La Saison, voyez-vous… C'est éprouvant, ajouta-t-elle comme il fronçait les sourcils.

— Oui, oui, cette maudite coutume, acquiesça M. Romney. Des nuits blanches et de lourds repas ! Aucun bien ne peut sortir de tels excès.

À cet instant, la porte de la salle à manger s'ouvrit brutalement.

Une sorte de spasme étouffé parcourut la tablée. Lydia faillit lâcher son verre. Debout sur le seuil, Sanburne ôtait ses gants en adressant un sourire aimable aux convives. Avait-il ouvert la porte d'un *coup de pied* ?

— Bonsoir, tout le monde, lança-t-il. Bonsoir, mère. Bonsoir, père. Vous avez l'air en pleine forme.

Privé de sa canne, Moreland plaqua les mains sur la table pour prendre appui. Voyant qu'il peinait, un valet avança pour l'aider. Avec un grognement irrité, le comte le repoussa du coude et se mit debout.

— Qu'est-ce que cela signifie ?

— J'ai faim, répondit Sanburne. Comtesse, est-ce une caille égyptienne que j'aperçois là ? Quel à-propos !

Lady Moreland, une petite dame à l'air fragile, haussa le cou pour voir son beau-fils par-dessus le plat que lui proposait un valet.

— Eh bien, oui. Vous en voulez ?

— Ellen, protesta à mi-voix Moreland que le sourire doux de la comtesse réduisit au silence.

— Ajoutez un couvert pour notre fils, s'il vous plaît, ordonna-t-elle à l'un des serviteurs.

Un silence absolu régna durant les quelques minutes qu'il fallut pour dresser un nouveau couvert. L'entreprise nécessita un grand remue-ménage, chaque invité se levant à son tour afin qu'on dispose les chaises différemment. Pendant tout ce temps, Sanburne demeura appuyé au chambranle, aussi insouciant qu'un gamin des rues. Il s'autorisa même un énorme bâillement qui révéla ses amygdales, et répondit aux regards surpris par un sourire désinvolte. Puis il passa la main dans ses cheveux blondis par le soleil sans parvenir à les discipliner.

En réalité, songea Lydia, il semblait plus prêt à s'endormir qu'à perturber la soirée. Mais quand il s'aperçut que les domestiques s'apprêtaient à dresser son couvert à l'extrémité de la table, il se redressa et s'avança.

— J'aimerais m'asseoir *ici,* fit-il en plantant le doigt sur la nappe exactement en face de Lydia.

Un pressentiment lui noua l'estomac. Antonia, qui cachait un sourire narquois derrière sa main, lui adressa un regard inquiet. Lydia secoua la tête. C'était une coïncidence, bien sûr. Plus d'une semaine s'était écoulée depuis sa conférence interrompue. Si cet individu avait voulu poursuivre dans cette voie, il l'aurait déjà fait.

Une minute plus tard, la table était prête. La comtesse hocha la tête, et les invités reprirent leur place. L'interruption avait jeté un froid, et seul le tintement du cristal et de l'argenterie brisa le silence. Lydia risqua un regard du côté du comte. Son teint était très rouge et il n'avait pas repris sa fourchette. Son regard furibond demeurait fixé sur son fils.

Lequel n'y prêtait aucune attention. Avec un enthousiasme exagéré, il attaqua sa caille.

— Excellent, déclara-t-il, puis, après la bouchée suivante. Aussi succulent que l'ironie.

Ce commentaire ne fit rien pour ranimer la conversation.

Lydia remarqua, soucieuse, qu'Antonia dévorait le vicomte des yeux. Le blanc de sa chemise et le noir de son habit mettaient en valeur ses traits bien dessinés, et la lumière du lustre faisait ressortir les nuances dorées de ses cheveux. Hélas, ce n'était pas là un portrait que l'on pouvait admirer sans crainte. Il y avait un homme derrière ce visage – un homme qui utilisait probablement son physique à toutes sortes de fins déshonorantes. Au fond, la seule conclusion possible était que la justice n'existait pas en ce bas monde. Car Lydia avait bien peur que le diable lui-même ne puisse éclipser James Durham.

Peut-être perçut-il ses pensées, car il lui glissa un bref regard. Ses yeux étaient d'un gris clair étonnant – comment ce détail avait-il pu lui échapper à l'Institut ? Puis les lèvres du vicomte se retroussèrent et il arqua les sourcils. Il se moquait d'elle ! Rougissant, elle baissa les yeux sur son assiette. Ce vaurien vaniteux croyait sans doute l'avoir émue.

Le silence devenant pesant, la comtesse se rappela ses devoirs. Elle s'éclaircit donc la voix et demanda :

— Comment avancent les travaux de votre père, lady Southerton ?

— Très bien, je pense, répondit Sophie. Mais, pour plus de détails, il vaut mieux que vous interrogiez ma sœur. Je n'ai pas la tête à ce genre de choses.

— Tout va bien, assura Lydia, non sans se demander, agacée, pourquoi on ne l'avait pas interrogée en premier. Il est sur le point de faire une découverte capitale. D'autres fouilles sont encore nécessaires, mais nous pensons qu'il a localisé le site du premier arrêt des Juifs lors de l'Exode.

La fourchette de Sanburne heurta bruyamment son assiette.

— Passionnant !

Lydia ne daigna pas lui accorder un regard. Quel insupportable individu ! Heureusement, la comtesse fit un nouvel effort.

— C'est merveilleux, mademoiselle Boyce ! Ce jour-là sera un moment historique.

— N'est-ce pas ? fit Lydia.

Son père obtiendrait enfin la reconnaissance qu'il méritait. Même George serait obligé de reconnaître la valeur de son travail.

— Mais je sais que vous êtes aussi dans les sciences. Lord Moreland a assisté à l'une de vos conférences à la Société d'anthropologie. Et à votre récente intervention à l'Institut d'archéologie.

Sanburne renifla avec mépris. Continuant de l'ignorer, Lydia adressa un regard reconnaissant au comte.

— Merci de vous en être souvenu, milord.

Celui-ci se contenta de lui adresser un sourire crispé en guise de réponse.

— Je n'ai fait encore aucune recherche originale, enchaîna-t-elle, mais j'ai eu l'occasion de publier des articles qui synthétisent les découvertes d'autres savants. Récemment, par exemple, j'ai écrit un article sur l'étude de M. Tylor sur les cultures indigènes du Mexique. En les confrontant au travail de M. Morgan, je trouve ses théories incroyablement enthousiasmantes.

— Vraiment ? intervint lady Stratton, qui se trouvait de l'autre côté de la table. Mais ce n'est pas aussi passionnant que l'Égypte ancienne, j'imagine.

Sur ce, elle jeta un regard en coin au vicomte. Comme tout le monde, Lydia ne put s'empêcher de l'imiter.

Indifférent à l'attention dont il faisait l'objet, Sanburne inclina la tête en arrière pour siffler la totalité de son verre de vin, offrant le spectacle de sa gorge bronzée. Lydia en eut le souffle coupé. Réaction purement animale, pas de quoi se tracasser, mais... Quel dommage que tant de beauté soit gaspillée sur un homme ! Quand on était titré, fortuné et assuré d'avoir un siège au Parlement, cela suffisait, non ?

Elle s'aperçut soudain que lady Stratton attendait sa réponse.

— Au contraire, répliqua-t-elle d'un ton posé dont elle fut très fière, car il n'était pas question que cette femme probablement ignorante l'asticote. Mon père s'intéresse à l'Antiquité mais, moi, je préfère l'étude des cultures contemporaines.

M. Romney intervint.

— Tylor, c'est le type qui affirme que nous ne sommes pas différents des sauvages. Ça lui a rapporté un poste à Oxford, pas moins.

Lydia sourit.

— Oui, je suppose qu'on pourrait résumer les choses ainsi. Il pense que toutes les races humaines proviennent de la même souche, mais que les cultures évoluent à des allures différentes. Sa conclusion, bien sûr, est que l'étude des cultures primitives aide à comprendre les origines de la nôtre.

— Je doute que les païens et les Pygmées aient quoi que ce soit de commun avec nos origines, intervint M. Fillmore.

La conversation avait retenu l'attention de Sophie.

— Eh bien, moi, je suis tout à fait d'accord avec M. Tylor ! déclara-t-elle. Il suffit d'aller à St Pancrace vers 18 heures pour constater qu'il y a des sauvages parmi nous. Avez-vous vu la façon dont les banquiers se bousculent pour attraper leur train ? C'est terrifiant ! ajouta-t-elle en feignant de frissonner.

Toute la tablée s'esclaffa. Sophie n'avait pas compris de quoi il était question, bien sûr, mais son intervention avait allégé l'atmosphère. Elle avait un don pour ce genre de choses que Lydia craignait de ne jamais maîtriser.

Hélas, Antonia vit là l'occasion d'attirer l'attention sur elle.

— Mais ce ne sont pas ces sauvages-là que ma sœur désire étudier, claironna-t-elle. Elle rêve d'aller au Canada pour observer les tribus indiennes. Vous vous rendez compte ?

— Les Indiens ! s'exclama la comtesse, stupéfaite.

— Ce n'était qu'une idée en passant, s'empressa de préciser Lydia.

Une idée évoquée sans réfléchir, lors d'un après-midi pluvieux, devant sa bavarde de sœur.

— Ce ne serait pas si extraordinaire, ajouta-t-elle en voyant le front de la comtesse se creuser de rides. Beaucoup de scientifiques se sont donné le mal d'étudier les rites indiens. Par exemple, saviez-vous que certaines tribus pratiquent un rite appelé *potlatch*, qui consiste à offrir les objets les plus précieux que l'on possède ? C'est surprenant, non ? Traiter ses trésors comme de la camelote que l'on jette sans regret. Des déchets.

Sanburne éclata de rire.

« Ignore-le », s'ordonna-t-elle en silence.

Tous les regards étaient rivés sur elle – sauf celui de Sophie qui souriait en regardant son assiette.

Lydia se tortilla, embarrassée. Avait-elle dit quelque chose de scandaleux ? Elle ne le pensait pas. La dentelle de son décolleté la grattait ; elle sentit le besoin urgent de tirer dessus.

Le silence s'épaissit. Personne ne lui ferait grâce, tous réclamaient du spectacle.

— Très bien, fit-elle en inspirant à fond. Vous trouvez l'idée amusante, vicomte ?

Il releva la tête. Un gamin de trois ans surpris en train de patauger dans la boue n'aurait pas eu l'air plus angélique.

— Oh, non, mademoiselle Boyce ! Je m'étonne simplement que vous voyiez dans les déchets un sujet suffisamment passionnant pour vous y attarder.

Elle lui adressa un sourire froid.

— Et pourquoi pas ? Les déchets font partie de la vie, non ? Ils nous fournissent une clef pour comprendre le schéma de notre existence terrestre. Bien que…

Elle haussa un sourcil.

— Je l'admets, c'est, sous ce rapport, plus éclairant chez certains que chez d'autres.

— Vraiment ? fit Sanburne, écarquillant les yeux pour singer la perplexité. Je ne vous suis pas. Le schéma, avez-vous dit ?

— Eh bien, prenez votre cas, vicomte.

Consciente d'être au centre de l'attention, elle sourit de nouveau.

— Vous êtes connu pour vos excentricités. Mais elles ont beau surprendre, elles suivent un schéma – quelque mystérieux plan qui n'est pas de votre invention, mais de celle de la société, et qui obéit à une certaine logique. Comment se fait-il que vous vous tiriez impunément de telles farces, alors que d'autres les paieraient cher ? Comment en êtes-vous venu à occuper une position dans laquelle vos actes sont sans réelles conséquences ? L'étude d'autres cultures nous aide à inférer le fondement de ce privilège, et nous permet de mieux comprendre comment *nos* sociétés ont atteint cet état.

Sanburne leva son verre comme pour porter un toast.

— N'importe quoi, répliqua-t-il d'un ton suave.

Trop tard, elle se rendit compte que son ton laissait planer un doute : sa critique s'adressait-elle à sa théorie elle-même ou à son approche ? Il sut précisément à quel moment elle le comprit – ses joues en feu l'avaient trahie –, et qui lui valut un clin d'œil moqueur.

Mme Fillmore se redressa sur sa chaise.

— Lorsque vous faisiez référence à un « mystérieux plan » vous ne vouliez sûrement pas dire qu'il était l'invention de la *société*, mademoiselle Boyce, mais celle de notre Père céleste. La société n'a ni cerveau ni âme à qui attribuer nos faits et gestes !

Lydia détourna les yeux de Sanburne. Son cœur s'était emballé. Le goujat osait lui adresser une œillade comme s'ils flirtaient !

— En effet, acquiesça-t-elle. Je n'en parlais pas comme d'un architecte. Je voulais simplement dire qu'il y a une sorte de schéma, qui modèle tout – y compris ces choix que nous croyons faire en toute liberté.

La dame s'offusqua.

— Vous parlez comme une hérétique !

— Dans ce cas, je vous présente mes excuses, madame Fillmore. Mais la foi dans la science n'implique pas la négation de la divinité. Si la société suit un schéma, nous pouvons croire que c'est Dieu qui l'a tracé, et qu'Il avait quelque raison de le faire.

— N'oublions pas que M. Darwin lui-même croyait en une puissance supérieure, intervint le comte.

— J'aime l'élément hérétique, glissa Sanburne. C'est l'unique point un peu excitant de cette discussion. Il n'y a rien de raisonné dans ce que je fais, mademoiselle Boyce. J'agis selon ma fantaisie, comme l'envie m'en prend. Et j'en suis fier.

— Hélas ! jeta Moreland.

— Si vous le dites, rétorqua Lydia en décochant un sourire narquois au vicomte. Je m'en tiendrai là. Le paradis d'un fou est chose trop fragile.

Un lourd silence s'abattit sur la tablée – que brisa le rire bruyant de Moreland. Lydia s'aperçut soudain que Sophie la fusillait du regard. Bon, elle était allée trop loin. Elle avait carrément insulté le fils de la maison, elle l'avait traité de fou. Mais, oh, quel mufle c'était ! Il souriait toujours, mais ce sourire n'atteignait pas son regard qui demeurait fixe. Elle l'avait pris de court, c'était évident. À présent, il semblait tenter de lire en elle.

Eh bien, tant pis pour lui ! Tout ce qu'il découvrirait, ce serait du mépris. C'était stupéfiant tout ce qu'un héritier pouvait faire impunément alors que les autres mortels s'échinaient sous le poids d'un million de stupides espoirs.

— Quel beau temps ! lança Antonia. J'espère que cela va durer.

— Moi aussi, dit la comtesse. Mais l'orage d'hier m'a surprise par sa violence.

— Oserais-je avouer que j'aime les femmes aux opinions passionnées, murmura le vicomte. C'est de bon augure pour d'autres activités.

Mme Fillmore lâcha un petit cri.

Il s'efforçait de faire reculer Lydia, mais celle-ci n'était plus d'humeur à céder. Et peu importaient les regards outrés qui pesaient sur elle !

— Fort bien, vicomte. Vous ne m'avez visiblement pas comprise, aussi vais-je expliquer les choses plus simplement. Même quand vous êtes piqué au vif…

Toutes les têtes se tournèrent vers le vicomte, qui venait de s'esclaffer.

— Piqué au vif ? Vous appelez ça être *piqué au vif* ?

— … vous agissez conformément à votre personnage, poursuivit-elle en élevant la voix. Vous êtes-vous jamais demandé pourquoi vous vous comportiez de façon aussi prévisible ? S'il n'existait pas quelque schéma préparé à l'avance pour vous ? Vous êtes un comédien qui joue très bien son rôle, mais vous n'avez pas inventé ce rôle. C'est la société qui en est l'auteur. Un examen scientifique pourrait reconstituer le schéma qui a guidé vos actions, et rendre compte de chacune.

— Ah ! s'exclama Moreland en frappant la table du poing, ce qui fit tinter la verrerie. Voilà qui est capital ! Tu te sens toujours aussi original, à présent, James ?

M. Romney carra les épaules.

— Une faille ! s'écria-t-il. Je repère une faille dans votre raisonnement, mademoiselle Boyce ! On peut faire usage de la science quand il s'agit de communautés païennes, mais vous parlez d'une société civilisée – d'une société chrétienne, fondée sur les lois de Dieu. Revendiquer le pouvoir de deviner ce schéma est une hérésie... comme l'a fait remarquer Mme Fillmore, se rendit-il compte après coup en se laissant aller contre son dossier.

Il hocha de la tête à l'intention de la dame en question, laquelle lui répondit avec raideur de la même façon.

— Mais, ne pourrait-on pas y voir un moyen de mieux comprendre les lois de Dieu ? Un exercice de piété ? hasarda Lydia.

Elle ne vit autour de la table que des regards confus ou choqués – et sur le visage de la comtesse, un étrange petit sourire.

L'expression de profond ennui qu'affichait Sanburne la poussant à la malice, elle ajouta :

— Le vicomte a déclaré que l'hérésie ne lui faisait pas peur. Il la trouve *excitante*.

Son sarcasme le fit sourire.

— Ce qui m'est, selon vous, imposé ! Je n'ai pas mon mot à dire quant à mes faits et gestes, et je suis un parfait pantin. Quel soulagement ! J'ai toujours pensé que les remords étaient un passe-temps inutile.

— Oh, ne vous méprenez pas, monsieur ! Il y a d'autres rôles disponibles : c'est vous qui avez choisi celui-ci.

— Lydia, jeta Sophie.

— Et quel est-il, ce rôle, mademoiselle Boyce ? insista Sanburne en se penchant en avant. Allons, cessons de tourner autour du pot : quel est mon rôle ? Je suis un sale individu ? Rappelez-moi mes péchés, chérie – en les décrivant longuement, s'il vous plaît. Vous me connaissez si bien, et les scientifiques, m'a-t-on dit, prisent l'exactitude *par-dessus tout*.

— Sanburne, gronda lady Moreland.

Lydia leva la main. Elle n'avait pas besoin qu'on prenne sa défense.

— C'est vrai, je ne vous connais pas suffisamment, admit-elle calmement. Et pour attribuer à vos actes leur exacte signification, il me faudrait une période d'observation afin d'examiner votre conduite lorsque vous êtes dans votre élément naturel. Lequel doit être entièrement différent de ce qui nous entoure en ce moment, conclut-elle en glissant un regard sur l'argenterie, la porcelaine, le décor civilisé et le mobilier élégant.

— Une période d'observation, répéta Sanburne de l'air de quelqu'un qui pèse le pour et le contre. Pourtant il vous a fallu moins d'une minute pour décider que la stèle était un faux.

Le sourire légèrement sardonique qui flottait sur ses lèvres ne présageait rien de bon.

Moreland s'esclaffa.

— Tu n'as pas digéré ton humiliation à l'Institut, James ?

La comtesse se leva.

— Mesdames, je suggère que nous nous retirions au salon à présent.

Les messieurs se levèrent à leur tour, mais pour se rendre dans le fumoir. M. Romney tapotait déjà ses poches à la recherche de ses cigarettes. Sanburne, lui, resta assis. Étant arrivée de manière impromptue, il n'avait pas de dame à accompagner. Lydia sentit son regard lui fouailler le dos tandis qu'elle franchissait la porte au bras de M. Romney.

Dans le couloir, Sophie l'attrapa par le coude.

— Qu'est-ce qui t'a *pris* ?

— Je vous rejoins, il faut que j'aille aux toilettes, répliqua-t-elle, éludant la question de sa sœur.

Dans la petite pièce, des bougies parfumées au jasmin jetaient une lumière vacillante sur la vasque en marbre et le papier peint brun. Lydia s'aspergea la gorge et les poignets d'eau fraîche, avant de presser une serviette contre son visage. Seigneur, qu'avait-elle fait ? C'était une chose de se défendre des attaques d'un goujat, et une tout autre de le faire en se donnant en spectacle. Sa façon de réagir justifiait les pires craintes de George. Pourquoi n'avait-elle pas tout simplement ignoré les provocations de ce malotru ? C'était à la comtesse d'entretenir la conversation, pas à elle. Quel mauvais exemple pour Antonia !

Elle baissa la serviette. L'arrivée de Sanburne avait été pour le moins spectaculaire : c'était de *cela* que les invités se souviendraient. Comparés à sa grossièreté, ses propos à elle sembleraient bien sages – à peine dignes d'être mentionnés, à vrai dire. Qui était-elle après tout ? Personne. Une vieille fille qui se piquait de science, invitée par courtoisie à l'égard de son beau-frère. Elle savait quelle était sa place dans la société : dans la hiérarchie sociale, les vieilles filles arrivaient juste avant les servantes. Du reste, cela ne surprendrait personne qu'elle ait des opinions tranchées. De la part d'un bas-bleu, c'était prévisible.

Elle s'écarta du lavabo. Il était temps d'aller rejoindre les autres. La meilleure façon de faire taire les bavardages, c'était de faire comme si de rien n'était, décida-t-elle. Elle ouvrit la porte et sortit.

Sanburne était adossé au mur, à quelques pas de là.

— J'espère que vous oublierez mes manières à table, dit-il. C'est juste que je suis stupéfait par votre discernement. Vous avez repéré ce faux si aisément qu'on pourrait se demander s'il n'est pas l'œuvre de votre père.

Elle en resta bouche bée. C'était de la calomnie, et de la pire sorte. Et proférée de telle façon que répliquer laisserait entendre qu'elle la prenait au sérieux. « Ne lui donne pas cette satisfaction », s'exhorta-t-elle en s'efforçant de rire.

— C'est vous qui avez acheté cette contrefaçon, lui rappela-t-elle. J'ose espérer que vous ne me punirez pas pour cela.

Il haussa les épaules.

— J'avoue que l'idée du châtiment me laisse froid. Mais je trouve étonnant qu'un homme aussi admiré, aussi *respecté*, risque son nom et sa carrière en faisant commerce de pièces fausses.

Un frisson glacial courut le long de la colonne vertébrale de Lydia.

— Vous ne parlez pas sérieusement.

— Mais si.

Horrifiée, elle jeta un coup d'œil dans le couloir. Cet homme était un fauve en liberté. Elle ne pouvait courir le risque d'être vue en sa compagnie, seule qui plus est, mais elle ne pouvait pas non plus laisser passer une telle accusation. Il pouvait la répéter ailleurs, et le soupçon était la pire des mauvaises herbes : il poussait dans n'importe quel sol, peu importait sa nature.

— Vous insultez gravement le nom de mon père, dit-elle froidement. Je vous prie de vous expliquer, ou de vous excuser immédiatement.

— Oh, murmura-t-il, quel ton méchant vous prenez avec moi ! Une vraie petite tigresse, lorsqu'il apparaît que vous avez perdu au jeu.

— Quel jeu ?

— Je pense que vous le savez.

— Je n'en ai aucune idée, protesta-t-elle d'une voix plus forte qu'elle ne l'aurait voulu. Vous divaguez !

Le rire du vicomte la décontenança.

— Oui, bien sûr, je divague, chérie. Il y a un grain de folie dans la famille – à moins que vous ne l'ignoriez ?

La remarque la laissa sans voix. Tout le monde le savait, bien sûr. Les journaux n'avaient parlé que de cela quatre ans auparavant. La sœur du vicomte avait poignardé son mari à mort, à la suite de quoi on l'avait enfermée dans un asile. Les Durham avaient eu de la chance, avait-on dit : si elle avait été la fille d'un autre, d'un homme de condition plus modeste, elle aurait été pendue. Mais Lydia n'en revenait pas que le vicomte fasse allusion à ce drame.

S'écartant du mur, il se dirigea vers elle, les mains dans les poches, un grand sourire aux lèvres comme s'ils étaient de vieux amis partageant une bonne blague.

— Dites-moi la vérité, reprit-il d'un ton complice. Il vous a mise dans le coup ?

Lydia secoua la tête sans comprendre.

— *Qui* m'a mise dans quel *coup* ?

— Eh bien, mon père. Il vous a demandé de critiquer la stèle ? Je vous laisserai le bénéfice du doute quant à la façon dont elle est entrée en ma possession, mais il savait sûrement que vous reconnaîtriez un envoi de votre père.

Le choc lui fit l'effet de mille picotements sur tout le corps. Sanburne la croyait complice du comte de Moreland dans quelque complot mystérieux ?

— Mon père n'a rien à voir avec des contrefaçons.

Le vicomte continuant d'avancer vers elle, elle recula jusqu'à la porte.

— C'est un savant, reprit-elle. Un savant respecté. Si vous répandez des rumeurs afin de lui nuire…

— Eh bien, quoi ?

Il se rapprochait. Il allait la heurter, l'écraser… Deux bras solides se plantèrent de part et d'autre de sa tête. Il se pencha si près que son souffle effleura le visage de Lydia.

— Vous ferez *quoi*, mademoiselle Boyce ? insista-t-il en la dévisageant tranquillement.

Elle s'obligea à demeurer parfaitement immobile malgré son cœur qui bégayait dans sa poitrine. L'haleine du vicomte sentait la menthe, et une douce chaleur émanait de son corps tout proche. Il était grand et étonnamment musclé. Elle avait la sensation d'être un petit lapin pris au piège.

— Je… je ferais quelque chose que vous n'aimerez pas du tout, balbutia-t-elle.

— Ah, bon ? fit-il en posant l'index sur sa joue. Vous vous détournerez lorsque nous nous rencontrerons ? Vous direz à vos amis que je suis très, très méchant ? Est-ce que vous me critiquerez sévèrement ? acheva-t-il plus bas.

Son doigt descendit lentement jusqu'au bord de la bouche de Lydia. Quelque horrible réflexe la fit s'humecter les lèvres, et, à sa grande honte, elle frôla accidentellement le bout de son doigt de la langue. Elle ne put retenir une espèce de gémissement.

Soutenant son regard, il écarta la main et, très délibérément, posa le doigt sur ses propres lèvres; il goûta l'endroit que la langue de Lydia avait touché, tandis que ses yeux gris plongeaient dans les siens, ironiques, provocateurs. Une onde de chaleur la traversa. De colère, se dit-elle. C'était tout. C'était de la *rage*.

La bouche du vicomte fit un petit bruit de succion lorsqu'il en ôta le doigt.

— Délicieux, souffla-t-il. Ça n'a pas du tout le goût d'une vieille fille énervée. Câlinez-moi encore un peu et je vous laisserai m'embrasser à en perdre le souffle.

Le souffle, elle le perdit aussitôt. Quelle mesquinerie de plaisanter sur son célibat ! Elle n'aurait pas dû se sentir blessée, mais les événements de la soirée l'avaient déstabilisée. Elle le repoussa des deux poings.

Il recula d'un pas en chancelant – avec élégance comme tout ce qu'il faisait. Ce qui eut pour effet d'attiser la colère de Lydia.

— Espèce de mufle méprisable, articula-t-elle d'une voix rauque. J'ignore quelle partie pourrie de votre cerveau a inventé cette histoire absurde, mais écoutez-moi bien: mon père est un homme parfaitement honnête, et son nom ne sera *pas* sali par des gens de *votre* espèce. Vous pourriez raconter partout cet ignoble petit mensonge qu'on vous rirait au nez. Mais c'est peut-être ce que vous souhaitez. Vous vous donnez tellement de mal pour vous couvrir de ridicule que cela ne me surprendrait pas !

— Oh, quel spectacle splendide ! Sarah Bernhard ne vous arrive pas à la cheville, assura-t-il en applaudissant silencieusement.

— Vos insultes…

— Mes insultes ? Chérie, non ! Ce n'est pas du tout dans mes intentions. Je m'amuse comme un fou, c'est tout.

Le cœur battant frénétiquement, elle attendit un instant, puis reprit d'une voix que le mépris rendait plus grave :

— C'est de cela qu'il s'agit ? Vous voulez vous amuser à mes dépens ? Vous venger d'avoir été ridiculisé en public – par *deux fois*, à présent, ajouterais-je. Quel manque d'imagination, Sanburne !

— Oui, ce n'est pas à la hauteur de mon niveau habituel, concéda-t-il. Mais ayez pitié. Cette maison étouffe mon génie.

Elle ne put retenir un ricanement.

— Décidément, votre place est au zoo. Vous êtes une bête. La créature la moins civilisée...

Il éclata de rire.

— Vous voilà de nouveau en train de faire une conférence. L'envie me prend de vous faire taire par un baiser.

Comme elle en restait sans voix, il poursuivit :

— Je n'aurais pas imaginé que j'avais un point commun avec Carnelly, mais, là, vous nous avez tous les deux épatés.

Le nom la stupéfia. Carnelly était l'importateur qui s'occupait des envois d'antiquités de son père. Seigneur...

— C'est Carnelly qui vous a raconté ces mensonges ?

Ce n'était pas possible. Carnelly était un rustre, un homme vulgaire, mais il n'était pas malhonnête.

— Carnelly m'a montré la liste des envois de votre père, et m'a gentiment désigné celui dans lequel ma stèle a été glissée.

Mon Dieu !

— Excusez-moi, fit-elle en le contournant pour s'éloigner à grands pas.

Le lendemain, il faisait froid et humide. Dans la voiture, Lydia tira son châle sur sa bouche. Quelle que soit la saison, l'air autour de l'entrepôt de Carnelly était âcre et lourd, un mélange de fumée de charbon et d'urine, de poisson pourrissant et d'égouts à ciel ouvert. Comme le véhicule ralentissait pour négocier un passage étroit, des chiens errants bondirent du caniveau en aboyant, leur pelage sale laissant deviner l'architecture de leurs côtes. Le valet assis en face de Lydia resserra les doigts sur le pistolet qu'il gardait sur ses genoux. Elle courait certainement moins le risque de se faire agresser par un pauvre hère de l'East End que de recevoir une balle perdue. Lorsque la voiture s'immobilisa enfin devant l'entrepôt, elle en sortit avec un soupir de soulagement.

Mais une fois à l'intérieur, son moral chuta considérablement.

— C'est vrai, mademoiselle Boyce, avoua Carnelly en lui tendant une feuille de papier. Le faux figure sur la liste des objets envoyés par votre père, je regrette de le dire.

La gorge de Lydia se resserra. C'était sa faute à elle, alors. Elle n'avait pas repéré un faux manifeste. Comment allait-elle expliquer ça à son père ?

— Comment est-il arrivé là ? Mon père n'aurait jamais laissé passer ça.

Il haussa les épaules.

— Peut-être que quelqu'un a fracturé la cargaison à Port Saïd – ou à Malte, même. Pour glisser cette camelote à la place d'une pièce authentique.

— Sûrement, murmura-t-elle.

C'était l'unique théorie plausible. Elle la mit de côté afin d'y réfléchir plus tard. Pour l'instant, il lui fallait s'occuper du vicomte.

— J'ignorais que lord Sanburne était l'un des clients de mon père.

Autre négligence de sa part.

— Qui est son agent ?

Carnelly, qui se mordillait la lèvre, la relâcha avec un petit claquement humide.

— Eh bien, c'est là le problème, mademoiselle. Aucun objet de cette cargaison n'était destiné au vicomte. Je lui vends en général ce que m'envoie Colby. Il ne s'intéresse pas aux petites pièces.

Il rougit et haussa les épaules.

— Je veux dire, aux pièces les moins chères, mademoiselle ; celles que votre père vend habituellement.

— Mon père vend les pièces que le gouvernement égyptien l'*autorise* à vendre. Ce n'est pas un pillard, c'est un savant. Vous le savez.

Carnelly se racla la gorge.

— Oui, mademoiselle. Le problème, c'est qu'il y a eu confusion. La stèle ne lui a jamais été destinée.

L'air penaud, il désigna du menton le papier qu'elle tenait.

Lydia reconnut l'écriture penchée vers l'arrière du secrétaire de son père au Caire. Mais les objets décrits ne lui disaient rien.

— C'est une cargaison pour M. Harnett, se renditelle compte.

C'était un vieil ami de son père depuis l'université, qui lui achetait des pièces pour sa propre collection.

Lydia sentit le soulagement l'envahir. Le faux ne lui était pas passé sous les yeux sans qu'elle le repère. Selon l'arrangement entre son père et M. Harnett, elle n'était pas chargée d'examiner les articles de ce dernier.

— Mais pourquoi ces objets sont-ils en circulation ? s'étonna-t-elle. Je vous avais dit de les garder : M. Hartnett est mort il y a deux semaines.

Il soupira.

— C'est la faute de Wilkins. Il a tout mélangé. Et il n'y a pas que les pièces de votre père. Celles d'Overton sont allées aux clients de Colby.

Overton était un odieux personnage qui boudait parce que ses meilleurs clients lui avaient fait défection pour faire appel aux services de son père.

— N'attendez pas de compassion de sa part, le prévint-elle.

— Non, ça, c'est sûr. C'est au sujet de Colby que je suis inquiet. Il est furieux. Il menace d'arrêter de travailler avec moi. Il va falloir que je donne une correction à Wilkins.

Le neveu de M. Carnelly était un véritable fléau dont les gaffes étaient devenues une sorte de plaisanterie récurrente. Mais, aujourd'hui, Lydia n'avait plus envie de rire. L'incompétence du garçon mettait son père en danger. M. Harnett aurait compris que le faux lui avait été fourni par erreur, mais rien n'obligeait Sanburne à avoir une telle confiance. S'il rendait la chose publique, les clients de son père l'abandonneraient. Pire, ses collègues le regarderaient avec suspicion. Adieu, les espoirs de financement ! Ses projets seraient retardés indéfiniment. Sans parler, bien sûr, de la menace sur Antonia. La réputation d'une débutante était si fragile. Que dirait la famille de M. Pagett si la rumeur laissait entendre que leur père se livrait à des activités criminelles ?

Elle tambourina nerveusement sur le comptoir.

— Envoyez-moi le reste de la cargaison de Hartnett. Je regrette, mais je ne suis plus si sûre qu'elle soit en sécurité ici. Et, à l'avenir, vous vous occuperez en personne de nos cargaisons – si, du moins, mon père décide de continuer à faire appel à vos services.

L'autre soupira.

— Bien, mademoiselle. Ça me fait mal d'entendre ça, mais j'avoue que je comprends.

— Je l'espère. Je vais envoyer sans attendre un télégramme à mon père pour le mettre au courant. C'est sans doute l'un de ses ouvriers ou un docker du Caire qui a fait l'échange. Ce qui signifie qu'en ce moment même la stèle authentique est en vente dans quelque bazar – à un prix ridiculement bon marché !

— Si vous le dites.

Lydia le regarda attentivement.

— Vous avez l'air dubitatif.

Carnelly haussa les épaules.

— Je sais que votre père est un honnête homme. Mais c'est une vilaine affaire, mademoiselle Boyce. Qui risque de me discréditer moi aussi.

Lydia frappa le comptoir du plat de la main.

— J'ose espérer que vous ne suggérez pas que mon père y est pour quelque chose ?

— Bien sûr que non ! s'empressa-t-il de répondre.

— Parce que ne serait-ce qu'envisager qu'il risquerait sa réputation en se livrant au trafic de *marchandises frauduleuses* est plus qu'offensant !

— Évidemment, marmonna Carnelly. Je m'excuse humblement, mademoiselle Boyce. Je ne voulais pas vous offenser.

— Dans ce cas, je ne peux imaginer ce que vous aviez en tête. Rappelez-vous que c'est de mon père que vous parlez, pas d'un quelconque pillard de tombe comme Overton ou Colby. Henry Boyce est un *savant*. Il fait du commerce pour financer ses recherches, pas pour alimenter son compte en banque. Et ces recherches signifient tout pour lui ! Pensez seulement aux mois durant lesquels il doit se priver de sa famille…

S'apercevant qu'elle commençait à hausser le ton, elle s'interrompit.

— Euh… pardonnez-moi, reprit-elle en rougissant. Veuillez excuser mon… ma véhémence. Mais je veux qu'il soit bien clair que jamais il ne risquerait sa réputation ni le bonheur de sa famille en trempant dans de telles manigances criminelles.

— Bien sûr, mademoiselle, fit Carnelly en tirant sur l'une de ses bouclettes fauves. Je suis tout à fait désolé. M. Boyce est un homme très bien, et je le sais.

Cependant, à en juger par son visage crispé, il était visible qu'une pensée désagréable le taraudait.

— Alors qu'est-ce qui vous tracasse ? insista-t-elle. Soyez franc avec moi, je vous en prie.

— Rien, seulement… il y a encore le problème de lord Sanburne. Je n'arrive pas à comprendre ce qui est arrivé aux pièces qu'on *lui* devait. Sûrement l'un des clients de Colby est assis dessus et se paie un bon fou rire à mes dépens. Oh, va au diable, Wilkins ! En vous demandant pardon, mademoiselle.

Elle eut un petit geste de la main pour excuser son langage. L'occasion de mettre les choses au point avec Sanburne et de lui faire ravaler ses ragots se présentait.

— Donnez-moi l'adresse du vicomte. Je vais veiller à ce qu'on lui rembourse la stèle.

Le visage de Carnelly s'éclaira.

— Oh, vous feriez ça, mademoiselle ? C'est rudement aimable de votre part. Je parie que rien que de voir une jolie fille à sa porte le rendra plus joyeux.

Elle fronça les sourcils pour cacher le plaisir que cette louange lui avait causé. Oh, vanité ! C'était plus fort qu'elle. Il était rare qu'on lui fasse des compliments, mais Carnelly avait toujours un mot gentil pour elle. Sans doute pensait-il que la flatter était bon pour ses affaires ; elle ne devait pas le prendre au sérieux.

— Merci, dit-elle, feignant de remercier pour l'adresse griffonnée sur un papier qu'il lui tendait. Je vous enverrai un mot quand j'aurai réglé la question avec le vicomte.

4

James se leva quatre heures après s'être écroulé sur son lit. Agacé de constater que son corps renâclait, à peine habillé, il renvoya son valet et alla s'asseoir devant la fenêtre.

Il était rentré trop tard. La soirée avait commencé au *Novelty*, où Dalton avait trouvé deux danseuses légèrement vêtues et une employée du télégraphe qui parlait de façon aussi elliptique que les messages dont elle assurait la transmission. Tilney avait proposé, comme une bonne blague, de les emmener chez les Cholomondleys. Pourquoi pas ? Ceux-ci recevaient, et leurs invités parisiens étaient prêts à s'amuser de tout. Les danseuses dansèrent un cancan sur la table de la salle à manger, ce qui leur valut un franc succès. Pour ne pas être en reste, l'employée du télégraphe grimpa sur le piano et chanta à pleins poumons une version enthousiaste de *The Boy I Love Is Up in The Gallery*. Hélas, l'alcool avait affecté son équilibre et, arrivée au dernier couplet, elle tomba, entraînant dans sa chute un très joli vase qui se brisa en mille morceaux. Les Parisiens applaudirent, mais les Cholomondley se montrèrent moins ravis. Ce que James ne put leur reprocher. D'autant que l'employée avait une voix semblable à celle d'un chat que l'on torturerait.

Expulsé au milieu la nuit, le petit groupe s'était réfugié au *Barne's* où James s'affala sur une banquette et, agréablement ivre, écouta les filles pouffer de rire tout en buvant du *Moët et Chandon* au goulot. Et voilà, une nuit de plus à rayer du calendrier.

— Vous avez autre chose à proposer? avait demandé Dalton au bout d'un moment.

Personne n'ayant d'idée, chacun était rentré chez soi. James avait dormi d'un sommeil profond, sans rêve mais trop court, et s'était réveillé avec un affreux mal de crâne.

Le soleil glissa sur son visage, le faisant cligner des yeux. Il tendit la main vers son courrier. Les derniers rapports comptables de ses usines de Manchester. Une lettre d'Elizabeth difficilement déchiffrable. Sûrement écrite alors qu'elle était ivre, et en compagnie de Nelson – celui-ci avait ajouté son bon souvenir en post-scriptum. La dernière enveloppe ne portait pas mention de l'expéditeur, mais le texte était clair: *Rendez les Larmes, sinon craignez leur malédiction*.

C'était la troisième de la semaine. Le nombre de fous qui surgissaient de nulle part chaque fois que son nom apparaissait dans les journaux, c'était sidérant. Il froissa le papier et l'envoya dans la corbeille, avant de regarder à nouveau par la fenêtre.

Belgravia était désert. D'ici deux heures, la rue serait encombrée de phaétons dont d'audacieuses dames tiendraient les rênes, tandis que leurs valets se cramponneraient nerveusement à leur siège. D'ici cinq heures, pour rien au monde ces mêmes dames n'accepteraient de conduire un attelage. Pour leur seconde virée, seules de grosses voitures ou des barouches convenaient. Dieu, qu'il était las de Mayfair! Tout y fonctionnait comme dans une ennuyeuse horloge suisse, au coucou si ponctuel qu'on pouvait régler sa montre sur son apparition.

Être bon connaisseur de ces usages était encore pire. Il y avait mieux à faire de son cerveau que de l'encombrer de pareilles niaiseries.

Mais c'était là le hic. Contrairement à une horloge, ce petit monde ne pouvait être détruit, et ces futilités n'étaient pas, en fait, si futiles que cela. Comme les barreaux d'une cellule, elles dessinaient les contours de son existence. De celle de Phin aussi, bien qu'il ne l'ait pas encore compris. Hériter de son titre ne l'avait pas libéré, mais seulement transporté d'une cage à une autre.

— Ce ne sont que des usages, avait dit Stella un jour. Ils n'ont pas à obéir à une quelconque logique. Ils ne font de mal à personne.

— Dis-le aux Américains et aux Sud-Africains, lorsqu'ils sortent à 15 heures avec la voiture qu'il ne faut pas et que tous vos amis se moquent d'eux.

Elle avait souri en lui tapotant la joue. Elle avait beau avoir un an de moins que lui, elle aimait à le traiter en enfant.

— S'ils ne se comportaient pas comme des étrangers, comment saurions-nous de qui nous moquer ?

Il se la représentait très nettement dans sa tête. Elle tenait de Moreland ses yeux bleus et ses cheveux couleur de blé mûr. Hélas, son visage ne lui apparaissait plus que meurtri. Mon Dieu, comme elle avait eu l'air fragile et perdu de l'autre côté des barreaux ! Quelle horreur ! L'air étouffant, puant le vomi et les excréments ; et les cris ; et l'autre femme dans la cellule qui, absorbée par sa tâche, creusait de ses ongles de longs sillons dans la chair ensanglantée de ses bras. Roulée en boule dans un coin, Stella le fixait. Elle n'était toujours pas en état de parler, mais ses yeux appelaient au secours. Or, il ne pouvait *rien* faire. C'était au nom de la justice qu'ils l'avaient jetée dans ce trou. Elle y mourrait, c'était sûr.

Mais elle avait survécu. Et, après le raffut qu'il avait fait, ils l'avaient transférée à Kenhurst où, disaient-ils, elle disposait de plusieurs pièces, de promenades quotidiennes et de tout le confort possible. Il aurait aimé admirer ce paradis, mais ils ne l'avaient pas laissé la voir. À sa première visite, il n'avait pu franchir le portail de l'asile. À sa deuxième tentative, Dwyer, le gardien de Stella, avait appelé la police qui était arrivée rapidement, mais pas avant qu'il ait saisi l'homme à la gorge. Une minute plus tard, Dwyer n'aurait pas été aussi arrogant. Dwyer aurait été mort.

Son père l'avait sorti de prison en deux semaines. Moreland avait tiré les ficelles si vite qu'il avait fait sauter quelques têtes. Le juge avait été mis à la retraite, le directeur de l'asile muté, et les policiers rétrogradés. Seul, Dwyer s'en était tiré sans dommage. Rien ne détournerait Moreland de l'adoration que lui inspirait le geôlier de sa fille.

Seigneur, pourquoi refusaient-ils qu'il la voie ? Il ne demandait qu'à l'apercevoir – juste pour remplacer le dernier souvenir qu'il gardait d'elle et qui lui faisait presque regretter de l'avoir vue.

Un petit rire lui échappa. Il y avait un million de façons de trahir quelqu'un, non ? Une simple pensée pouvait suffire. Qui était-il pour juger Elizabeth si elle noyait ses remords dans l'alcool, ou sombrait dans la luxure à cause d'un abruti ? Comme le bas-bleu le lui rappellerait, ils n'étaient que les produits de leur milieu. Et le beau monde avait depuis longtemps mis au point la jolie coutume de repousser tout ce qui était laid ou ennuyeux – ou de l'étouffer dans le brouillard de la débauche. Sur ce point, il ne pouvait prétendre à l'innocence.

Parfois, la situation de Stella, telle que Dwyer l'avait décrite, lui faisait envie. Un emploi du temps fixé une fois pour toutes. Aucune décision à prendre. Un personnel prêt à vous forcer à vivre au cas où vous n'en trouveriez plus l'énergie. Aucune obligation qui justifiât de se lever, s'habiller, se laver. Stella vivait au jour le jour, sans avoir à penser, à choisir, à refuser quoi que ce soit. Sa petite sœur n'avait pas besoin d'un tel traitement, mais lui s'en serait fort bien accommodé.

On frappa à la porte. Son valet s'encadra sur le seuil ; le majordome se tenait derrière lui. James se redressa, légèrement surpris de voir ensemble deux individus qu'opposait une rivalité exacerbée dont il n'était pas censé être au courant.

— Je vous demande pardon de vous déranger, milord, dit Gudge, dont le flegme habituel avait visiblement reçu un coup dévastateur, mais vous avez... une visite.

— À cette heure ?

Apparemment, il n'était pas le seul à ne plus supporter les conventions.

— Une femme un peu étrange. J'ai essayé de la renvoyer, mais elle a dit qu'elle devait absolument vous voir. Ses manières, eh bien... avant de demander à Norton de la mettre dehors, j'ai jugé préférable de vous informer.

Ce qui signifiait qu'elle parlait et s'habillait comme une femme bien née.

— Elle a donné son nom ?

— Elle est voilée, intervint Norton, tout excité. De la tête au pied, milord !

Gudge lui décocha un regard sévère.

— Elle n'a pas voulu révéler son nom. Je pense qu'elle a peur que les domestiques ne parlent.

La supposition l'affligeait visiblement. Gudge se targuait de mener une campagne zélée contre les commérages entre gens de maison.

Eh bien, songea James, la matinée ne s'annonçait peut-être pas aussi ennuyeuse qu'il ne l'avait craint.

La dame qu'il fit asseoir était plus complètement emmaillotée qu'une veuve ottomane. Elle portait un étrange assemblage composé d'une robe du matin et d'un tailleur ardoise destiné à la promenade. Rien d'étonnant qu'elle n'ait pas voulu dire son nom. Les domestiques se seraient régalés de l'incident durant un bon mois.

James ferma la porte avec plus de force que nécessaire. Le voile de crêpe noir sursauta.

— Sanburne ?

Il s'adossa à la porte et retint un fou rire.

— Vous ne voyez rien sous ce truc ?

Des mains gantées de noir émergèrent pour soulever le voile. Degré par degré, elles révélèrent un cou blanc, un menton pointu, puis des lèvres roses, pincées – comme d'habitude, se dit-il – en une ligne sévère. Ensuite apparut le nez droit. Enfin, ce fut le tour de deux grands yeux noisette. Qui le fixèrent. Il ne s'autorisa qu'un pas, mais déjà elle le regardait comme s'il avait commis une transgression.

Il attendit gentiment qu'elle prenne la parole mais, apparemment, sa propre audace l'avait terrassée. Sa respiration saccadée était audible de l'autre bout de la pièce. Une épingle à cheveux lâcha et le voile glissa sur le côté. Comme elle levait la main pour le repousser, elle se cogna le nez.

Il ne put retenir un sourire. Ce n'était pas une femme foncièrement maladroite, pourtant, dès leur première rencontre, il avait été frappé par la brusquerie de ses mouvements. Elle habitait son corps sans plus y réfléchir qu'à un manteau. Ce fossé entre le cerveau et la chair était charmant. Et sonnait comme un défi. Un homme normalement constitué ne pouvait s'empêcher de se demander ce qu'il faudrait faire pour attirer sa conscience hors des limites disciplinées de son cerveau jusqu'à la douce plénitude de sa peau.

Il s'écarta de la porte.

— Vous êtes venue m'offrir une autre prestation ?

— Je ne cherche pas à vous divertir, riposta-t-elle.

Cela, il l'avait deviné. Il l'examina de la tête aux pieds. Sa colonne vertébrale la maintenant plus rigide qu'un poteau. Quelle étrange femme c'était, sauvage et fière ! Ses cheveux noirs s'échappaient de son chignon ; le bas de sa jupe était souillé de boue. Une autre aurait fourbi ses armes avant d'entrer dans le repaire du lion. Elle se serait mis un peu de fard aux joues, ou aurait au moins prié le valet de brosser sa jupe. Arsenal trop ordinaire pour Mlle Boyce. James prit un siège en face d'elle.

— Vous êtes venue me séduire, alors ? J'avoue que je ne suis pas prêt. C'est à peine si je me suis peigné ce matin.

Elle l'examina avec une attention placide.

— Non, ça va, vous êtes très bien.

Surpris, il sourit.

— Ne flirtez pas avec moi, mademoiselle Boyce. Ce serait plus que je ne peux supporter.

La voyant froncer les sourcils, il devina qu'elle avait l'intention de lui décocher un regard réprobateur. Hélas, la nature conspira contre elle ! Ses yeux fléchirent sur les tempes, détruisant l'effet voulu.

— Un épagneul, dit-il. C'est à cela que vous me faites penser.

Lorsqu'on la provoquait, les joues de Mlle Boyce se coloraient joliment. Elle avait un teint superbe, rose et crème, sans la moindre imperfection – à l'exception d'un petit grain de beauté niché dans le creux de la lèvre supérieure. Il l'avait repéré l'autre soir et, pour une raison inconnue, n'avait pu s'empêcher de poser le doigt juste à côté. La langue de la jeune fille avait pointé pour s'humecter les lèvres. Il avait été fortement tenté d'y goûter aussi. Étrange comme après trente longues années d'existence, on pouvait encore se surprendre soi-même.

— Vous me comparez à un *chien* ? s'écria-t-elle.

— J'aime les chiens. Et, parmi les chiens, c'est une race charmante.

La mâchoire de la jeune femme s'agita. Elle grinçait des dents. Mauvaise habitude, ça. Mais c'était bon de savoir qu'elle en avait une.

— Très bien, taquinez-moi si vous voulez. Je sais que ma conduite ne parle pas en ma faveur, mais veillez à vos manières.

Difficile de ne pas être impressionné par un tel culot.

— Bravo, mademoiselle Boyce. Vous pénétrez chez un gentleman sans y être invitée, pour lui dire de veiller à ses manières. Thackeray n'aurait pu inventer mieux.

Il la vit déglutir laborieusement.

— Bon, d'accord, j'ai tort, mais j'ai les nerfs à vif. Vous n'imaginez pas quelle matinée j'ai passée. Mes sœurs ont voulu prendre le coupé, et je ne pouvais quand même pas leur dire que j'en avais besoin pour aller chez vous. Là-dessus, je n'ai pas trouvé de fiacres près de la maison et j'ai dû prendre l'omnibus. Et voilà que je suis tombée sur un faux !

Il éclata de rire.

— Quelle ironie !

La jeune femme écarquilla ses yeux ambrés.

— Quelle *ironie* ? répéta-t-elle. C'est stupéfiant ! Des véhicules sans licence, se faisant passer pour des vrais ! Il y avait même une dame très correctement vêtue à l'intérieur, qui servait sûrement d'appât pour piéger des innocents. Pour un trajet de cinq pence, on m'a demandé un shilling ! Où va le monde ?

— Oh, Seigneur, le culot du manant avide ! Il empire de jour en jour, hélas !

Elle le gratifia d'un regard noir.

— Je ne suis pas une snob, monsieur. Je pense qu'on peut être contre le vol sans mépriser telle ou telle classe.

— Vous êtes plus acerbe qu'une snob ordinaire, admit-il. J'hésite entre louer l'éducation féminine, ou suggérer qu'elle soit interdite.

Le menton de Mlle Boyce se releva d'un cran. Quelqu'un l'avait-il jamais mordue à cet endroit ? Elle avait émis un petit cri étranglé lorsqu'il l'avait touchée l'autre soir, et le souvenir de ce délicieux petit bruit – sensuel et tout à fait inattendu – ne l'avait pas quitté depuis. Ce n'était qu'un son involontaire, mais il avait éclipsé les attraits des danseuses de la veille, se rendit-il compte avec un léger malaise.

— J'ai toujours été intelligente. Mon éducation n'y est pour rien... Cela vous amuse ? demanda-t-elle comme les lèvres du vicomte frémissaient.

— Me voilà soulagé. Je me demandais si vous aviez quelque défaut déclaré.

Le visage de Mlle Boyce trahit le combat qui se livrait en elle et il lui fallut une bonne minute pour céder à la tentation.

— Que voulez-vous dire ? s'enquit-elle finalement. Quel défaut ?

— Eh bien, l'orgueil, mademoiselle Boyce. Vous avez une haute opinion de votre intelligence.

Elle pinça les lèvres, ce qui creusa dans sa joue une fossette complètement incongrue vu sa posture rigide. Un petit râle involontaire, une fossette coquine, l'idée lui vint que le corps de Mlle Boyce aimait à lui jouer des tours.

— C'est normal, riposta-t-elle. Je suis une femme. Si je n'ai pas une haute opinion de mon intelligence, qui l'aura ?

Il s'obligea à détourner les yeux de la fossette. Si les sœurs de Mlle Boyce étaient des beautés reconnues, elle possédait un charme bien à elle – particulièrement visible en cet instant. Elle avait des yeux vifs et intelligents, mais avec des paupières lourdes qui lui donnaient l'air de sortir du lit. Soudain conquis, il sourit.

— Touché, chérie.

Elle n'apprécia visiblement pas le dernier mot. Son visage s'assombrit, à l'image d'une fenêtre dont on refermerait les volets.

— Laissez-moi vous expliquer ce qui m'amène.

— Demander pardon pour les vilenies de votre père, je suppose.

Elle pinça la bouche. Seigneur, cette fossette lui jouait décidément un sale tour. Elle attirait l'attention sur sa bouche qui, trop grande selon les canons actuels de la beauté, suggérait des idées bien peu appropriées à la situation. Il sourit en son for intérieur. De façon étrange, inattendue, et indéniable, cette femme l'attirait À quelque niveau primitif, son corps réagissait à sa présence. Cinq mille ans plus tôt, il l'aurait entraînée dans une caverne, et la Mlle Boyce de l'Âge de pierre, privée de l'éducation nécessaire pour se défendre de quelques mots bien affûtés, l'aurait proprement étripé à l'aide d'un caillou bien aiguisé.

Il s'aperçut qu'elle approchait de la conclusion de son discours.

— Pardonnez-moi, je n'écoutais pas. Vous pouvez recommencer ?

— Je vais répéter très lentement, dit-elle du ton qu'emploierait une mère à l'égard d'un enfant récalcitrant de trois ans. Je sais que venir ici était inconvenant…

— Même quand vous enfreignez les règles, vous tenez à me les rappeler ? Vraiment, mademoiselle Boyce, ayez pitié de moi.

— Mais je voulais m'ouvrir à vous de...

— Vous ouvrir à moi ? Oh, je vous en prie, faites !

Elle le fixa avec de grands yeux, s'apprêta à riposter, puis jugea préférable de s'en abstenir. Elle avait interprété sa remarque correctement, mais préférait simuler l'innocence. Pauvre Mlle Boyce. Cette érudite collet monté, piégée malgré elle dans un corps sensuel, communiquait avec son corps à lui dans un langage qu'elle-même ne connaissait pas. Rien d'étonnant qu'elle s'emmaillote ainsi. L'idée d'attirer un mâle par inadvertance devait l'effrayer.

— Écoutez, reprit-elle en se levant. J'ai rendu visite à M. Carnelly.

— Ah oui ?

Au fond, cela ne le surprenait pas qu'elle ait eu le culot de s'aventurer dans ce quartier mal famé.

— Vous avez goûté aux marrons grillés ? Faites-le, la prochaine fois. Ils sont très bons.

Elle leva les yeux au ciel. De beaux yeux dorés, intelligents. Ce qu'elle avait de mieux. Puis, quand elle se mit à marcher de long en large, il se ravisa. Quand Mlle Boyce se déplaçait, elle... bondissait. Il se retourna pour la suivre du regard. Oh, oui ! Si la dame ne tenait pas à divertir qui que ce soit, elle était incapable de s'en empêcher. Elle marchait comme si elle était montée sur ressorts. Ces grandes enjambées élastiques avaient dû pousser au désespoir une génération de gouvernantes.

Il s'aperçut qu'il ricanait comme un collégien. Embarrassant, vraiment. Sa visiteuse lui accordait moins d'attention qu'elle n'en aurait accordé aux déchets de tribus canadiennes. Pourtant, il ne put résister à la curiosité.

— Vous chassez ?

Il la voyait bien en cavalière : elle était ce que sa nourrice écossaise aurait appelé *une fille superbe*.

Elle pivota. La violence du mouvement suggérait de fortes émotions. Mais son visage demeura impassible.

— Non, et je n'aime pas les chevaux. Mais, je vous en prie, ne changeons pas de sujet. Je regrette de vous dire que votre supposition était exacte. Le faux venait bien de la cargaison de mon père.

Il sourit.

— Comme c'est aimable à vous de me confirmer ce que je savais déjà. Peut-être que, la prochaine fois, vous me présenterez à moi-même. J'ai entendu dire que j'avais beaucoup de succès.

La fossette réapparut. Il se félicita.

— Néanmoins, poursuivit-elle sans relever, le fait que ce faux était dans cet envoi ne signifie pas nécessairement que mon père le savait. Je pense que la pièce authentique a été remplacée par une contrefaçon. Quoi qu'il en soit, j'ai envoyé un télégramme en Égypte. Je vous tiendrai au courant de ce que j'aurai appris.

— Je vois, fit James. Donc, vous êtes venue me dire que, bien que ne m'étant pas trompé quant aux faits, vos suppositions devraient me pousser à les nier ?

Elle battit des paupières. Le vocabulaire qu'il avait employé l'avait surprise. Oh, quelle proie facile elle faisait !

— Non, répondit-elle d'un ton hésitant. Je voulais... euh, m'excuser pour cet épouvantable embrouillamini. Jamais je n'aurais imaginé que vos accusations pouvaient être justifiées – quand bien même elles ne visaient pas la bonne personne, bien sûr.

Elle avait prononcé le mot qu'il fallait, cette brave Mlle Boyce. Mais la rigidité de ses épaules et ses poings serrés laissaient entendre que s'excuser lui était aussi agréable qu'un sabre planté dans l'estomac.

— Ah, les bonnes manières… fit-il, compatissant. Rien de plus ennuyeux. Je suggère que vous les envoyiez promener. Personnellement, je m'en passe très bien.

— Oui, je comprends qu'elles vous aient pesé.

Son ton était si sec qu'il lui fallut une seconde pour se rendre compte qu'elle se moquait de lui. Il l'encouragea d'un éclat de rire. Elle avait un grand potentiel, vraiment. Un peu moins de raideur, et toute sa personne serait aussi intéressante que sa fossette.

— Dites-moi, pourquoi devrais-je accepter de croire qu'il s'agit d'une confusion ? Qu'est-ce qui me certifie que votre père n'importe pas délibérément des faux en profitant de sa haute réputation ?

— Il ne ferait jamais une chose pareille ! s'écria-t-elle.

— Oh. Et comment le savez-vous, *vous* ?

La réaction de Mlle Boyce l'amusa. Elle parut d'abord totalement déconcertée, puis emplie de pitié à son égard.

— C'est mon *père,* lui rappela-t-elle d'un ton qui suggérait que ce concept lui était peut-être inconnu. Je le connais mieux que quiconque, monsieur – et par conséquent, je sais que ce crime lui ressemble si peu que l'idée même en est risible. Je comprends toutefois que vous l'ignoriez. J'ai foi en lui et je vous demanderai de faire de même.

— La belle idée ! Je n'ai rien contre la foi, mais j'aimerais qu'on m'explique pourquoi on y voit une vertu. Après tout, la foi est enracinée dans l'ignorance.

Elle émit un son inarticulé, un *hmplr* qui disait mieux que des mots qu'avec cette remarque il avait dépassé ses pires craintes.

— Bien sûr, j'ai aussi l'intention de vous indemniser, précisa-t-elle. Je vais vous racheter le faux le prix que vous avez payé ce que vous pensiez être une pièce authentique. J'espère que cela ne vous ennuie pas que M. Carnelly m'ait indiqué le chiffre.

Elle ouvrit son réticule, fourragea dedans.

— Cela mettra un point final à cette histoire, je pense.

Elle avait tout réglé en bonne petite femme d'affaires. Malheureusement pour elle, il n'avait pas besoin d'argent.

— Je vais vous donner la stèle, déclara-t-il.

Elle leva les yeux de son sac.

— Gratuitement ?

Le ton heureusement surpris de sa voix le fit sourire. Une pointe d'intérêt ne lui déplaisait pas.

— Pas exactement. Je voudrais quelque chose en échange.

— Qu'est-ce que ce serait ?

Il laissa s'étirer l'instant dans une pause théâtrale.

— Eh bien... juste un baiser.

La couleur inonda les joues de la jeune femme.

— Vous plaisantez.

— Pas du tout. Vous savez, mademoiselle Boyce, j'ai dépensé une centaine de livres la nuit dernière pour tenter de me divertir. Mais, je dois l'avouer, l'amusement que vous me procurez en jouant tantôt à l'enquêtrice, tantôt à la justicière... eh bien, cela n'a pas de prix.

La poitrine de Mlle Boyce se souleva magnifiquement. Quel dommage qu'elle ne soit pas en robe de soirée ! Ces redingotes boutonnées jusqu'au cou étaient insupportables.

— Vous êtes un...

— ... butor, acheva-t-il en se levant. Un bon à rien, un vaurien, un barbare, un sauvage, un débauché. Oui, je sais, et je ne le nie pas. Mais le contrat est honnête. Vous pouvez avoir mon faux, et ma discrétion, en échange de deux minutes de plaisir réciproque.

— Deux minutes ! répéta-t-elle, abasourdie. Vous êtes fou !

Personne ne l'avait donc embrassée aussi longtemps ? De mieux en mieux. Il lui adressa un sourire délibérément mystérieux. À quoi elle réagit en reculant de quelques pas.

— Contre le mur de nouveau ? remarqua-t-il. On dirait que nous nous découvrons des penchants coquins. Voilà qui me plaît tout à fait.

Elle jeta un regard éperdu autour d'elle, comme si elle venait seulement de se rendre compte qu'elle était arrivée au fond de la pièce.

— Je… je ne peux pas.

Il trouvait stupéfiant qu'elle prenne à ce point au sérieux une chose aussi anodine qu'un baiser. À croire qu'il avait prié Jeanne d'Arc en personne d'offrir sa virginité pour hâter le second avènement du Seigneur.

— Vous avez dû être élevée dans une caverne, murmura-t-il. Je doute que même une fille de la campagne soit aussi naïve que vous.

Elle releva le menton. Ses yeux s'étrécirent. Apparemment, elle n'aimait pas être traitée de naïve. Il mit de côté cette information pour y réfléchir plus tard.

— Très bien, dit-elle posément. Mais j'ai votre parole : un seul baiser, et la stèle est à moi, et vous cessez d'insulter mon père.

— Ma parole, répondit-il. Deux minutes.

Avec la dignité d'un rebelle faisant face à un peloton d'exécution, elle ferma les yeux.

— Allez-y, lâcha-t-elle entre ses dents.

— Armez-vous de courage, la prévint-il.

Il retint un fou rire en la voyant inspirer à fond, comme pour se préparer à un plongeon en eau profonde.

Lydia se préparait à un assaut. À quoi s'attendre d'autre après un tel avertissement ? Mais il se contenta de poser sa bouche très doucement sur la sienne.

Elle demeura immobile, s'efforçant de ne pas respirer. Les lèvres de Sanburne étaient chaudes. De nouveau, elle sentit ce parfum de menthe. Est-ce qu'il mâchait des feuilles ? Ce n'était pas vraiment désagréable. Comme le temps passait et qu'il ne faisait rien d'inquiétant, elle commença à se détendre. Elle pensait qu'il lui donnerait un baiser comme celui de George : brutal, avide, meurtrissant. Mais le vicomte semblait se satisfaire d'en rester là. En fait, cela ne l'étonnait pas vraiment ; cet homme était un paresseux. Combien de secondes s'étaient écoulées à présent ? On en était sûrement déjà à la moitié.

Une bouffée d'air chaud lui fit rouvrir les yeux. La bouche du vicomte s'était entrouverte. Il riait.

Il se moquait d'elle ! Alors que c'était son idée *à lui* ! Furieuse, elle s'écarta. Une main entoura son cou nu. Le geste la décontenança.

Il en profita. Sa langue s'introduisit à *l'intérieur* de la bouche de Lydia. Juste un peu. Après quoi, sa bouche se referma sur la lèvre supérieure de Lydia, et doucement, très doucement, la pétrit.

Lydia fut alors la proie d'étranges phénomènes. Ses jambes flageolèrent. Son estomac fit une chute vertigineuse. Spontanément, elle agrippa les bras du vicomte, et leur musculature la déconcerta. Un aristocrate bâti comme un docker... Des jambes la repoussèrent, la plaquèrent contre le mur. Il se pressait contre elle, et quelque chose en elle se déroula et s'étira tel un chat au soleil. Une palpitation s'agita dans son ventre. Une folle pensée lui traversa l'esprit : cette bouche ne lui prenait rien, elle la persuadait, *elle*, de *lui* prendre quelque chose.

Affolée, elle tenta de s'échapper. Il s'écarta juste assez pour appuyer son front contre celui de Lydia.

— Deux minutes, murmura-t-il.

Elle secoua la tête, et il rit de nouveau, un son guilleret, aimable comme un remerciement.

— Deux minutes, répéta-t-il d'une voix apaisante.

Mais il ne bougea plus ; ses yeux restaient fixés sur le visage de Lydia, attentifs.

Elle refoula un soudain sentiment de culpabilité. Ce baiser, elle l'acceptait pour sa famille. Uniquement.

Lentement, elle hocha la tête. La bouche du vicomte revint à l'assaut. Cette fois, il prit sa lèvre inférieure entre ses dents. Il la mordit légèrement. Sa langue caressa la meurtrissure tandis qu'il pressait de nouveau son corps contre celui de Lydia. Sentait-il la forme de ses jambes à travers les jupes ? Cette possibilité la bouleversa. Il émit un son ténu – elle ignorait que les hommes faisaient de tels bruits lorsqu'ils embrassaient, des bruits qui n'étaient pas de colère –, et elle sentit une main soutenir sa nuque tandis qu'une autre l'enlaçait. Elle n'avait plus pour appui que le corps du vicomte.

À cette pensée, quelque chose s'ouvrit en elle. La bouche du vicomte s'ouvrit aussi, et le baiser devint riche, profond, étourdissant. Il se répandit en elle telle la vibration d'un orchestre. Et voilà qu'elle lui rendait son baiser. Une partie d'elle-même à laquelle elle avait renoncé reprenait vie. « Plus jamais je n'embrasserai un homme » – combien de fois se l'était-elle dit, seule dans sa chambre, partagée entre le regret, la colère et les remords ? Sa première expérience ne se répétait pas, loin de là. Mais elle embrassait un homme, et c'était *quelque chose de totalement différent*. Vaguement étonnée, elle s'aperçut qu'elle n'était pas aussi godiche que cela : il laissa un petit gémissement de plaisir et, de ses lèvres, écarta davantage celles de Lydia.

Troublée, elle le laissa faire. La façon dont leurs bouches s'ajustaient l'émerveilla. Des chemins de feu se déroulaient jusque dans ses seins, son estomac, le creux de ses genoux, attiraient son attention sur des endroits inconnus d'elle jusqu'à présent. Quelle chose stupéfiante qu'un *vrai* baiser ! songea-t-elle.

Il l'interrompit abruptement. Son torse se soulevait sur un rythme rapide, et il arborait une expression étrange.

— Bravo, la félicita-t-il comme si elle venait de réussir un tour de cartes. Pas si naïve que cela. Avec la langue, et tout.

Avec la langue et tout ! Quel pouvoir dans ces quelques mots. Leur son la pénétra de part en part, aussi envoûtant que son contact.

Mais elle n'avait pas d'excuse pour justifier ce trouble.

Elle s'écarta. Ils se dévisagèrent longuement. Dieu qu'il était beau, avec son visage étroit finement ciselé, ses pommettes hautes, son menton ferme ! Il aurait posé pour des peintres d'icônes s'il avait vécu dans l'empire byzantin. De l'argent pour les iris, de la topaze pour les cheveux. Contempler ce visage l'enivrait. Il était…

Il était un joli papillon, superficiel, aussi fiable qu'un serpent. Et son charme était pareil à un onguent sur lequel elle glisserait jusqu'à la chute si elle ne s'éloignait pas *sur-le-champ*.

Elle recula d'un pas. La grande pièce, le mobilier tout simple envahirent sa conscience. Elle s'étonna que le monde n'ait pas changé. Dire qu'elle aurait pu mourir en n'ayant pour seul souvenir que celui, pathétique, du baiser de George…

— Vous me ferez parvenir la stèle ? demanda-t-elle d'une voix haletante, telle une débutante s'adressant à son premier soupirant.

— Oui.

À contrecœur, elle pivota et s'aperçut que les bras du vicomte plantés de part et d'autre de sa tête la retenaient prisonnière. Elle posa la main sur son bras, testant sa résistance. Durant un interminable instant, elle demeura ainsi, fixant du regard ses doigts sur la manche du vicomte, sentant la chaleur de sa peau à travers le tissu – jusqu'à ce qu'elle comprenne enfin ce qui l'arrêtait : elle était flattée. Oh, Seigneur ! N'avait-elle rien d'autre dont elle puisse être fière ?

Prenant une vive inspiration, elle se glissa sous l'un des bras du vicomte et s'échappa. Arrivée à la porte, elle ne put s'empêcher de se retourner. Il était toujours dans la même position, comme s'il n'y avait que lui pour retenir le mur. Il semblait perplexe.

Cette vue la dégrisa. Combien de fois avait-elle noté une expression semblable sur le visage des collègues de son père, ou d'autres messieurs écoutant ses conférences ? *Les hommes ont appris à rabaisser les femmes de trente-six façons, Lydia*. Son père avait raison : lorsqu'on dépassait leurs attentes, ils étaient complètement perdus. Elle n'était pas flattée d'avoir éveillé son intérêt, finalement. Mais elle était contente de l'avoir décontenancé – et, bien sûr, de savoir désormais ce que devait être un baiser.

Rassérénée, elle prit le temps de lisser ses gants. Lorsqu'elle leva les yeux, il la regardait. Son expression perplexe avait cédé la place à un sourire ironique.

— Pas question de sortir sans être impeccable, commenta-t-il gravement.

— C'est ce que je pense, en effet. Vicomte, j'ai déclaré au dîner que je manquais d'éléments pour vous cataloguer.

— Et ? fit-il en haussant les sourcils.

Elle hocha la tête.

— Je crois que j'en sais assez à présent. Vous souffrez d'un cas grave de paranoïa dû à l'ennui. Personne ne cherche à vous duper, à vous escroquer. Quant à votre idée bizarre selon laquelle lord Moreland serait impliqué dans cette erreur d'envoi… eh bien, j'espère qu'il a mieux à faire que de comploter avec des dames pour jouer des tours à son fils.

Le sourire du vicomte se fit songeur.

— Vous me jetez le gant, mademoiselle Boyce ? Je le relève avec plaisir.

Horreur, cette perspective ne la faisait pas frémir de peur, mais de joie !

— Non, riposta-t-elle avec plus de force que nécessaire. Je souhaitais simplement dire que… que ces fredaines que vous vous permettez sont les plus puériles que je puisse imaginer.

— Dans ce cas, votre imagination a besoin d'exercice, chérie, répliqua-t-il avant d'ajouter plus doucement : Je pourrais peut-être y pourvoir.

Elle ne doutait pas une seconde qu'il s'en sortirait admirablement, et l'idée la décontenança.

Le gratifiant d'une révérence exagérée, elle quitta la pièce.

5

Comme la musique, la douleur avait son rythme propre. *Piano* : le choc d'un poing s'écrasant sur la mâchoire. *Staccato* : le jeu des doigts s'enfonçant dans la chair du ventre. *Forte* : le coup qui vise le nez et envoya James tituber en arrière dans un jet de sang.

Des mains se plaquèrent dans son dos, interrompant sa retraite involontaire et l'empêchant de franchir la ligne tracée à la craie sur le sol. Il y avait peu de règles dans cette salle sombre et enfumée, mais franchir cette ligne le disqualifierait. Ce que la foule ne souhaitait pas. Il n'y avait rien de plus apprécié dans cette partie de la ville que le spectacle d'un aristo se faisant réduire en bouillie par un gars du peuple.

Les oreilles de James sonnaient. Il secoua la tête, et eut l'impression que ses dents s'entrechoquaient. Son adversaire était un solide Irlandais, tout frais débarqué de Cork, renommé pour sa capacité à mettre un homme à terre – en lui brisant le cou, éventuellement. Lorsque James avait dévalé l'escalier qui menait à la salle, le propriétaire l'avait attrapé par le bras.

— Rentrez chez vous. Pas ce soir, milord. Je peux pas me payer le luxe d'avoir un aristo battu à mort. Ça me coûterait trop cher.

La nouvelle qu'un adversaire valable venait de débarquer avait enthousiasmé James. Dans les clubs paisibles de Maiden Lane, les règles édictées par le marquis de Queensbury prévalaient : autant boxer des chiots. Ici, dans l'East End, où la seule loi était d'éviter le meurtre, une vie de repas réguliers et de soins médicaux appropriés lui conférait de réels atouts. Mais, vu de l'autre bout de la salle, cet Irlandais avait l'air costaud, capable de fendre un rocher du tranchant de la main. Quoi qu'il en soit, il y avait pire façon de mourir que les vertèbres brisées. Par exemple, on pouvait pourrir lentement dans un asile… ou périr sous les obligations quasi féodales dues à un titre.

Un billet avait apaisé les inquiétudes du propriétaire. La foule avait applaudi.

Deux rounds avaient eu lieu, et jusqu'à présent personne n'était mort. James commençait à s'ennuyer. L'Irlandais se déplaçait lentement, et son crochet du droit laissait son flanc gauche exposé. Il mettait peut-être du temps à s'échauffer ? Comme l'homme s'écartait de ses aides, il frappa du poing la paume de son autre main avec un bruit très prometteur.

— Allez, m'sieur l'comte, ricana-t-il en faisant signe à James de l'index. V'nez tâter un peu d'la justice irlandaise.

James sourit. Tous ses muscles étaient chauds, souples, prêts à réagir. Une feinte sur la gauche, un coup sur la droite. Une grosse patte l'atteignit au ventre, vidant ses poumons d'un coup. L'Irlandais en profita. Un crescendo de douleur : les os de son visage pourraient se briser sous ce délicieux martèlement des poings. *Fortissimo* : le chant de l'agonie dans ses veines.

Mais cela ne suffit pas. Cela ne suffisait jamais. La douleur ne parvenait pas à l'engloutir ni à faire taire ses pensées. Il pouvait venir ici et se faire tabasser autant qu'il en avait envie. Il pouvait marcher dans les rues les plus sordides de la ville, à minuit et sans arme, et s'offrir comme proie aux malfrats. Il pouvait se jeter dans l'escalier, l'architecture de son corps jouait contre lui. Il avait des poings comme des jambons, non ? Il était grand, musclé, et surentraîné. Ce ne serait jamais la même chose. Il avait des défenses ; elle, non. Et elle l'avait toujours su. Son visage clamait la certitude de sa propre impuissance face à Boland.

La colère déferla en lui telle une vague monstrueuse. Ses poings étaient des météores. Un uppercut fit tituber l'Irlandais.

— Frappe ! cria-t-il.

Quatre directs mirent l'homme à genoux.

— C'est tout ce que tu as dans le ventre ? Relève-toi, bon Dieu !

Bave et sang – la chaleur de ce qui lui inondait la figure ne le gênait pas. Il ne la sentait quasiment pas. Sa peau était devenue insensible. C'était déjà ça.

Des doigts agrippèrent sa chemise, s'enfoncèrent dans ses bras. On l'écartait de son adversaire qui gisait en tas sur le sol.

L'atmosphère dans la salle était lourde et suffocante. La fumée montait en fumerolles bleues formant un nuage dense au niveau du plafond. Accoudé au comptoir, un client demanda en chuchotant un verre de gin, rompant le silence quasi religieux qui s'était abattu parmi les spectateurs. James inspira à fond.

— *Erin go bragh*, dit-il avant de s'esclaffer.

— Seigneur… James !

Il leva les yeux. Une silhouette s'était immobilisée au milieu de l'escalier, éclairée à contre-jour. Impossible cependant de se tromper sur la voix, grave et douce. À l'université, quand il avait trop bu, Phin aimait chanter. Ensuite, il avait trouvé d'autres usages pour son organe. Deux ans plus tôt, durant l'un de ses brefs séjours en ville, James et lui s'étaient retrouvés pour prendre un verre. Phin était alors tout près de faire ce que les médecins diagnostiqueraient comme une rechute de malaria. Après quelques whiskys, il avait lâché : « Je suis très bon pour les interrogatoires : tu n'imagines pas le pouvoir d'une voix chaude qui s'adresse à toi dans l'obscurité. »

Et, pour la première fois, James avait eu une vague idée de ce à quoi la « cartographie » avait mené son ami. « Bon, si j'ai le choix, je laisserai la lumière allumée », avait-il répliqué.

— C'est gentil à toi d'être passé, lança-t-il.

Sa remarque brisa le silence qui était de nouveau retombé. Tout le monde se mit à parler en même temps, les uns chantant victoire, les autres le maudissant. Du coin de l'œil, James vit quelqu'un décocher un coup de pied dans les côtes de l'homme à terre.

— C'est l'heure du concours de chant des canaris ! annonça le tenancier.

Il se fraya un chemin dans la foule, deux verres de gin dans les mains. James s'en saisit avec gratitude. L'alcool empestait, mais dévala son gosier aussi aisément que de l'eau.

— Bravo ! lâcha Phin en le rejoignant. Ta tête ressemble à une casserole sur laquelle on se serait acharné à coups de maillet.

Un élancement commençait à titiller la mâchoire de James. Il tâta prudemment l'intérieur de sa bouche de la langue. La chair était déchirée, mais toutes ses dents étaient là. La beauté, ce serait pour un autre jour.

— Tu veux me soigner ?

— Cela dépasse mes capacités, avoua Phin. C'est ton cerveau qui est en miettes, à mon avis.

James voulut hausser les sourcils, mais la douleur le fit s'arrêter.

— Ne sois pas pénible. Si j'ai besoin de sermons, j'irai voir Moreland.

— Tu zozotes.

— Ah bon ? Je connais le remède.

Il héla le propriétaire. Devant le comptoir, les aviculteurs alignaient leurs cages d'osier. Mieux valait passer commande avant le début du match.

— Un autre verre de votre tord-boyaux, demanda-t-il au tenancier. Phin, tu te joins à moi ? Les oiseaux de ce soir sont intéressants. J'ai repéré un canari allemand qui promet.

— Non, merci. Je préfère l'alcool frais.

— C'est vrai. Ou bien dans une pipe.

Son ami arqua un sourcil.

— Quelle façon malcommode de boire de l'alcool. Tu es sûr de ne pas être commotionné ?

— Si tu n'es pas venu pour boire ou pour te battre, pourquoi es-tu là ?

— Pour te demander ton aide. Mais je constate que tu es déterminé à n'être d'aucune utilité ce soir.

— Il n'y a pas eu de surprise, déclara James. Bien que je vienne de porter un coup décisif à la fierté de l'Irlande. On pourrait appeler ça une victoire nationale.

Il s'aperçut tout à coup que Phin était en tenue de soirée.

— Tu viens de quelque part ?

— De chez les Stromond.

Ah oui. Le bal annuel. L'invitation la plus prisée de toute mère ayant une fille à marier.

— Mes condoléances, marmonna-t-il. Elles ont dû se coller à toi comme des mouches sur un pot de miel.

Il tourna la tête à droite et à gauche, sentit les tendons de son cou se dénouer. On lui fourra un autre verre dans la main.

— Dieu vous bénisse, O'Malley.

Il vida ledit verre d'une lampée, puis le reposa. Et remarqua l'expression songeuse de Phin.

— Je suis inquiet pour Elizabeth, avoua celui-ci.

James soupira. Tandis que ses camarades couraient tous les jupons du comté, Phin lisait de la poésie et béait d'admiration silencieuse devant la femme du pasteur local.

— C'est une femme adulte, et elle ne fait de mal qu'à elle-même, observa James. Je pensais que l'armée t'avait guéri de ton puritanisme.

Le sourire de Phin était celui d'un homme secrètement content de lui.

— Oui, en effet. Et je remercie le Seigneur de ce petit cadeau. Mais tu ne m'as pas compris, James. C'est Nelson que je juge, là. Même si je ne me souviens pas d'avoir jamais vu Elizabeth aussi…

— Imprévisible ?

— Exactement.

— C'est grâce à feu M. Chudderley. Tu as manqué ces années-là.

La foule reculant contre les murs, il chuchota :

— Si tu parles en même temps que le concours de chant, tu n'auras pas meilleure figure que moi.

Un éleveur avança, une cage en osier à la main, et posa l'oiseau allemand sur une table. Il tapa sur la cage et s'écarta.

La foule inspira collectivement, comme si elle emplissait ses poumons à la place de l'oiseau. Et, aussitôt, ce dernier se mit à gazouiller. Grâce au Ciel, on n'aurait pas à attendre quinze minutes, ce soir. Durant le chant, plusieurs personnes joignirent les mains devant la bouche, l'air aussi respectueuses que si elles entendaient la parole de Dieu.

Au bout d'un long moment, l'Allemand se tut enfin. La salle explosa en applaudissements.

— Superbe, remarqua James à l'adresse de Phin. Et long. Un record, sûrement.

— Oui… Mais, écoute-moi, reprit Phin à mi-voix. Elizabeth a déboulé dans la salle de bal des Stromond avec toute la grâce d'un bébé éléphant. D'accord, elle ne pèse pas lourd, mais cela peut se révéler fatal pour la porcelaine des Stromonds.

— Seigneur ! Et Nelson ?

— Pas vu. Elle est arrivée seule, et elle prétend qu'elle boit pour l'oublier.

James se leva de son tabouret et enfila sa jaquette. C'était la troisième fois en un mois qu'il avait dû voler au secours d'Elizabeth.

— Tu n'as rien pu faire ?

Phin haussa les épaules.

— Je me débrouille mal avec les femmes. Elles sont trop irrationnelles.

— Ce qui explique ton célibat.

— Et le tien ?

— Moreland veut un petit-fils.

Franchement, James avait bien envie d'appuyer le canon d'un pistolet sur la tempe de Nelson pour le pousser vers l'autel. Peut-être l'aurait-il déjà fait s'il avait pensé que le mariage avait quelque chance de réformer ce porc. Mais on ne pouvait combler l'absence de tendresse d'un homme envers sa partenaire de lit. C'était quelque chose qu'Elizabeth comprenait lorsqu'elle était sobre.

— Je lui ai conseillé de ne boire que du vin, reprit-il tandis qu'ils se dirigeaient vers la sortie. Mais elle tient à faire des expériences. J'espère que tu ne lui as pas donné l'un de tes fortifiants ?

— À Elizabeth ? Seigneur, non ! Tu me connais mieux que ça.

— C'est vrai. Tu as un véhicule ?

— Non. Je me suis fait déposer. Et toi ?

— Je suis venu en fiacre.

— En fiacre ! Dans ce quartier ? Mon Dieu, James, tu as envie de mourir ?

Ignorant la réponse, James préféra se taire.

Le bal des Stromond était réputé pour son luxe, et celui de cette année ne faisait pas exception. Des fleurs de serre ornaient chaque niche. Les fenêtres de la salle de bal avaient été remplacées par un treillis de fougères et de roses, si bien que la légère brise qui passait au travers apportait de délicieux parfums. Le grand lustre électrique était éteint. Fixées aux murs à intervalles réguliers, des lampes à huile dispensaient une lumière douce qui faisait scintiller bijoux et soieries. Elles permettaient aussi aux Stromond de faire étalage de sa nombreuse domesticité. Des valets en livrée resplendissante circulaient, mouchant les mèches avant même que les flammes se mettent à vaciller.

Lydia, qui observait cette opération depuis un angle de la pièce, était partagée entre le cynisme et l'amusement. Chaque société avait ses règles propres lorsqu'il s'agissait de montrer sa richesse. En Angleterre, la nouvelle mode démocratique avait obligé le beau monde à trouver des moyens plus subtils d'afficher sa fortune. Plus aucun valet ne circulait sur le siège du postillon, et on y réfléchissait à deux fois avant de prendre la voiture ornée des armes de la famille. Mais des serviteurs chamarrés et des fleurs exotiques dans une réception ? Tant que ce serait hors de prix, cela ne se démoderait pas.

Du coin de l'œil, elle repéra lady Stratton qui approchait, suivie de Mme Upton. Cette vue lui arracha un profond soupir. Elle avait prévu de rester discrètement en coulisses, mais ce soir, ayant appris les fiançailles d'Antonia avec M. Pagett, toutes leurs connaissances se sentaient tenues de la féliciter. Arborer une expression ravie était une tâche épuisante.

Consciente de sa grossièreté, mais incapable de supporter de nouvelles platitudes, Lydia tourna les talons. Hormis le bonheur d'Antonia, tout allait mal. Un télégramme de leur père était arrivé dans l'après-midi. Il avait interrogé ses ouvriers, mais ne comprenait toujours pas comment le faux avait pu se retrouver dans l'envoi destiné à M. Hartnett. La méfiance suscitée par ses investigations avait suscité de la négligence et du ressentiment parmi les employés. Au point qu'il songeait à fermer le site pour la saison et à retenir une place sur le premier bateau en partance pour l'Angleterre.

La veille seulement, elle l'aurait prié d'y réfléchir à deux fois. Bien sûr, ce serait délicieux de l'avoir ici pendant qu'elles organisaient le mariage d'Antonia, mais un retour précipité le priverait de précieuses semaines de travail. Et voilà que ce matin, Carnelly avait livré les objets destinés à Hartnett. Lydia avait ouvert la caisse dans sa chambre et examiné les pièces une par une.

Cinq contrefaçons. *Cinq*, sur un total de six pièces.

Son cœur s'affola de nouveau, comme il l'avait fait à plusieurs reprises pendant la journée. Elle déambula dans le couloir où quantité de gens s'attardaient, dans l'éclat des étoffes précieuses et des bijoux, pour échanger compliments et commérages.

Au rez-de-chaussée, des retardataires traversaient l'entrée en direction du vestiaire. Des coups de poignard lui fouaillaient les tempes. Elle était fatiguée et anxieuse, et elle aurait aimé partir de bonne heure. Mais elle ne pouvait abandonner Antonia aux soins de Sophie qui était d'une humeur épouvantable. Elle avait écarté la stèle comme un accident dû au hasard, mais la nouvelle des autres faux l'avait jetée en pleine panique. Leur père allait être étiqueté comme criminel ; M. Pagett allait plaquer Antonia ; la carrière politique de George en souffrirait forcément ; ses amies lui tourneraient le dos...

Ces craintes étaient sans fondement, bien sûr. Comment diable cette nouvelle se répandrait-elle ? Les faux étaient dans la chambre de Lydia, et tout était arrangé avec Sanburne. Le seul vrai souci était de savoir comment cinq pièces avaient pu se glisser dans une cargaison où elles n'avaient rien à faire. Mais quand Sophie était de cette humeur, la logique n'avait plus prise sur elle.

— Alors, pourquoi m'en as-tu parlé ? s'était-elle écriée lorsque Lydia avait tenté de l'apaiser. Pourquoi me mettre les nerfs dans cet état ?

À la grande déception de Lydia, le salon où se trouvait le buffet était déjà bondé. Comme elle poursuivait son chemin, les notes d'un cornet à piston s'échappèrent de la salle de bal. Le parquet se mit à vibrer sous le martèlement de dizaines de pieds. Un quadrille. Elle n'avait pas la tête à une telle gaieté. Après un rapide coup d'œil par-dessus son épaule pour s'assurer que personne ne regardait de son côté, elle s'enfonça dans le couloir.

Elle finit par dénicher un petit banc à l'écart et s'y laissa tomber. Elle ne voyait qu'une seule explication plausible à cette histoire de faux. Son père réservait ses plus belles pièces à Hartnett. Si un malfrat avait intercepté la cargaison, et s'y connaissait suffisamment en antiquités pour repérer les spécimens les plus intéressants, il n'était pas surprenant que seul ce qui était destiné à Hartnett ait été pillé. Un voleur bien informé ne prendrait que les pièces qui en valaient la peine.

Mais pourquoi les remplacer par des faux ? Pour éviter que quelqu'un remarque qu'il manquait des articles ? Le criminel en question devait travailler en étroite collaboration avec son père. Ce qui lui donnait accès à la cargaison dès le départ d'Égypte. Peut-être était-ce une bonne chose, finalement, que son père ferme le site si tôt dans l'année. Le savoir constamment épié par un collaborateur mal intentionné... elle n'en dormirait pas.

Un bruit étrange perturba le cours de ses réflexions. Elle tendit l'oreille. Une femme pleurait ! Le bruit venait de tout près.

Lydia se leva et fit quelques pas dans le couloir.

— Je ne peux pas !

La protestation la pétrifia. Elle scruta le couloir. Une porte était entrebâillée. Après une hésitation, elle s'en approcha sur la pointe des pieds.

— Laissez-moi tranquille, disait la femme.

Un petit rire moqueur lui répondit. Un rire masculin.

Lydia recula précipitamment.

Un sanglot à présent – plus bruyant. Qui s'acheva en gémissement.

Oh, parfait ! Entraîner une femme loin de la foule et abuser d'elle. C'était précisément pour lui éviter cela qu'elle se montrait si sévère avec Antonia. Elle regarda autour d'elle, repéra un petit chandelier posé sur un guéridon. Après avoir ôté les chandelles éteintes, elle empoigna l'instrument. Il n'était pas assez lourd pour causer de gros dégâts, mais le risque de recevoir une branche dans l'œil devrait avoir un effet dissuasif.

Inspirant profondément, elle revint à la porte et la poussa de l'épaule. Le battant s'écarta, révélant un tapis turc, une longue pièce aux murs couverts de livres. La bibliothèque des Stromond. Elle y pénétra, sans toutefois brandir le chandelier. S'il ne s'agissait que d'une querelle d'amoureux, elle ne voulait pas avoir l'air d'une idiote.

Ses yeux eurent besoin d'un instant pour s'habituer à la pénombre. Et soudain le souffle lui manqua. Une femme gisait sur le sol, dans une flaque de soie turquoise. Un homme était accroupi à côté d'elle, et son visage…

Son visage était ensanglanté.

— Lâchez-la, ordonna-t-elle.

Ni l'un ni l'autre ne parurent avoir entendu. Elle leva le chandelier, fit quelques pas.

— J'ai dit, *lâchez-la* ! Ou je vais vous… lancer ça à la figure, acheva-t-elle en constatant qu'elle ne pourrait frapper l'homme de là où elle était.

Ce dernier leva la tête. Il était si tuméfié que, sans sa chevelure fauve et son étonnant regard gris, elle ne l'aurait pas reconnu.

— *Sanburne !*

Les yeux du vicomte demeurèrent rivés sur elle tandis qu'il déclarait d'un ton curieusement désinvolte :

— Oh, regardez Elizabeth ! Une héroïne vient vous sauver du cognac.

6

Le chandelier toujours dans la main, Lydia hésita. Les écorchures qui marquaient le visage de Sanburne étaient visiblement récentes. Elles le faisaient ressembler à un pirate. Sa première pensée fut de féliciter celui, quel qu'il soit, qui l'avait ainsi rossé – il devait être sacrément costaud.

Sanburne remarqua son hésitation, mais se méprit sur sa cause.

— Mettez-y de l'élan, mademoiselle Boyce. Je détesterais que vous vous écrasiez l'orteil.

Un bruissement de soie attira l'attention de Lydia. La dame, qui était demeurée jusque-là le nez dans le tapis, se redressait péniblement. Elle ne semblait pas souffrir de la moindre blessure, mais Dieu sait quels gestes brutaux avaient déséquilibré sa coiffure à l'architecture savante et libéré des boucles auburn.

Comme elle repoussait une mèche, Lydia écarquilla les yeux. C'était Mme Chudderley, la célèbre beauté dont la rumeur prétendait qu'elle était fiancée à Sanburne. Une sensation déplaisante lui tordit l'estomac. Sapristi, elle était encore plus belle en chair et en os que sur les photographies ! Mais avait-elle la moindre idée de ce que faisait son fiancé lorsqu'il était avec une autre femme derrière la porte fermée de son cabinet de travail ?

— Peste ! lâcha la beauté. Maudite tournure ! Elle s'est complètement entortillée. James... aidez-moi !

— Débrouillez-vous.

James se releva et se laissa tomber sur le canapé le plus proche.

— Cela vous occupera, ajouta-t-il en étendant les jambes devant lui, chevilles croisées.

— Personne ne *vous* a demandé de venir, répliqua la femme.

Elle avait la voix pâteuse comme si elle émergeait d'un profond sommeil.

— Je me débrouillais très... bien toute seule.

Les doigts de Lydia se crispèrent sur le chandelier. Quelque chose était bizarre, là. Elle se sentait affreusement empotée, comme si elle avait fait irruption au milieu d'une représentation théâtrale et que les acteurs, très occupés par ailleurs, avaient l'obligeance de l'ignorer.

— Avant ou après avoir basculé dans le water-closet ? s'enquit Sanburne.

— Je n'ai pas *basculé*.

Mme Chudderley s'effondra de nouveau sur le tapis.

— J'ai glissé, articula-t-elle avec peine.

Qu'avait dit Sanburne quand elle était entrée ? Lydia se sentit sombrer. *Vous sauver du cognac*.

Oh, Ciel ! Avalant sa salive, elle baissa le bras armé du chandelier. Ce que remarqua le vicomte avec un sourire malicieux.

— Regardez ça, lança-t-il à Mme Chudderley. Même votre ange gardien désespère de vous.

Quelle idiote elle était ! Ses joues s'embrasèrent.

— Pardonnez-moi de vous avoir dérangés, murmura-t-elle. Je vais... vous laisser.

Le vicomte se redressa sur le canapé.

— Pardon, mademoiselle Boyce. Nous vous ignorions ? Je vous présente mes excuses. On ne doit pas négliger sa Némésis.

Sans se mettre debout, il inclina le buste.

— Mademoiselle Boyce ? répéta Mme Chudderley en basculant sur le côté pour regarder Lydia.

Une épingle incrustée de joyaux glissa de sa coiffure et roula sur le tapis, scintillant dans l'ombre.

— Le bas-bleu ?

Lydia fit la grimace. Un bas-bleu était en principe une idiote plongée dans les livres, mais privée de réelle éducation.

— Je vous souhaite une bonne soirée, dit-elle en pivotant vers la porte.

— Attendez ! cria la femme d'un ton irrité.

Lydia lui jeta un coup d'œil par-dessus son épaule. Mme Chudderley affichait une expression désespérée, yeux écarquillés et battant des cils. Malheureusement pour elle, Lydia était devenue insensible à ce genre de comédie peu avant le sixième anniversaire d'Antonia.

— Aidez-moi avec ce truc, supplia la dame.

Ses jupes formaient une étrange petite tente sur un côté. Une tournure coincée, sûrement. C'était bien de Lydia d'aider quelqu'un à se dépêtrer des excès de la mode !

— Arrangez-le vous-même.

La femme laissa échapper un sanglot.

— Pour l'amour de Dieu, fit Sanburne.

Sur ce, il disparut de la vue de Lydia.

Où était-il passé ? Elle fit trois pas et découvrit qu'il s'était renversé sur le canapé, le bras replié sous la tête, telle une espèce d'odalisque mâle. Pendant ce temps, la célèbre beauté se hissait à quatre pattes dans une énième tentative pour se mettre debout.

Lydia sentit un fou rire menacer. Quel gâchis que ces deux-là !

— Je ne suis pas un bas-bleu, vous savez. Je suis diplômée de Girton College.

Un bref silence s'ensuivit.

— J'ai déjà eu l'honneur d'une conférence sur ses références, signala Sanburne à sa fiancée. Je crois que c'est à vous qu'elle parle.

— Oui, oui, dit Mme Chudderley, agacée. S'il vous plaît... aidez-moi !

Lydia la contempla. De timides jeunes filles et d'innocents jeunes garçons consacraient leur maigre pension à l'achat de photographies de cette femme. Continueraient-ils à le faire s'ils la voyaient en ce moment ? Et Sophie, l'admirerait-elle autant ?

Avec un soupir, Lydia songea que oui, sans doute. Après tout, même elle devait reconnaître qu'il y avait un certain panache dans la façon dont Mme Chudderley se tenait à quatre pattes. Se mordant la lèvre pour retenir un sourire malvenu, elle s'approcha du canapé.

— Mettez-vous debout, alors.

— Peux pas.

Lydia glissa un regard à Sanburne, qui se leva finalement en poussant un soupir mélodramatique. Il glissa les mains sous les aisselles de sa fiancée et tira.

— Elizabeth est un peu comme une toupie, expliqua-t-il par-dessus la tête de cette dernière. Déséquilibrée, mais très amusante – du moins pendant les cinq premières minutes.

Son comportement était tout à fait inattendu. Il semblait partagé entre l'exaspération et l'amusement, mais Lydia ne détecta aucun des reproches auxquels on aurait pu s'attendre de la part d'un homme dont la future épouse se conduisait de façon aussi scandaleuse. Dommage que Mme Chudderley ne soit pas en état de reconnaître combien un tel comportement était exceptionnel.

— Très drôle, marmonna celle-ci. Bon, allez-y maintenant. Glissez les mains dessous et remettez la tournure d'aplomb. Sanburne ne regardera pas.

Après une brève hésitation, Lydia s'agenouilla et glissa les mains sous les jupes de la femme. Elle buta sur un jupon scandaleux: en soie écarlate avec de minuscules rubans pendillant de l'ourlet!

— Oh, dites donc, Mlle Boyce est choquée, commenta Sanburne d'une voix traînante. Elle *rougit*.

— Je m'en moque! riposta Mme Chudderley.

— Vous avez peut-être tort, grommela Lydia.

Que dirait-elle si elle la laissait ainsi, tel un poisson pris dans un filet? Sa main se fraya un chemin à travers la dentelle et repéra le problème: le jupon s'était coincé dans la tournure. Comment une telle chose avait-il pu se produire? Impossible de l'imaginer.

— Cette mode de se mettre un rayonnage sur les reins est ridicule, lâcha-t-elle. C'est pour y poser le plateau du thé?

Sanburne éclata de rire.

— Excellent. Tirez la sonnette et commandez-nous une théière d'Earl Grey. Pour une fois, Elizabeth servira à quelque chose.

— Fermez-la, répliqua Mme Chudderley avec grossièreté. De toute façon, je voulais la faire coudre avec des demi-arceaux, mais ma couturière est une *idiote*.

— Voilà, conclut Lydia en remettant tournure et jupon d'aplomb.

Elle se relevait lorsqu'on frappa à la porte.

Un grand ténébreux passa la tête dans l'entrebâillement.

— J'ai fait demander sa voiture.

Son allure sobre rassura Lydia. Apparemment, il y avait au moins une personne dans la petite bande qui avait la tête sur les épaules.

— Vous allez bien, Elizabeth ? s'enquit-il.

Mme Chudderley renifla.

— Sanburne est *méchant*, grommela-t-elle en titubant de la bibliothèque à un fauteuil sur lequel elle put s'appuyer pour reprendre son équilibre.

Sa main s'approchant dangereusement d'une statuette, Lydia se précipita.

— Attention ! s'écria-t-elle. Cet objet doit être fort précieux.

Le gentleman bondit pour agripper les coudes de Mme Chudderley. Elle se laissa faire et s'effondra contre sa poitrine en gémissant :

— *Vous*, vous ne serez pas méchant avec moi, n'est-ce pas ?

— Jamais, répondit-il en la soutenant de son bras libre. Je la ramène chez elle, d'accord ? dit-il au vicomte par-dessus la tête de l'intéressée.

Les mains dans les poches, Sanburne ne semblait aucunement offusqué de voir sa fiancée dans les bras d'un autre homme.

— Bonne chance, ricana-t-il sans grande tendresse. Elle va vouloir aller au *Trocadero*.

Mme Chudderley se retourna dans les bras du gentleman.

— Je ne demanderai *rien*. Sauf que… des huîtres de chez *Rules*, je ne dirais pas non. D'accord, Phin ?

— À la maison, fit l'homme gentiment.

Il la tira dans le couloir et referma la porte, laissant Lydia et le vicomte en tête à tête.

Ce dernier fixait l'espace laissé vacant par sa fiancée. Lydia ne parvenait pas à déchiffrer son expression. Si ce n'était pas à Mme Chudderley qu'il devait d'être dans cet état, que lui était-il arrivé ? On aurait dit qu'il avait été heurté par un omnibus.

Mais pourquoi diable s'inquiétait-elle ? Cet homme n'était qu'un imbécile avec un penchant pour le clinquant, voilà tout. Si elle ne pouvait le quitter des yeux, c'était pour la même raison que celle qui faisait que les accidents terribles attiraient les badauds. Il exerçait sur elle une fascination morbide, dont elle serait bien avisée de se libérer.

Son regard se porta sur elle.

— Ce n'est pas un objet de prix, lâcha-t-il.

Surprise, elle tourna les yeux vers la statuette.

— Si, sûrement. Elle est ravissante, et elle doit remonter à l'époque de l'occupation romaine.

— Mon œil.

Son arrogance méritait une leçon. Elle lui adressa un regard condescendant, puis s'approcha de l'objet en question. Il reposait sur une table dont le bois brillait sous la lumière d'une lampe à gaz.

— On reconnaît le mélange parfait des esthétiques indigène et romaine, commença-t-elle. On peut voir *là,* poursuivit-elle en indiquant du doigt le diadème qui ornait les cheveux de la statuette, un trait typiquement celte. En revanche, les yeux écarquillés, le long nez plat, et la moue de la bouche sont des traits qui rappellent les masques du théâtre gréco-romain.

D'un pas tranquille, il vint se placer de l'autre côté de la statuette.

— Vous voyez *là,* fit-il en tapotant la tête de la statuette, une très jolie reproduction de l'original, que j'ai acheté et installé dans ma bibliothèque il y a deux ans.

Il leva les yeux, avec un sourire malicieux – l'invitant à rire avec lui.

La tentation était si forte qu'elle dut pincer les lèvres pour se retenir. « Ne l'encourage pas ! », s'ordonna-t-elle.

— Bien sûr ! Un bref instant, j'ai pensé que vous étiez plus cultivé que je ne l'avais cru.

Sur ce, elle tourna les talons.

— Vous vous sauvez ? demanda-t-il, surpris. Je ne voulais pas vous embarrasser.

La main sur la poignée de la porte, elle fixa un nœud dans le bois du battant.

— Vous ne m'avez pas embarrassée, monsieur. Mais nous sommes seuls, sans chaperon. Ce serait inconvenant.

— Inconvenant ? Comparé à ce qui vient d'avoir lieu ici ? Vous avez fait une entrée très héroïque, à propos.

Elle émit un petit reniflement de mépris et tourna la tête pour le regarder.

— Je croyais que vous l'agressiez. Mais si vous la faisiez boire, cela ne me regarde pas.

— La faire boire ? Mon Dieu, et moi qui pensais que vous aviez déjà rencontré Elizabeth !

— Peu importe, fit-elle avec un haussement d'épaules. Je n'en dirai pas un mot, je vous le promets.

— Sans pour autant oublier votre personnage de moralisatrice.

Elle émit un petit rire incrédule.

— Une moralisatrice vous ferait sûrement un sermon, avant de s'empresser de tout raconter. Non, Sanburne, si je décide de rester discrète, c'est par respect pour cette dame – et pour rester fidèle à mon personnage *réel*.

Croisant les bras, il s'adossa à un fauteuil, avec l'air de se préparer à une longue conversation.

— Vous voulez dire que vous ne rendrez aucun jugement ? s'étonna-t-il. Voilà qui ne correspond pas au souvenir que j'ai de notre dernière conversation.

— Je juge souvent, admit-elle. Mais cela ne regarde personne.

— Et si je vous interrogeais sur mon caractère ? Oh, je sais que vous me trouvez paranoïaque !

Mais est-ce que la scientifique que vous êtes accepterait de me faire part de ses autres conclusions ?

Sa curiosité paraissait sincère. Mais pourquoi se soucierait-il de ce qu'elle pensait de lui ? Elle frotta la poignée d'un index nerveux. Il avait une si belle bouche, pleine et bien dessinée. Qui aurait déséquilibré un autre visage. Mais l'angle ferme des pommettes, l'arête droite du nez et la mâchoire inflexible la compensaient aisément.

Les doigts de Lydia se crispèrent. C'était le problème de cet homme, bien sûr. Un menton plus fuyant, ou des yeux plus ternes, et il aurait reçu quelques coups pendant l'enfance et pris quelques leçons d'humilité par la même occasion. Ce à quoi, visiblement, son agresseur de ce soir avait échoué.

— Vous êtes un papillon, lâcha-t-elle. Désœuvré par nature, inutile par choix, et extrêmement décoratif.

À sa grande irritation, il éclata de rire. Il n'y avait pas plus exaspérant qu'un homme qui se moque qu'on l'insulte ! Quelle arme restait-il aux femmes, dans ce cas ?

— Un papillon ? Bravo, mademoiselle Boyce, bien joué. Oui, ça me plaît. Un papillon, épinglé dans une jolie cage en verre.

— Oh, oui, *Mayfair*, enchaîna-t-elle en faisant la grimace. Quelle *horrible* prison ! Vous préféreriez être à l'usine avec vos ouvriers ?

— Vous vous êtes renseignée sur mon compte, on dirait.

— Inutile. À part en Chine, je ne vois pas où votre réputation ne vous a pas précédé.

— Je vous avais dit que j'étais populaire, répliqua-t-il avec un sourire nonchalant.

Il l'était, oui. Il se comportait stupidement, et les gens l'adoraient. Ah, quelle merveille qu'un titre ! Les auteurs de manuels d'étiquette lui faisaient pitié : quelle lourde tâche que de convaincre le peuple du bien fondé des conventions sociales !

— En effet. Vous avez beau vous donner le mal de faire mille sottises, tout le monde vous fait des courbettes.

Il soupira.

— C'est injuste, je le sais. Ce sont nos usages. Le vaste monde s'en passe complètement mais, ici, à Hyde Park, on tient bon. Noblesse oblige. On continue de ruer comme le cheval blessé attendant qu'on lui tire une balle dans la tête.

Il regarda autour de lui et, haussant les épaules, sortit une flasque de sa veste.

— Je trouve ma liberté où et quand je le peux.

— Vous ne trouverez pas votre liberté dans une bouteille, rétorqua-t-elle avec mépris

Il fixa sur elle un regard acéré.

— Et vous ne trouverez pas la vôtre dans des livres, des règles, ou des livres sur les règles. Mais cela ne vous empêchera pas d'être odieusement satisfaite de l'avoir cherchée là.

Ses paroles la blessèrent. Croyait-il que cela lui était agréable qu'on attende toujours d'elle une conduite irréprochable ? Peut-être oubliait-il que toutes les femmes ne pouvaient compter sur un sauvetage héroïque des dangers du cognac et d'une tournure coincée. Elle carra les épaules.

— Vous savez quoi ? répondit-elle. Je pense que ma comparaison n'était pas appropriée. Vous n'êtes pas un papillon, mais une boule de billard. Vous roulez en tous sens sans destination précise et ricochez au hasard…

— Oui, j'avais compris que vous me désapprouviez. Enfin, quand vous ne m'embrassez pas.

Le visage de Lydia s'échauffa. Comment osait-il évoquer leur baiser dans la pièce que sa fiancée venait de quitter ?

— Vous désapprouver ? répéta-t-elle avec un rire forcé. C'est trop me demander. Si je vous désapprouvais, je devrais désapprouver des douzaines d'autres messieurs, tous accablés d'argent et de privilèges et – oserais-je le dire – sous-occupés. Non, Sanburne, vous vous trompez complètement sur mon compte ; cela m'attriste de l'admettre, car je sais que cela frappera au cœur votre arrogance, mais vous *m'ennuyez*. Les privilèges produisent rarement un cerveau digne d'être remarqué, ni un comportement digne d'être imité – ni, d'ailleurs, un style de vie digne d'intérêt.

— Aïe... quel savon ! s'exclama-t-il en haussant les sourcils. Et pourtant, vous vous êtes attardée de longues minutes pour me le délivrer. Je suppose que je devrais vous être reconnaissant : je n'aurais pas imaginé qu'une scientifique de votre niveau risque sa réputation juste pour avoir l'occasion de *s'ennuyer*.

Il avait raison. Ils étaient seuls. Pourquoi s'était-elle attardée ?

— Vous savez, reprit-il plus doucement – fallait-il qu'elle ait l'air excédé pour qu'il prenne ce ton –, je n'essaie pas de vous provoquer. Dans certains milieux, mademoiselle Boyce, cette façon de s'entretenir avec les gens est connue sous le nom de bavardage.

— Du bavardage ?

Se moquait-il d'elle à présent ?

— Oui. Les savantes ignoreraient-elles ce concept ? Cela tourne en général autour du temps, du cricket, des pauvres gens méritants... l'amour ne figurant pas en principe parmi les sujets admissibles. Oh, je vois à vos joues qui s'empourprent délicieusement que vous connaissez le concept, ajouta-t-il avec un sourire en coin.

Elle n'osa pas lui demander de quel concept il parlait.

— Vous êtes un être amoral, Sanburne.

Il lui sourit, découvrant une rangée de dents parfaites.

— Et vous êtes un bon juge des caractères. Ainsi que des contrefaçons d'antiquités. Sans parler de ce regard que vous pouvez jeter : mortel ! Quels autres talents cachez-vous ? Ils me semblent innombrables.

— Maintenant, vous cherchez à me provoquer.

— Oui, admit-il avec un sourire narquois. C'est exactement ce que je fais.

L'aveu la désarma. Elle le regarda, ahurie.

— Pourquoi ? demanda-t-elle. *Pourquoi* essayez-vous de me provoquer ?

— Hum, fit-il en s'appuyant du coude sur le fauteuil sans la quitter des yeux. Je ne sais pas. Peut-être que vous m'amusez. J'aime nos petits bavardages.

Elle aussi. C'était ce qui la retenait là. Son cerveau avait beau protester, elle aimait mesurer son esprit au sien. Grands dieux ! Et dire qu'elle avait osé prétendre qu'il n'en possédait pas !

— Ah, s'écria-t-il. Une autre chose me vient à l'esprit : j'aime votre bouche, et j'aimerais vous donner un nouveau baiser. Autre chose ?... Non, je crois que c'est tout.

Elle avala sa salive. Sa déclaration inconvenante exigeait d'elle qu'elle parte sur-le-champ, ce qui, curieusement, la laissait... déçue.

— Eh bien, commença-t-elle.

« Un peu plus d'indignation, Lydia ! », s'exhorta-t-elle.

— Je possède aussi le talent de faire des sorties mémorables. Regardez, vous allez apprendre quelque chose, ajouta-t-elle en ouvrant la porte.

— C'est le mot *baiser* qui vous fait fuir ? Bon, c'est peut-être normal de la part d'une femme à l'expérience limitée.

Fuir, elle ? Ce n'était pas admissible. Elle pivota sur place, et la porte retomba en claquant derrière elle.

— Vraiment, vos propos m'enchantent ! Mais dites-moi, est-il normal que, si je conduisais un omnibus et que vous tombiez en travers de ma route, je n'aie pas envie de freiner ?

Il la fixa. Elle constata avec satisfaction qu'elle avait réussi à le désarçonner.

— Décidément, vous êtes une personne distrayante, observa-t-il en contournant le fauteuil pour la rejoindre.

L'inquiétude que ressentit Lydia vint se loger avec un frisson étrangement agréable dans son ventre.

— Ne vous faites pas d'idées.

— C'est plus fort que moi, avoua-t-il, songeur. Vous les inspirez. Mais c'est une charmante coïncidence. J'avais l'espoir de vous rencontrer.

— Je ne peux imaginer pourquoi. Bonsoir, vicomte.

Une main se referma sur son bras, la tirant en arrière.

— Vous ne pouvez pas ? Je croyais avoir été suffisamment clair.

— Lâchez-moi.

Le regard du vicomte descendit le long de son bras et s'arrêta sur la petite bande de peau visible entre le gant et la manche. Son pouce s'y posa, pressant doucement, ranimant des souvenirs récents. Le corps de Lydia parut revivre.

— C'est ce que vous êtes censée dire, murmura-t-il. Mais voulez-vous vraiment que je vous lâche ?

Le problème de Lydia était que la réponse risquait d'être non. Mieux valait donc se taire.

Le pouce du vicomte remonta jusqu'à l'intérieur de son coude. Elle retint son souffle.

— Je ne veux pas gâcher votre sortie, poursuivit-il tandis que sa main exerçait une légère pression – pas suffisante pour l'attirer à lui, mais assez pour en donner l'idée. Elle s'annonçait bien. Vous êtes très bonne dans ce rôle, n'est-ce pas ?

Son eau de toilette était une ruse destinée à donner envie de s'approcher davantage pour l'inspirer plus profondément. Lydia lutta contre la tentation en se concentrant sur sa bouche, erreur qu'elle reconnut aussitôt. Cette bouche l'avait embrassée. Elle obligea son regard à descendre sur la chemise au col ouvert – n'était-ce pas scandaleux de montrer sa gorge nue à n'importe qui ? – et, enfin, à sa main libre. Elle était écorchée. Il la porta à sa taille, ses longs doigts reposant, légers et chauds, à l'endroit où la courbe de la hanche débutait.

— Quel rôle ? chuchota-t-elle.

— Celui de la vieille fille classique. Rigide, collet monté, dépourvue de sang dans les veines. Sauf qu'il ne me convainc pas.

— Ce n'est pas ma faute.

Les mots chuchotés donnaient à leur échange un caractère intime, comme s'ils s'avouaient des secrets.

— Si vous souscrivez à de telles idées préconçues, vous seul êtes à blâmer.

— Éduquez-moi, dans ce cas.

L'invitation déclencha une palpitation entre ses cuisses. Elle rougit. Il n'y avait aucune raison pour que les mots du vicomte la troublent ainsi. Mais la scène prenait une qualité irréelle, comme si son cerveau s'était détaché de sa boîte crânienne et flottait quelque part au-dessus d'elle, permettant à ses plus bas instincts de régner. « C'est le moment de s'esquiver, de tourner les talons », jacassait une petite voix depuis l'endroit où errait son cerveau. C'était ainsi que des femmes se perdaient. Qu'elles se *laissaient* perdre.

La curiosité la retint. Personne n'avait jamais tenté de la séduire. L'incident avec George ne comptait pas ; c'était trop honteux, et il était ivre. En outre, il avait rejeté la faute sur elle.

Ce souvenir assombrit son humeur. Elle se serait dégagée si le vicomte n'avait pas raccourci la distance entre eux. Leurs corps s'emboîtèrent si parfaitement qu'elle en fut décontenancée. C'était comme la réponse à une question qu'elle n'avait pas encore pensé à poser. Cependant, cela ne satisfaisait pas sa curiosité. Au contraire, elle était… aiguisée.

— Vous êtes loin d'être dépourvue de sang, lui murmura-t-il à l'oreille. Au contraire. Cette façon de pointer le menton invite quasiment à la bagarre.

Il enfonça le pouce dans son bras tandis qu'il reprenait d'une voix plus sourde :

— Je l'admets, mademoiselle Boyce, je trouve la perspective d'une bagarre irrésistible. Je suis toujours à la recherche de nouvelles façons de me briser le cou.

— Vous divaguez de nouveau, souffla-t-elle.

— Non. Vous m'avez compris. Que c'est agréable de séduire une femme intelligente : elle me suit parfaitement.

Ses lèvres se posèrent sur la tempe de Lydia, et elle en eut la chair de poule. Il tourna la tête. Sa mâchoire rugueuse lui gratta la peau tandis qu'il prenait entre ses dents le lobe de son oreille.

Elle réprima un instinct animal : enfouir le visage dans le creux à la base de sa gorge. Ô Dieu, elle en avait tellement envie qu'elle imaginait sans peine quel goût aurait la peau de Sanburne ! Elle était folle, non ? Jamais elle n'aurait dû entrer ici. Ou, du moins, elle aurait dû partir dès qu'il était devenu évident que Mme Chudderley ne courait aucun danger. Ses erreurs lui apparaissaient très clairement. Lui aussi les voyait, et prenait plaisir à les encourager. La pression de son corps contre le sien faisait se déplier quelque chose en elle. Comme une énigme qui s'éluciderait d'elle-même. Avec le visage dans son cou, l'obscurité serait complète. Plus rien ne la détournerait de ses sensations.

Ses mains remontèrent le long du dos du vicomte. Sous sa pomme d'Adam, son pouls battait, et s'emballa lorsqu'elle y posa les lèvres. Sa peau était chaude, ferme, imprégnée d'odeurs qu'elle ne parvenait pas à analyser. La sueur, oui, mais aussi quelque chose de plus sombre, de très masculin. Qu'elle avait senti parfois dans le cabinet de travail de son père, mais en plus civilisé, plus prévisible. Une impulsion sauvage s'empara d'elle. Ses doigts se courbèrent en griffes sur le dos du vicomte. Elle ouvrit la bouche sur sa gorge.

Il émit un son guttural, mais ne bougea pas. Il ne l'interrogea pas. Elle attendit. « Blâmez-moi », le supplia-t-elle silencieusement, savourant son goût de sel et de lotion. Une texture riche et sensuelle, épicée comme un dessert sophistiqué, d'où le sucre, saveur trop simple, serait banni.

Elle referma les dents sur sa gorge.

Il réagit instantanément. Ses mains se glissèrent sous ses aisselles et il la poussa contre la bibliothèque. Elle vit l'éclat argent de ses yeux avant que sa bouche ne couvre la sienne. Un baiser plus brutal que le premier, plus fort, plus délicieux, qui lui incendiait le sang, raidissait ses doigts sur les épaules du vicomte pour l'attirer le plus étroitement possible contre elle. Il allait la meurtrir avec ses doigts, mais elle aimait cette violence. *Plus, plus, plus* : le mot résonnait en elle comme un cri tandis que ses mains remontaient pour s'enfouir dans les cheveux de Sanburne, les empoigner au point que cela devait sûrement lui faire mal. Mais son baiser ne parlait que de plaisir. Chaud, humide, cuivré, riche…

Elle s'arracha à lui.

— Arrêtez, articula-t-elle.

Il recula. L'écorchure sur sa lèvre s'était rouverte. Grands dieux. Cette vue lui fit reprendre ses esprits. Se malmener l'un l'autre comme des sauvages !

Elle leva les yeux sur lui. Son visage était celui d'un inconnu, et elle se respectait trop pour céder à un libertin. Elle glissa de côté pour lui échapper, heurtant douloureusement les dos en cuir des livres.

— J'espère que vous vous êtes bien amusé ! lança-t-elle lorsqu'elle fut hors d'atteinte.

Une pause le temps d'un battement de cœur. Il s'éclaircit la voix.

— Je ne crois pas que c'était unilatéral, riposta-t-il bien qu'il eût encore du mal à respirer.

— Bien sûr que ça ne l'était pas. Je ne suis pas la seule à savoir jouer son rôle.

Les lèvres du vicomte se retroussèrent sur un sourire plus incrédule qu'amical.

— Serais-je un débauché, selon vous, mademoiselle Boyce ?

— Un goujat, plutôt.

Plissant les yeux, il l'étudia attentivement.

— Je ne peux trouver qu'une seule raison grossière pour vous avoir touchée, et je le reconnais volontiers. Mon père voit en vous une femme de bon sens. Le réfuter, même en privé, m'enchanterait.

Le goût qui s'attardait dans la bouche de Lydia vira à l'aigre.

— C'est un autre épisode de votre jeu stupide, alors ? Vous n'éprouvez jamais la moindre honte.

— Je suis honnête, rectifia-t-il. Il y a des douzaines de raisons de vouloir vous embrasser, et toutes ne sont pas bonnes. Mais, sachez-le, les plus fortes sont de votre fait.

Ses yeux descendirent sur la bouche de Lydia et, tout à coup, elle se rendit compte qu'il ne plaisantait pas. Quels que soient ses motifs, il était la proie du même tumulte intérieur bizarre qu'elle.

Cette idée l'ébranla. S'il ne faisait que tenter de la séduire, elle pourrait le repousser d'un geste de la main. Mais s'il s'intéressait sincèrement à elle... Grands dieux ! Cette idée était aussi absurde que l'éventualité d'un zèbre courtisant une poule. La science ne tolérait pas de tels égarements. Seules les semblables s'attiraient et elle ne lui ressemblait en rien. Lui, c'était une Mme Chudderley qui lui ressemblait.

Sa *fiancée*.

Douleur et humiliation la transpercèrent. Mme Chudderley, l'une des plus belles femmes d'Angleterre. Oh, quel mufle !

— Votre fiancée n'apprécierait pas ceci.

Il plissa le front.

— Ma... vous parlez d'Elizabeth ?

Quoi, il en avait plus d'une ?

— Au contraire, chérie. Je pense que cela l'amuserait beaucoup.

Ces aristocrates ! Était-ce dû à ce qui venait de se passer entre eux ? Quoi qu'il en soit, elle eut du mal à afficher son mépris habituel.

— C'est étrange, mais je ne parviens pas à approuver cela.

— Vous n'avez pas à le faire, répliqua-t-il en haussant les épaules. De toute façon, nous ne sommes pas fiancés. C'est une rumeur qu'elle trouve commode parce que cela tient les coureurs de dot à l'écart.

— Ha ! C'est en effet une histoire très *commode*.

Il la croyait donc née d'hier ?

— Laissez-moi vous persuader de ma sincérité, proposa-t-il avec un sourire volontairement tentant.

Et il y réussirait, elle le savait. Elle ignorait comment il en était arrivé à avoir un tel pouvoir sur elle, mais chaque parcelle de sa chair réagissait à la perspective d'un instant en sa compagnie. Elle s'efforça de se remémorer les raisons pour lesquelles elle s'était félicitée d'en avoir fini avec les hommes : les nerfs à vif, les papillons dans le ventre, le doute, le chagrin... Elle ne pouvait se permettre de telles distractions en ce moment. Peut-être était-ce son principal attrait : il devait prendre un réel plaisir à voir une femme raisonnable rougir et béer devant lui. Il en rirait sans doute plus tard avec ses amis. « Dépourvue de sang, leur dirait-il, mais quand même sérieusement troublée. »

Cette pensée la glaça. Elle était trop maligne pour refaire les mêmes erreurs. Elle n'amuserait pas un autre bellâtre qui se réservait pour les femmes aussi frivoles que lui.

Frivole, Sophie ? Eh oui !

Elle se dirigea vers la porte.

— Ne m'approchez plus, l'avertit-elle sans se retourner, juste avant de se rappeler que c'était *elle* qui l'avait approché, cette fois-ci et la précédente.

Par chance, il ne le lui signala pas. Mais alors qu'elle avait franchi le seuil, il lança d'une voix légèrement moqueuse :

— Gardez-moi une danse, mademoiselle Boyce.

— Je ne danse pas, rétorqua-t-elle avant de refermer la porte sur le sourire du vicomte.

7

Pour la seconde fois en un mois, James se rendit chez son père. À peine dans la maison, son corps se rebella : gorge nouée, épaules crispées. L'endroit lui évoquait une crypte. Air humide et stagnant, plus froid qu'à l'extérieur d'au moins dix degrés. Les odeurs d'orchidées et de cire au citron étaient si puissantes qu'il en eut la tête qui tournait tandis qu'il se dirigeait vers la bibliothèque.

La porte était ouverte. Comme il s'arrêtait, le temps que ses yeux s'habituent à la pénombre, la voix de son père l'accueillit, aussi sombre et agressive que la fumée de tabac.

— Enfin.

Moreland était assis près d'un guéridon devant la cheminée. Il ne se leva pas, contrairement à l'homme qui était avec lui. Des cheveux bruns coupés court, un menton et des joues rasés de près, la posture rigide d'un ancien militaire. James esquissa une moue méprisante. Oui, il fallait bien un soldat ou deux pour maintenir l'ordre dans un asile. Pas question que les fous oublient la discipline !

— Voici M. Denbury, fit son père.

Une canne que James n'avait jamais vue était appuyée à son fauteuil. Le vieil idiot était trop fier pour s'en servir en public.

— Il travaille à Kenhurst.

— Comment allez-vous ? dit Denbury en lui tendant à contrecœur une main moite et molle.

— Passablement, répondit James. Dwyer n'a pas pu venir ? ajouta-t-il en s'asseyant.

— Non, monsieur, répondit Denbury, visiblement mal à l'aise. Il est malade.

— Ah bon.

Le pauvre type devait se cacher quelque part, tremblant comme une feuille.

— Quel dommage ! J'aurais été très gentil avec lui cette fois-ci. Dites-le-lui.

— Sanburne, intervint Moreland d'un ton d'avertissement.

Il avait perdu du poids, et son ossature était encore plus visible. Ses joues étaient creuses sous ses pommettes hautes, et ses yeux – les yeux de Stella, d'un bleu vif invraisemblable – davantage enfoncés dans les orbites. Il avait l'air plus diabolique de jour en jour. Si cela continuait, son allure de cadavre ambulant finirait par terroriser les jeunes enfants, et le vieux sagouin était bien capable d'y prendre plaisir.

Avec un bâillement ostensible, James tendit la main vers la bouteille de porto.

— Denbury ! Je parie que vous êtes un ancien militaire.

L'homme se redressa.

— En effet, monsieur. Vous avez l'œil.

Le reniflement méprisant de Moreland ne le fit hésiter qu'une fraction de seconde.

— J'ai servi dans le 43e en Birmanie.

— Vous étiez dans l'infanterie ? fit James en débouchant la bouteille pour se servir un verre. Voilà qui explique le porto de second choix qu'on nous a servi.

Moreland frappa le sol de sa canne.

— Tudieu ! C'est du 46, âne bâté !

— Ha ! C'est ce que Metclafe vous a dit ? Vous vous êtes fait rouler une fois de plus par votre majordome. J'ai toujours soupçonné qu'il se fichait de vous… Cela a dû être très éprouvant, ajouta-t-il à l'adresse de Denbury.

Le porto s'écoula bruyamment de la bouteille. Un… deux… trois doigts. Il avait déjà mal au crâne ; il n'y avait aucune raison d'être raisonnable.

— Passer des tropiques au Hampshire, je veux dire.

Denbury se racla la gorge.

— En effet, monsieur. Je ne peux pas dire que je le regrette. C'est certainement plus paisible que l'Orient.

— J'imagine sans peine que l'asile de fous est *très* paisible.

Denbury émit un petit hoquet.

— Euh… ce n'est pas ce que je voulais dire. Non que je trouve cela… déplaisant. J'aurais rêvé d'être médecin quand j'étais enfant.

Moreland grogna d'agacement.

— Assez de bavardages. Commençons.

Denbury leur tendit quelques feuillets. Le nom de Stella était écrit très lisiblement sur la première page.

— Le rapport trimestriel concernant lady Boland.

Le rapport trimestriel. Comme si Stella était du bétail dont l'état devait être évalué pour l'information des actionnaires. James le feuilleta avec un dégoût grandissant. Ce que, jour après jour, elle avait mangé au petit déjeuner. Combien de temps elle avait dormi chaque nuit. Son attitude pendant l'office du soir. Ses petits progrès. Et ses manquements : 17 mars : *Lady B. a refusé un exemplaire de* La Piété quotidienne. *A jeté* Le Chemin de la sagesse *à la tête du gardien.*

— Qu'est-ce que c'est que ça ? s'exclama-t-il. Une cure d'ennui ? Seigneur, je deviendrai fou si vous me forciez à lire des traités de morale.

Denbury le fixa avec des yeux ronds.

— Je vous demande pardon, monsieur, mais Kenhurst n'est pas chargé d'offrir des divertissements. Notre tâche vise à la réhabilitation par l'étude des principes moraux.

Les principes moraux. Mon Dieu, s'il avait la liberté de rayer une expression du vocabulaire anglais, ce serait celle-ci.

— Bien sûr. Cela a toujours été le problème de ma sœur. Peu importe que Boland n'ait cessé de la rouer de coups. Son problème était qu'elle manquait de *principes moraux*.

Moreland frappa de nouveau le sol de sa canne.

— Ta présence n'est pas indispensable, James. Tiens ta langue ou je te fais jeter dehors !

— C'est pourtant tellement intéressant, protesta James. Vous ne trouvez pas ? C'est de votre fille que nous discutons, après tout. Dites-moi, Denbury, comment on évalue la moralité de quelqu'un ? poursuivit-il en tournant une page. Est-ce que cela a un rapport avec la façon dont on mâche un morceau de pain ?

— Eh bien, en quelque sorte, oui, monsieur.

Denbury jeta un coup d'œil à Moreland, dont le grommellement ne l'empêcha pas de poursuivre :

— M. Dwyer affirme qu'il n'y a qu'une bonne façon de faire chaque chose. Et je pense qu'il a raison, monsieur. On peut s'étrangler sur un morceau de pain si on ne le mâche pas suffisamment. Ou bien indisposer l'une des autres personnes présentes...

— Mon Dieu, marmonna James.

— ... ce qui révélerait un mépris d'autrui contraire à l'esprit *chrétien*, acheva Denbury d'un air buté. À Kenhurst, le respect des règles constitue la clef de la santé physique, morale et mentale.

— Bravo. Cette tirade a l'air de vous être familière. Est-ce que Dwyer oblige tous ses employés à l'apprendre par cœur ?

— Merci de nous avoir apporté ce document, intervint Moreland. Vous pourrez dire à Dwyer que j'ai apprécié.

Comme Denbury se levait, James s'écria, incrédule :

— C'est tout ? Vous n'allez pas demander de la faire libérer sur parole ?

L'expression de surprise de Moreland le frappa plus violemment qu'un coup de poing.

— Sois raisonnable, James. La cour ne l'accorderait pas.

— Combien de juges avez-vous à votre botte ?

— Ce n'est pas aussi simple que cela…

— Et la liberté sur parole n'a rien d'exceptionnel.

Moreland laissa échapper un bruit méprisant.

— Elle n'est pas en état d'être relâchée. C'est sur sa propre insistance que nous ne lui rendons pas visite.

— Je n'ai toujours pas vu de preuve de cette requête, observa James d'un ton neutre. Une lettre, écrite de sa main – ce ne serait pas si difficile. Mais croire aux inepties de Dwyer vous suffit, n'est-ce pas ? Vous êtes content de la laisser pourrir là.

Le teint de Moreland prit une teinte écarlate impressionnante.

— Bon sang, nous n'allons pas recommencer cette discussion ! Demande à la famille de Boland si la façon dont elle pourrit leur convient, à *eux*.

Denbury s'éclaircit la voix.

— En fait, lady Boland a fait des progrès significatifs. En dépit de quelques réserves, M. Dwyer croit qu'une guérison complète pourrait être possible l'année prochaine.

Moreland se redressa.

— Vous direz à Dwyer que ce n'est pas à lui de décréter de telles choses.

Un frisson courut le long de la colonne vertébrale de James.

— Doux Jésus, vous n'avez aucune intention de la faire sortir, n'est-ce pas ? Vous comptez la laisser là jusqu'à la fin de ses jours.

Moreland le foudroya du regard.

— Ne sois pas ridicule. Nous parlons d'ici et de maintenant

Pourquoi était-il surpris ? Si Moreland – si chacun des vieux amis de Stella, de ses anciens amants, cousins, tantes et oncles – avaient leur mot à dire, elle mourrait à Kenhurst. Elle n'était plus une personne, après tout. Elle n'était qu'un... fléau. Une tache qui menaçait de s'étaler comme le faisaient toutes les taches, et de souiller les noms de ceux qu'elle avait connus. Même Elizabeth parlait rarement d'elle à présent. Mieux valait la garder sous clef, là où elle ne pouvait plus nuire à leurs précieuses réputations.

Qu'ils aillent au diable ! Il bondit de sa chaise. Le sursaut réprimé de Denbury lui procura une brève satisfaction.

— Je vous souhaite d'aller vous perdre dans l'enfer le plus noir, jeta-t-il à son père d'une voix rauque. Mais pourquoi se fatiguer ? Vous êtes déjà à mi-chemin.

Le vieux fumier ne cilla pas, encore que sa respiration se fit plus laborieuse tandis qu'il luttait pour se mettre debout. L'impassibilité avec laquelle James assista à ces efforts effraya sûrement Denbury. Elle effraierait n'importe qui, il le savait. Mais c'était *Stella* qui avait été la plus proche de Moreland, C'était *Stella* qui le dorlotait, le câlinait. Si Moreland voulait de la compassion, qu'il aille la chercher auprès de sa fille. Qu'il la fasse libérer, bon Dieu !

Son père parvint enfin à se mettre debout.

— Denbury, veuillez nous excuser.

— Oui, il ne faudrait pas que nous ayons des témoins, commenta froidement James.

Denbury sortit sans demander son reste. Lorsque la porte se fut refermée, les lèvres de Moreland se retroussèrent en un rictus sarcastique.

— Dis-moi, James, en quoi ton opinion me serait-elle utile ? Un libertin, bon à rien et irréfléchi, qui se contente de pleurnicher sans rien faire – pourquoi un tel individu mériterait-il mon respect ? C'était une erreur de te convier à cette réunion. Le bien-être de Stella ne te regarde en rien.

— C'est ma *sœur*, espèce de salopard.

— Tout à fait exact, ricana Moreland. Ta sœur. Ma *fille*. *Ma* responsabilité, pas la tienne. Et heureusement. Tu la ramènerais en ville, tu la livrerais au mépris et à la raillerie de ses pairs...

Le rire de James lui brûla la gorge.

— Des regards méprisants sont donc pour vous pires que l'emprisonnement ? C'est pour cela que vous la tenez à l'écart ?

— Bonté divine ! Elle a *tué* un homme, James !

— Elle se défendait contre une brute qui pesait deux fois son poids ! Et vous l'enfermez à double tour ? Vous auriez dû l'applaudir !

Moreland frappa le guéridon de sa canne.

— Suffit ! Par Dieu, tu es comme un enfant de trois ans – trop têtu pour admettre la réalité ! Elle est malade ! Elle ne peut être libérée ! Nous l'aidons de notre mieux.

Il parlait de sa fille comme il l'eût fait d'un chien souffrant de la rage.

— Vous êtes le plus sale hypocrite de tout Londres. Vous parlez de l'aider ? Quelle bonne blague ! Où étiez-vous il y a quatre ans, quand elle avait réellement besoin de votre aide ?

Lorsqu'elle s'était enfuie de chez Boland et que la bonne société l'avait contrainte, par ses médisances et ses railleries, de regagner ce piège à rats de Park Lane.

— Si Stella ne s'était pas emparé de ce couteau, c'est *elle* qui serait dans la tombe en ce moment, conclut James.

Le visage de Moreland se fit de marbre.

— Je ne veux plus entendre parler de cette histoire.

— Vous ne l'avez jamais entendue. L'asile est-il son châtiment pour avoir survécu aux coups d'un monstre ?

Être enfermée dans un endroit où ses bouchées étaient comptées, où chacun de ses marmonnements était examiné et analysé ? Où l'on guettait ses progrès ?

— Et quel est votre châtiment à *vous* pour avoir détourné les yeux quand elle avait besoin de vous ? Pour l'avoir renvoyée à Boland ? Pour l'avoir condamnée ?

— Suffit ! Plus un mot à ce sujet.

— Oui, effacez cette histoire de votre mémoire ! Il est évident qu'elle ne trouble pas votre sommeil !

— Sanburne...

La voix, la douce pression sur son bras mirent un certain temps à atteindre son cerveau. Sa rage l'engloutissait dans un nuage rouge sang.

— Comtesse, dit-il.

Il s'éclaircit la voix.

— Comment allez-vous ?

— J'irai mieux si vous vous calmiez, murmura-t-elle. Je pense que vous vous êtes fait assez de mal l'un l'autre pour la journée.

Si elle croyait Moreland capable d'éprouver un sentiment quelconque, alors l'homme qu'elle connaissait n'était pas le même que James. Il réussit à lui adresser un vague sourire et quitta la pièce.

Dans le couloir, il surprit un valet adossé à une console. L'homme se redressa.

— Monsieur s'en va ?

— Je n'ai pas besoin d'escorte.

Il avait grandi dans cette maison, bon Dieu !

— Pardonnez-moi, monsieur, mais ce sont les ordres de lord Moreland.

— Ha ! Très bien !

James s'éloigna d'un pas rapide. Il avait hâte d'être dehors. Il étouffait ici.

Il ralentit en atteignant le hall. Sa belle-mère avait revu toute la décoration. En bleu et blanc. Des orchidées blanches s'inclinaient gracieusement dans des vases en cristal de Bohème ; les tapis, les rideaux et le tissu des sièges étaient bleus. Elle était persuadée que les couleurs influaient sur l'humeur : le blanc apaisait, et le bleu inspirait de bons sentiments. Deux objectifs très ambitieux quand on vivait avec Moreland.

Il frôla de la main un pétale d'orchidée. Stella avait aimé la comtesse comme sa mère. Que pensait celle-ci du sort fait à sa belle-fille ? Est-ce qu'elle lui manquait ? Ou est-ce qu'elle approuvait son époux ?

James jeta un coup d'œil dehors. Le vent s'était levé et des branches cinglaient la fenêtre. Les rafales inclinaient la cime des arbres, qui semblaient se courber vers lui telles leurs griffes.

Clang. Une bourrasque secoua les vitres. Il appliqua la paume sur le panneau, et le trouva glacial.

— Oh, quelle joie d'être en Angleterre en avril ! ricana-t-il.

Le soleil devait briller à Nice. Hélas, il ne pouvait pas partir : son père ne serait que trop heureux. La saison mondaine s'étirait devant lui, plus sinistre que la vue du jardin dévasté par le vent et la pluie. Son père pensait que Stella était folle. Qu'elle lui causerait des problèmes, qu'elle dérangerait sa confortable petite vie. Oh, oui ! Il resterait à Londres aussi longtemps que Moreland serait là.

— Monsieur ferait bien d'attendre un peu avant de sortir, conseilla le valet. J'ai aperçu un éclair.

— Je suis un être imprudent et irréfléchi. Vous ne le saviez pas ?

— Non, monsieur, répondit le valet après une légère hésitation.

— Un libertin, bon à rien et irréfléchi – c'était la formulation exacte, je crois.

Qu'avait dit la jolie Mlle Boyce ? *Accablé d'argent et de privilèges, et sous-occupé.* L'hypocrisie ne faisait pas partie de ses défauts. Peut-être était-ce pour cela qu'il se sentait poussé à lui parler franchement en réponse. C'était amusant d'entendre une bouche aussi pulpeuse émettre des verdicts aussi tranchants. Une bouche *sous-occupée*. Elle devrait le remercier de lui avoir donné l'occasion de s'exprimer.

Il se redressa, décocha un sourire au valet stupéfait. La saison était loin d'être finie, mais il savait à présent comment s'occuper.

Il serait bientôt 13 heures. Dans les galeries, les visiteurs se bousculaient pour admirer les marbres du Parthénon qu'avait rapportés le comte d'Elgin. Dans la salle de lecture, en revanche, le calme régnait. Il n'y avait quasiment plus une place libre aux tables disposées en cercle autour des catalogues aux reliures bleues. Les chuchotements se fondaient en un ronronnement qui donnait envie de dormir à Lydia. Devant elle, deux vieux messieurs, affublés de longue redingote et de cravate bouffante à la mode une génération plus tôt, lisaient les éditoriaux en ronchonnant. À leur droite, un jeune couple soupirait devant des gravures de Venise.

Elle les observa avec un étrange sentiment de privation. Lorsque, tendant la main pour tourner la page, le jeune homme effleura le bras de la jeune femme, celle-ci rougit. Il sourit et lui murmura quelque chose à l'oreille qui la fit presser le visage contre sa manche.

M. Pagett s'était conduit de la même façon avec Antonia la veille au soir. Maintenant que leur mariage était décidé, il se sentait autorisé à quelques privautés.

Sanburne aussi prenait de telles libertés, mais sans y avoir été autorisé.

Lydia avala sa salive et baissa les yeux sur son livre. Cela faisait deux heures qu'elle s'efforçait vainement de lire un essai sur les Bédouins. Ses pensées s'égaraient. Ces nuits blanches passées à revivre l'incident chez les Stromond, que c'était humiliant ! Elle ne se reprochait pas d'avoir cédé à une attirance – c'était la loi de la nature –, mais de ne pouvoir oublier ce butor. Elle était comme ces pauvres gens prisonniers du gin dont les journaux parlaient. Ils pouvaient s'abstenir pendant des semaines, leur soif ne les lâchait jamais. Toujours prête à se réveiller, elle finissait par les tuer.

À titre de cure, depuis le bal des Stromond, elle n'avait accompagné Sophie et Antonia à aucune réception.

Elle se leva pour s'approcher des catalogues ; l'odeur d'encre et de vieux papiers qui en émanait lui fit l'effet d'un tonique.

— J'ai un message pour vous.

Lydia leva les yeux. À deux pas d'elle, un jeune homme parcourait les rayonnages du regard. La lumière aqueuse qui tombait du dôme en verre éclairait ses cheveux blonds et donnait à sa peau une teinte bleutée. À côté de lui, une fille en robe à la polonaise feuilletait un livre. Il avait dû s'adresser à elle. Des tourtereaux clandestins, probablement. Avec un sourire amusé, Lydia s'empara d'un catalogue.

— J'ai dit que j'avais un message pour vous, mademoiselle Boyce.

Lydia sursauta, et le volume tomba bruyamment sur le sol. Des lithographies s'éparpillèrent.

Des murmures s'élevèrent. Elle fut vaguement consciente des regards réprobateurs qui se posaient sur elle. Un employé, penché sur une pile de livres, se redressa et la fixa.

Elle sentait le regard du jeune homme blond peser sur elle. Après une lâche hésitation, elle se tourna vers lui.

Dans sa modeste tenue sombre, il avait l'air d'un étudiant venu faire des recherches au British Museum. Sa jeunesse – il avait les joues encore rondes – aurait dû la rassurer.

— Qui êtes-vous ?

— Un ami d'ami, répondit-il. Tenez.

Il plongea la main dans sa poche. Lydia recula précipitamment. Ses jupes frôlèrent une table – une table occupée, à en juger par la protestation qui s'éleva derrière elle. Elle n'y prêta pas attention. Ses yeux fixaient la feuille pliée que le garçon avait sortie de son gilet.

Elle ne portait apparemment ni nom ni adresse.

— Ce n'est pas pour moi, dit-elle. Mes amis communiquent directement avec moi.

— Certaines choses ne peuvent être confiées à la poste, murmura-t-il. Prenez cette lettre, mademoiselle. On m'a chargé de vous la remettre.

Du coin de l'œil, elle vit l'employé approcher. Il allait lui reprocher d'avoir abîmé le catalogue. Pire, il pouvait la priver de sa carte de lecteur. Éventualité affreuse.

— Je ne vous connais pas, répliqua-t-elle avec raideur. Et je ne parle pas aux inconnus qui se permettent de m'accoster. Si vous possédez des informations susceptibles de m'intéresser, vous pouvez me les faire parvenir par l'intermédiaire du baron Southerton.

Le regard bleu du jeune homme soutint le sien.

— Ceci doit rester privé, et je pense que vous savez pourquoi.

Le cœur de Lydia, qui avait jusque-là fait honnêtement son travail en gardant un rythme régulier, s'affola.

— Non, riposta-t-elle, je l'ignore complètement.

— Mademoiselle ! fit l'employé en lui tapotant le coude. Il faut manipuler ces catalogues avec précaution ! Je crains qu'on ne doive refaire la reliure de celui-ci.

— Je suis désolée, dit-elle d'une voix un peu haletante. C'était... J'ai été prise de court. Ce monsieur s'est permis de m'accoster, et le catalogue m'a échappé des mains.

— Humph. Ce jeune homme vous ennuie ?

Anxieuse, elle jeta un coup d'œil derrière elle. L'inconnu avait battu en retraite et se dirigeait d'un pas rapide vers la sortie.

— Lorsqu'un incident de ce genre se produit, vous devez nous prévenir, mademoiselle. Nous sommes déterminés à ne pas tolérer ce genre de comportement.

— Oui, répondit-elle faiblement.

— Oh... vous avez laissé tomber quelque chose.

Il fit mine de se baisser, mais elle le devança et ramassa la feuille pliée.

De retour à sa table, elle lissa la note.

Il faut que nous parlions de M. Hartnett. Je ne voudrais pas vous ennuyer, mais j'exige ma part.

Polly Marshall

Suivait une adresse à St. Giles.

Lydia leva les yeux. La pièce lui parut plus sombre, soudain, comme si la lumière venant du dôme s'était ternie. Qu'est-ce que c'était que cette histoire ? M. Hartnett était mort. Et comment un tel gentleman avait-il pu être lié avec quelqu'un vivant dans le quartier le plus mal famé de Londres ? Et, même si c'était le cas, en quoi cela la concernait-il, *elle* ?

Elle frémit. Il n'y avait qu'une explication à ce mystère : les contrefaçons. Mais personne n'était censé être au courant ! C'était impossible !

Elle se leva d'un bond. « Je dois prévenir Sophie », se dit-elle. Et, aussitôt, elle se rassit. Juste Ciel ! Si la découverte des cinq faux avait bouleversé sa sœur, là, elle aurait une attaque.

— Belle journée, n'est-ce pas ?

Lydia réprima un petit cri et se retourna sur son siège. Sanburne se tenait derrière elle.

— Vous !

Était-ce l'une de ses blagues ? Dieu sait qu'il avait déjà montré un goût pervers en matière de distraction. « Oh, s'il vous plaît, faites que ce soit une plaisanterie ! » pria-t-elle en silence.

— C'est vous qui m'avez envoyé ceci ?

Le vicomte jeta un bref coup d'œil à la feuille dans sa main, mais son expression affable ne se modifia pas.

— Cela dépend. Est-ce que c'est une lettre d'amour ? Si oui, j'en accepte avec plaisir la responsabilité.

— Non.

Accablée, elle relut la note. *J'exige ma part.* Cela n'avait aucun sens.

— Ce n'était pas signé ?

Elle secoua la tête. Il s'accroupit devant elle pour être à la hauteur de ses yeux.

— Vous avez l'air en plein désarroi.

Elle haussa les épaules.

— Est-ce que cette lettre parle de larmes, de malédiction ou de ce genre de choses ?

— Quoi ? Non, quelle sottise ! Elle... Hé ! protesta-t-elle comme il lui arrachait la note de la main, et se redressait

Elle se leva pour la lui reprendre, mais il la tint hors de sa portée.

— St. Giles ? fit-il avant de siffler doucement. Ce n'est pas l'un de vos lieux de promenade favoris, je parie. Hartnett, c'est le type qui devait recevoir le faux ?

— Ne parlez pas si fort !

Elle parcourut d'un regard rapide la mer de têtes inclinées studieusement sur des livres ou des journaux. D'ordinaire, c'était ici qu'elle cherchait refuge loin du regard critique de la bonne société. Mais si Sanburne y venait, Dieu sait qui d'autre risquait d'apparaître.

Il la scruta.

— Ainsi, j'ai raison, dit-il. Comme c'est mystérieux ! Et qui est Polly ?

La tentation de se confesser la prit au dépourvu. Avait-elle perdu la tête ? Elle ne pouvait songer sérieusement à faire des confidences à cet homme.

Mais vers qui d'autre se tourner ? Pas Sophie. Ni George. Une femme raisonnable irait consulter la police, mais les inspecteurs voudraient connaître la nature des relations de son père avec Hartnett. Et maintenant que celui-ci était mort, leurs seuls liens étaient les cinq faux qui encombraient son dressing-room. Comment expliquerait-elle *cela* ? Elle ne pouvait même pas se l'expliquer à elle-même.

Mais la personne qui avait écrit la lettre le pourrait peut-être.

Elle étudia Sanburne. L'instinct qui la poussait vers lui, elle n'en tint pas compte. En revanche, la logique confirmait qu'elle pouvait se confier à lui.

Il connaissait déjà l'existence de l'un des faux. Et il avait admis la trouver amusante. Tant qu'elle parviendrait à le distraire, il garderait le secret.

— Très bien, dit-elle. Mais pas ici. Si l'on nous voit ensemble, cela risque de faire jaser.

Le vicomte ne parvint pas à dissimuler sa surprise. Il ne s'était apparemment pas attendu à cette réaction de sa part. Comme elle refoulait le plaisir absurde de l'avoir déconcerté, il chuchota :

— C'est vrai. Si ça se trouve, les gens en déduiraient que je m'intéresse à vous, acheva-t-il en écarquillant les yeux.

— Exactement. Quelle absurdité !

Il rit doucement.

— Êtes-vous stupide, mademoiselle Boyce ? Ou tragiquement naïve ?

— Ni l'un ni l'autre, riposta-t-elle, les joues en feu, avant de tourner les talons.

Lydia mena Sanburne dans la longue galerie où était exposée la collection égyptienne. C'était le meilleur endroit à sa connaissance pour avoir une conversation discrète : il y avait toujours du monde, mais on n'y était pas pressé les uns contre les autres. Contournant les visiteurs qui contemplaient la pierre de Rosette, elle se dirigea vers un banc devant une petite statue de la déesse Isis et de son époux Osiris.

Après s'être assise, elle fit un bref résumé des événements.

— Il n'y a aucun moyen de savoir à quel moment les faux ont été introduits, conclut-elle. À Port Saïd, lors de la mise en caisse, dans les ports de Malte ou de Gibraltar, ou même à Southampton, lorsque la cargaison a été transférée dans le train pour Londres.

Ses yeux tombèrent sur la note qu'elle avait toujours à la main. Elle la plia et la glissa dans son réticule.

— Je ne parviens pas à imaginer ce que veut cette femme. Mais elle sait peut-être quelque chose.

Le vicomte s'assit à côté d'elle, affichant une expression songeuse qui ne lui était pas habituelle.

— Pourquoi ne pas confier l'affaire à la police ? s'enquit-il.

Elle secoua la tête.

— Pour commencer, mon beau-frère Southerton n'arrête pas de critiquer Scotland Yard au Parlement. Ce mois-ci, il n'a fait que reprocher à la police de n'avoir pu empêcher les attentats à la bombe. Si l'on apprenait que son beau-père est impliqué, même indirectement, dans une histoire de contrefaçons... eh bien, Scotland Yard serait content de le crier sur tous les toits, non ? C'est donc hors de question. Mais peut-être...

Se sentant rougir, elle tourna la tête. Son attention se porta sur la statue en granit sombre. Les visiteurs, éblouis par les sarcophages dorés et les célèbres hiéroglyphes, passaient devant sans s'arrêter. Lydia avait un faible pour elle. Rarement le paganisme n'avait été aussi clairement affirmé que dans le couple étrange que formaient la déesse et son mari, deux fois plus petit qu'elle.

Sanburne suivit son regard.

— Elle a l'air farouche, pas vrai ? Cela me rappelle un peu votre expression à l'Institut.

Il tenta une démonstration – lèvres pincées, yeux étrécis.

Vexée, Lydia se raidit.

— Je vous demande pardon, monsieur. Je n'avais pas du tout cette expression. Et elle ne l'a pas non plus. Elle est sévère, certes, mais pas laide du tout.

— Laide ? Vous avez raison, elle ne l'est pas. Mon imitation était mauvaise. Elle est plutôt comme ceci, peut-être

Jetant un coup d'œil à la statue, il plissa le nez.

— Que vous êtes puérile ! Tout n'est que jeu pour vous, n'est-ce pas ?

— Bien sûr. Si je prenais tout au sérieux, je deviendrais fou.

Comme elle le regardait, étonnée par son ton subitement grave, il enchaîna :

— Mais j'ai une question pour vous : cette déesse a-t-elle été sculptée d'après un modèle vivant, ou un visage humain est-il incapable d'imiter son expression ?

Lydia examina Isis. Le problème était intéressant : à sa connaissance, il n'existait pas d'étude précisant si, oui ou non, les Égyptiens utilisaient des modèles humains.

— D'après un modèle vivant, je pense, répondit-elle non sans avoir hésité. Si tant est qu'on puisse pincer les lèvres – elle joignit le geste à la parole – ainsi.

Il s'écarta en feignant l'effroi.

— Seigneur ! Faites cette tête à l'auteur de la lettre, et il se confondra en excuses.

Elle lutta contre une envie de rire en fronçant les sourcils.

— Et quand en aurai-je de votre part ? demanda-t-elle.

— C'est vrai, je vous en dois. Eh bien, je m'excuse, mademoiselle Boyce. J'aurais dû vous embrasser plus longuement, et insister pour que vous dansiez, que vous aimiez ça ou non. Je ne comprends pas pourquoi je ne l'ai pas fait.

Tenter de dissimuler la rougeur qui avait envahi ses joues était impossible.

— Félicitations, monsieur, dit-elle. Vous avez gâché une occasion de vous racheter.

— En tant qu'admiratrice d'Isis, vous auriez dû vous y attendre.

— Le panthéon égyptien vous est familier ?

— Je connais Cléopâtre, répondit-il aimablement. Une Macédonienne qui, pour être reine d'Égypte, a revendiqué une parenté avec la déesse. Hélas, elle a oublié ce que tout Égyptien authentique connaît : à savoir qu'Isis ne va pas sans Osiris. Aussi, lorsque Antoine est arrivé, elle lui a demandé de tenir le rôle du dieu obéissant en récompense de quoi il partagerait sa bonne fortune. Malheureusement, comme la plupart des hommes, Antoine a gâché la belle occasion qui s'offrait à lui, et Cléopâtre a payé son outrecuidance d'une morsure de serpent. Prenez garde à ce que vous demandez, telle est la morale de l'histoire – surtout, je suppose, si vous êtes une femme.

Un soupçon affreux la frappa. Ce n'était pas là la version des profanes, qui peignait Cléopâtre sous les traits d'une catin à la fois stupide et malveillante.

— Vous n'avez pas appris cela en regardant Mlle Bernhard au théâtre, fit-elle remarquer.

— Une terrible rumeur circule, selon laquelle j'aurai décroché un diplôme d'études classiques.

Comme, mortifiée, elle lâchait un petit hoquet, il ajouta :

— Mais c'était il y a très longtemps, chérie – et c'était un tout petit diplôme de rien du tout. Pas suffisant pour me permettre de repérer un faux, en tout cas.

Les faux. Oui. Les oreilles brûlantes, elle revint à l'affaire en cours.

— À ce propos, je pensais que vous pourriez m'accompagner à St. Giles. Ne vous méprenez pas, s'empressa-t-elle de préciser. Je n'essaie pas de… En fait, j'ai besoin d'une escorte, et je pensais que cela pourrait vous amuser, puisque vous semblez avoir un penchant pour les amusements bizarres.

Il souriait ouvertement à présent.

— Mademoiselle Boyce, vous traiteriez-vous d'amusement bizarre ?

Juste Ciel, oui ! Elle haussa les épaules, et ils se dévisagèrent en souriant, comme si elle avait fait une bonne plaisanterie. Le sourire de Lydia s'élargit. Celui du vicomte aussi. Prise d'une subite envie de rire, elle porta la main à sa bouche. Lui ne fit même pas l'effort de se retenir. Et soudain, elle pouffa. « Eh bien, suis-je en train de flirter ? » se demanda-t-elle. Quelle scène étrange ! Assis côte à côte sur ce banc, telle une paire d'ouvriers faisant la pause, et bavardant comme – pensée ahurissante ! – comme des amis.

Impossible, bien sûr. L'amitié entre homme et femme était une rareté. Mais quel autre nom donner aux relations de Sanburne et de Mme Chudderley ? Le rire de Lydia s'interrompit. Elle baissa les yeux. Elle n'avait jamais désiré être quelqu'un d'autre. Mais, juste pour un moment, elle eut envie de se réveiller dans le corps de Mme Chudderley. Être belle et admirée, et avoir la liberté de commettre autant d'erreurs qu'elle en avait envie, parce que le vicomte serait là pour lui offrir une épaule compatissante et l'aider à se tirer de ces mauvais pas.

Ce souhait la dégrisa. Il y avait là quelque chose de tellement honteux – comme si, oubliant ses propres capacités, elle préférait qu'un héros vienne à son secours, alors même qu'elle pouvait parfaitement se débrouiller sans lui. Du reste, un instant de flirt ne faisait pas d'elle une femme susceptible de retenir et de conserver l'attention d'un homme. Elle était dotée d'un tempérament plus sérieux que frivole, et quiconque s'intéresserait à elle au-delà de quelques jours s'apercevrait qu'elle n'était pas aussi amusante qu'il avait pu l'espérer. George en tout cas s'en était rendu compte.

Elle s'éclaircit la gorge.

— Je pourrais me faire accompagner d'un serviteur armé, admit-elle. Mais les domestiques bavardent. Et il est impératif que personne n'ait vent de cette histoire de faux.

— Ah oui. Dieu nous garde des commérages risquant d'entacher la réputation de votre père.

Elle n'apprécia pas le ton sarcastique, et aurait protesté s'il n'avait ajouté :

— Quel terrible dilemme pour vous, mademoiselle Boyce ! Pour protéger le nom de votre père, vous voilà confrontée à deux menaces : l'une liée à votre escapade dans les bas-fonds de Londres, l'autre à mes attentions. Vous devez frôler le désespoir.

L'idée qu'il prenait plaisir à ses ennuis la blessa.

— Vous me détestez à ce point ? ne put-elle s'empêcher de demander

— C'est l'inverse, répondit-il aussitôt. Je vous aime immensément. Je suspectais que j'en viendrais là lorsque vous êtes descendue de l'estrade à l'Institut, telle Athena délivrant la justice. Mais je ne m'en suis vraiment rendu compte que quand vous êtes entrée dans mon cabinet de travail pour réclamer la stèle. Et voilà que vous me conviez à courir à St. Giles – tout cela pour sauver la carrière de votre cher papa ?

— Ce n'est pas simplement sa *carrière*, Sanburne. C'est sa vocation.

— Et quelle est votre vocation à vous ? Lui ?

Elle se rebiffa.

— Bien sûr, je n'aurais pas dû m'attendre que *vous* compreniez ce qu'est la loyauté, vous qui traitez lord Moreland avec le plus grand des mépris !

— C'est assez vrai, acquiesça-t-il placidement. Parfois, cela frôle la haine pure et simple.

— Honte à vous, marmonna-t-elle. C'est de votre *père* que vous parlez !

— Et alors ? La parenté est l'œuvre du hasard, mon ange. La seule chose qu'elle garantit, c'est la proximité. Et parfois même pas, comme de nombreux bâtards pourraient vous l'expliquer.

— Quelle froideur ! À qui devez-vous loyauté, si ce n'est à l'homme qui vous a engendré ?

Il haussa les épaules.

— À ceux qui l'ont méritée. Des amis de longue date, *et caetera*.

— Mais la confiance ne se *mérite* pas, protesta-t-elle avec feu. L'amour non plus. Il est librement consenti, et ne demande rien en retour. Sanburne, vous me choquez beaucoup !

— Vous aussi, vous me choquez, rétorqua-t-il en lui décochant un clin d'œil. Si l'amour ne se mérite pas, il est tout à fait dangereux. Relisez votre *Énéide*. Didon se serait épargné un suicide si elle s'était d'abord demandé si Enée méritait vraiment qu'elle ait le cœur brisé. Pour moi, ce type était un butor.

Elle se leva.

— C'est vous, le butor.

Il se leva à son tour.

— Sans doute, admit-il. Mais je suis un butor honnête. Et désormais, au moins, vous vous garderez de vous éprendre de moi car, assurément, je ne le mériterai jamais.

Elle le dévisagea.

— Je n'en avais pas l'intention. Mais quelle étrange déclaration ! Si je ne vous connaissais pas aussi bien, je penserais que vous avez une bien piètre opinion de vous-même.

Il arqua un sourcil coquin.

— Ainsi donc vous me connaissez bien ? Dire que j'avais espéré qu'il vous restait du chemin à parcourir.

L'estomac de Lydia fit une cabriole. Oh, quelle sotte elle était !

— Oubliez que je vous ai demandé quelque chose, lâcha-t-elle.

— Oh que non ! Du reste, j'étais prêt à dire oui. J'ai toujours eu un faible pour les romantiques. On y va demain ?

Elle hésita, puis songea qu'accepter son aide ne l'obligeait pas à l'approuver lui.

— Très bien, répondit-elle. 11 heures. Retrouvons-nous ici.

Elle commençait à s'éloigner, mais ne put se retenir.

— *Romantique*, moi ?

C'était bien le dernier mot qu'elle aurait choisi pour se décrire. Peut-être autrefois, mais aujourd'hui ?

Il sourit. Il n'attendait que cela, elle s'en rendit compte. Il savait qu'elle ne pourrait résister à l'appât.

— Ce n'est pas une insulte, chérie. Je suis un romantique, moi aussi. Sinon, pourquoi serais-je venu vous chercher dans cette bibliothèque ?

Elle rit, histoire de lui montrer qu'elle ne le prenait pas au sérieux. Mais le son sortit bizarrement, et comme elle se remettait en marche, son estomac fit une nouvelle cabriole. Allons donc, il n'était pas *vraiment* venu là pour elle ?

Songer qu'aucune femme du quartier de St. Giles ne la menaçait aussi gravement qu'elle-même était des plus humiliant.

8

Pour se rendre dans l'East End, Sanburne avait loué un clarence, l'une de ces énormes berlines que les hommes d'esprit appelaient « ronchonneurs » à cause du bruit que faisaient les roues sur les pavés. L'intérieur sentait le moisi et la sueur rance. Par moments, (en particulier lorsque la voiture bifurquait), Lydia percevait une odeur de fumier. Ce qui lui fit jeter un regard soupçonneux sur la paille répandue sur le sol.

Sanburne trouva ses embarras amusants.

— Faites comme si vous étiez à la campagne, mademoiselle Boyce.

Mais, ainsi qu'elle le fit remarquer, la campagne n'était pas tapissée de velours couvert de taches d'origine indéterminée. Ce qui accrut l'amusement du vicomte ; il se lança alors dans une tirade absurde sur le mobilier et la décoration qui conviendraient aux différents paysages. Elle s'y laissa prendre et, lorsque la voiture s'arrêta, elle trouvait parfaitement normal qu'un lac artificiel exigeât du chintz et des coussins à pompons, mais que, pour une petite source (proposition de Lydia à laquelle il acquiesça avec ferveur), la soie sauvage et des traversins suffisaient.

La venelle étant trop étroite pour la voiture, ils y pénétrèrent à pied. De chaque côté se dressaient des bâtiments délabrés dont les vitres cassées étaient remplacées par des journaux. Des voix désincarnées flottaient dans l'air : un bébé vagissait ; un homme réclamait son thé ; une femme faisait des vocalises d'une voix de soprano étonnamment douce. Les enfants sales qui jouaient aux osselets dans la boue parurent ne pas remarquer leur entrée mais, lorsque le contenu d'un pot de chambre se déversa juste derrière Lydia et la fit bondir en avant, ils hurlèrent de rire.

— C'est consternant, jeta-t-elle comme Sanburne les imitait. Vous n'avez donc aucune compassion pour ces gens ?

— Des monceaux.

— Ne soyez pas désinvolte ! Ces conditions de vie...

— Je ne suis pas désinvolte. À vrai dire, de temps à autre, on me traite de radical.

La déclaration était si absurde que Lydia éclata de rire.

— Un radical qui possède des usines ?

— Eh bien, mademoiselle Boyce, vous seriez surprise. Je suis – il leva la main et entreprit de compter sur ses doigts – partisan de la Home Rule, qui accorde à l'Irlande une certaine autonomie. En relation amicale avec les divers syndicats. Exaspéré par nos manigances au Soudan et consterné par nos abus en Égypte. Je l'admets, l'Inde est un mystère pour moi, et l'Australie est beaucoup trop loin pour que je m'y intéresse. Mais je pense que la Russie a peut-être raison en ce qui concerne Kaboul, et, enfin, j'adore les dames qui réclament le droit de vote.

Il la prenait pour une suffragette ? Il voulait peut-être la taquiner, ce qui ne déplaisait pas à Lydia.

— Je soutiens leur requête, dit-elle, mais je ne passe pas ma journée à brandir des panneaux à Hyde Park.

— Non, bien sûr. C'est trop voyant. Vous seriez plutôt la dame qui envoie aux journaux des lettres cinglantes sous un pseudonyme masculin. Je me trompe ?

Elle grinça des dents. Dit ainsi, le procédé avait l'air plutôt lâche.

— Si je le faisais, ce serait par nécessité. Mon beau-frère est un homme politique. Et tout le monde ne peut se permettre de contrarier ouvertement sa famille.

— Quel dommage !

Comme elle lui adressait un regard noir, il reprit :

— Où en étais-je ? Ah, oui. Quand je me sens généreux, je songe à lâcher le Canada. Sur le Transvaal, je n'ai pas d'opinion. Oh ! Ça va peut-être vous choquer : les jours de pluie, je penche pour le végétarisme. Les moutons sont si peu appétissants lorsque leur laine est souillée de boue.

L'excellente santé, l'existence privilégiée que révélait son sourire éclatant cadraient mal avec les idées de Lydia sur les hommes du peuple.

— Eh bien, si je vous ai méjugé – c'est-à-dire, j'ignorais que vous étiez un homme avec de tels principes…

— Ah… non.

Comme il balayait cette idée d'un geste de la main, ses bagues étincelèrent. Elle lui avait demandé avant de partir s'il ne devrait pas les enlever. En souriant, il avait ouvert sa veste pour lui montrer son pistolet.

— Je ne suis pas un homme de *principes*, dit-il. Pas au pluriel, en tout cas. Je suis un homme d'un seul principe, mademoiselle Boyce – ou, plutôt, d'une seule position dont il est très facile de se souvenir. Si mon père s'oppose à une chose, je la soutiens avec enthousiasme. Et vice versa, bien sûr.

Il fallut quelques secondes à Lydia pour se rendre compte de sa défaite. Elle fit la grimace. Une fois de plus, elle avait eu tort de le prendre au sérieux.

— Quelle philosophie remarquablement simple ! Dommage que vous ne fassiez pas montre d'une telle simplicité en matière de bijoux. Vous brillez davantage qu'une duchesse douairière, Sanburne. Cela fait mal aux yeux.

— Femme sans cœur, vous me critiquez alors que je me suis fait beau pour vous, s'exclama-t-il en pressant le poing contre sa poitrine.

Elle ignora ses facéties.

— Je plains votre père, mais j'ai pitié de vous et de votre *principe* puéril. Se morfondre dans une enfance prolongée doit être terriblement éprouvant.

— Mais que puis-je faire ? C'est le miracle de la primogéniture qui me garde jeune. Ayez pitié de nous, pauvres héritiers, mademoiselle Boyce. Tant de choses sont suspendues au-dessus de nos têtes, prêtes à nous assommer – propriétés, métayers, personnel divers. Des centaines, sinon des milliers, de gens dont la vie dépendra un jour de nous. Mais pas encore ! Oh, non. Jusqu'à la chute de tout ce fatras, nous restons gelés dans son ombre – parfois pour des décennies, si le vieux sagouin s'éternise.

Elle leva les yeux au ciel.

— D'aucuns occuperaient leur temps en se servant utilement de leur fortune, observa-t-elle. Pour aider les pauvres, par exemple, plutôt que d'acheter des usines qui ne servent à rien sinon à produire davantage de fumée et de misère.

— Et du savon, précisa Sanburne gaiement. N'oubliez pas le savon. Le *Guéris-tout d'Elston*, un penny le morceau chez votre pharmacien. Ah, nous y voilà !

Le bâtiment de cinq étages semblait s'affaisser sur lui-même. Lorsqu'ils gravirent l'escalier étroit, leurs pas déclenchèrent des grincements suspects qui ne calmèrent en rien les nerfs de Lydia. Des gens mouraient tous les jours sous les décombres de vieilles bicoques. Ce n'était pas la fin dont elle rêvait.

Cinq étages plus haut, l'escalier s'achevait face à une petite porte. Elle frappa, tandis que Sanburne glissait tranquillement la main dans la poche de sa veste. Elle espérait qu'il ne tirerait pas avant qu'ils aient eu le temps de s'entretenir avec la dénommée Polly.

Une voix brusque s'éleva derrière le battant.

— Qui c'est ?

— Mademoiselle Boyce, répondit Lydia.

La porte s'entrouvrit sur une femme d'un certain âge dont la robe élimée avait du mal à contenir les formes. Ses yeux étaient cernés, et son teint cireux contrastait de façon malsaine avec ses cheveux orange.

— Qu'est que c'est que vous voulez ? demanda-t-elle.

Puis, après avoir examiné Lydia brièvement, elle se raidit.

— Si vous êtes de la paroisse, vous pouvez passer votre chemin. Les bons conseils, on en a rien à faire, ici.

— Non, nous n'avons rien à voir avec la paroisse, s'empressa de répliquer Lydia. Êtes-vous mademoiselle Marshall ?

La femme haussa les sourcils.

— Mlle Marshall, ça doit être ma sœur que vous appelez comme ça. Elle est pas là, Faut que vous alliez chercher votre argent ailleurs.

La porte commença à se refermer.

Lydia la bloqua du pied.

— Nous ne voulons pas d'argent, madame. Un jeune homme m'a remis un mot très mystérieux de la part de votre sœur, qui me demande de venir ici.

La femme afficha une expression dégoûtée.

— Tiens donc ! À croire qu'on est dans un zoo, ici. Vous êtes la quatrième personne à venir la voir. Au moins, vous, vous êtes une femme. Y a un progrès.

Sanburne laissa échapper un rire étouffé. Lydia se retint de lui flanquer un coup de coude.

— Nous ne voulons pas vous déranger, mais si vous avez une idée de l'endroit où elle pourrait être...

— Non, je l'ai foutue à la porte hier soir. Elle remettra plus les pieds ici... Je voulais pas le faire, ajouta la femme, le front soucieux. Mais elle m'a pas laissé le choix, vu comment qu'elle se conduit.

Elle se tut, mais parut avoir oublié son envie de leur fermer la porte au nez. Ses yeux se promenèrent de nouveau sur Lydia.

— Je peux pas imaginer ce qu'elle voudrait faire avec vous. C'est sûr et certain que vous venez pas de la paroisse ?

Cette fois-ci, Sanburne rit ouvertement. Ce qui attira l'attention de la femme qui tendit le cou pour le voir. Les bagues lui firent écarquiller les yeux.

— Et, avec *vous*, qu'est-ce que Polly peut bien avoir à faire ?

— Je ne sais pas, dit Lydia. Il semble qu'elle connaît l'associé de mon père... un certain M. Hartnett.

— Oh, pour ça, oui, elle le connaissait.

— Vous pourriez peut-être nous l'expliquer, suggéra Sanburne avec un sourire plein de charme. Mais l'escalier est sûrement moins confortable que votre appartement, madame...

La femme émit un petit reniflement.

— Mme Ogilvie, que je m'appelle, et l'appartement vaut pas ce qu'il coûte – sept livres par mois pour moins de place que vous donneriez à une souris. Entrez, quand même, vous êtes les bienvenus.

Un billet de banque surgit dans la main du vicomte. Lydia eut un sursaut de honte. Mme Ogilvie jeta un regard dédaigneux au billet.

— Je veux pas de votre argent. Je suis pas comme ma sœur.

— Considérez que c'est un échange équitable, suggéra Sanburne. Nous sommes très intrigués par le message de votre sœur. Comme Mlle Boyce vous l'a dit, son père était en relation avec M. Hartnett, mais c'est le lien entre cet homme et votre sœur que nous ne comprenons pas.

— Eh bien, je peux pas vous dire ce qu'elle vous voulait, mais je sais ce qu'elle faisait avec *lui*.

Lydia jeta un coup d'œil par-dessus l'épaule de la femme sur la petite pièce obscure. Le plafond étant mansardé, on pouvait tout juste s'accroupir sur deux côtés. Mais l'endroit était propre et tentait d'être gai. Un joli morceau de chintz recouvrait une petite table près du fourneau; un autre recouvrait le lit. Devant la fenêtre, une fougère captait autant de soleil qu'elle pouvait. Et les murs étaient décorés de photographies encadrées dont certaines représentaient des beautés célèbres.

Après réflexion, Lydia se jeta à l'eau:

— Oh, vous avez un portrait de Mme Chudderley! Vicomte, regardez... Il y a une photographie d'Elizabeth au mur. Le vicomte est l'un de ses meilleurs amis, confia-t-elle à la femme.

— *Vicomte*, que vous avez dit?

La porte s'ouvrit en grand.

— Me dites pas que Polly vous a fait des ennuis!

— Non, pas du tout, assura Sanburne.

— Bon, alors, je pense que vous avez les moyens de me donner ça, déclara-t-elle en prenant l'argent. La fierté coûte plus qu'elle rapporte. Mais vous serez peut-être déçu de l'échange, vu que l'histoire est très simple. Entrez, mais y a plus de thé, et une seule chaise.

À l'intérieur, Lydia tenta de refuser de s'asseoir, mais Mme Ogilvie insista, et débarrassa la table d'un journal et d'un dessin que Lydia trouva très réussi.

— C'est ma petite dernière qui l'a fait, dit la femme en le tenant à bout de bras pour l'admirer. Elle est douée pour le dessin. Et elle adore sa tante Polly. C'est Polly, qu'elle a dessinée, là.

Des yeux souriants, une bouche à la courbe douce.

— Elle est très jolie, commenta Lydia, que cette découverte contraria inexplicablement.

Mme Ogilvie haussa les épaules.

— Elle brille, voilà son truc. Le problème, c'est que ma Mary l'admire. Ça me tracasse. Maligne comme tout, ma Mary, mais douée pour les bêtises, comme sa tante… Croyez pas que je vais le garder pour moi, ajouta-t-elle en agitant le billet. Tout ira pour ma Mary. Bon, au sujet de ma sœur, je sais pas trop quoi vous dire. Elle a jamais été du genre à me faire des confidences.

Sanburne gardant le silence, Lydia se lança prudemment.

— Le nom de M. Hartnett vous est connu. Mlle Marshall était… proche de lui ?

Mme Ogilvie eut une moue ironique.

— C'est une façon de dire les choses. Est-ce qu'on va parler franchement ou est-ce que vous autres, les gens de la haute, vous préférez danser autour du pot ?

— Parlons franchement, intervint Sanburne en adressant un clin d'œil à Lydia. Mlle Boyce n'aime pas danser.

Mme Ogilvie regarda Lydia avec l'air de regretter de les avoir fait entrer.

— Ça, c'est une honte. Et pourquoi donc ?

Lydia sentit qu'elle rougissait.

— Euh...

— Elle trouve qu'elle danse mal, répondit Sanburne.

— Je n'ai jamais dit cela, protesta-t-elle – bien qu'il eût raison, bien sûr.

— Eh ben, petite ! Comme cavalier, j'en connais des pires, commenta Mme Ogilvie en parcourant rapidement Sanburne du regard. Amusez-vous en mai, que je dis. Décembre arrive toujours trop vite... Donc, on parle franchement. Polly était la bonne amie de Hartnett, expliqua-t-elle avec un haussement d'épaules philosophe. Près de onze ans que ça a duré. Il l'a prise avant la mort de sa légitime, et l'a gardée ensuite. Il l'avait installée du côté de St. John's Wood – aussi bien que mariée, qu'elle disait, alors, à quoi bon la bague au doigt ? Mais quand il est mort, elle s'est retrouvée dans le pétrin. Pas un sou pour elle dans le testament. C'est à ça que sert la bague, que je dis. Le propriétaire l'a fichue dehors deux jours plus tard. Je l'ai recueillie, je l'ai nourrie, je lui ai laissé le plancher pour dormir. Mais quand des hommes ont commencé à venir, ça m'a pas plu. Un tas de pourris, que c'était : des escrocs et des voleurs. Je dois penser à ma petite Mary, non ? Et voilà qu'en plus, elle a pris Reggie en grippe – ils se sont chamaillés hier soir. J'en pouvais plus, même si c'est ma sœur.

Lydia s'était arrêtée sur un seul mot. Tout le reste s'effaçait en comparaison de ce qu'il impliquait.

— Des voleurs, répéta-t-elle à mi-voix

Mlle Marshall et ses amis avaient-ils pu avoir accès à la cargaison ? Mais comment ?

— Oh, oui. Ils en avaient l'air, en tout cas.

— Est-ce que M. Hartnett savait qu'elle avait ce genre d'amis ?

Mme Ogilvie lui adressa un sourire aigre.

— J'ai pas idée, mademoiselle. Bien que je les aie entendus prononcer son nom plusieurs fois. Même qu'ils l'appelaient Johnny.

Lydia s'adossa à sa chaise, choquée. Cela ne collait pas. Le vieil ami de son père ne pouvait être aussi intime avec des voyous !

— Je voulais pas vous bouleverser, ajouta Mme Ogilvie. Je suis sûre que votre père a rien à faire avec tout ça.

Au grand désarroi de Lydia, cette déclaration manquait cruellement de sincérité.

— Bien sûr, affirma-t-elle avec force. Avez-vous une idée de l'endroit où nous pourrions trouver votre sœur ?

La femme soupira.

— J'aimerais bien. Je lui ai dit que Molly Malloy pouvait la prendre. Elles sont amies depuis l'enfance. Mais Molly l'a pas vue. Vous pourriez demander au palace du gin au bout de la rue. L'odeur du gin, je l'ai sentie sur elle, au moins deux fois. Je peux pas le lui reprocher, vu les ennuis qu'elle a ces temps-ci. Dites, reprit-elle à l'adresse de Sanburne en désignant la photographie de Mme Chudderley. Parlez-moi d'elle. J'aime bien la regarder, c'est vrai. Mais dites-moi que c'est de la mauvaise graine. Parce que si son cœur est aussi beau que sa figure, y a pas de justice.

« Je pourrais vous dire une chose ou deux », songea Lydia.

— Hélas, je ne peux rien vous dire de tel, répondit le vicomte à qui Lydia décocha un regard incrédule. Elizabeth n'est que douceur et bonté.

— *Elizabeth*, vous dites ? Par ici, faut être fiancés pour qu'un homme appelle une jeune fille par son prénom.

Ses sourcils s'agitèrent de façon suggestive.

Exaspérée, Lydia se leva. Mais si Sanburne remarqua son intention de partir, il ne le montra pas.

— Nous sommes de vieux amis, expliqua-t-il. Elle a été élevée dans le domaine voisin du mien.

— Le domaine, roucoula Mme Ogilvie d'un ton respectueux comme s'il lui avait confié le secret de l'immortalité. Eh ben, c'est quelque chose, ça ! Je parie qu'elle a une grande et belle voiture, et une armoire pleine de robes de soie.

Le plancher se mit à vibrer. Alarmée, Lydia regarda ses pieds. Elle avait l'impression que ses pires craintes se réalisaient et que le bâtiment était sur le point de s'écrouler. Comme les vibrations continuaient, elle s'aperçut qu'un martèlement l'accompagnait : quelqu'un montait l'escalier. Quelqu'un qui sifflotait.

Aussitôt, la bonne humeur de Mme Ogilvie s'envola.

— Bon sang, c'est Reggie ! Pourquoi qu'il est pas à l'atelier ?

— Dans ce cas, nous allons vous souhaiter une bonne journée, dit Sanburne en mettant son chapeau.

— Vous pouvez pas sortir par là, vous allez buter sur lui. Il y a que moi dans la maison à cette heure de la journée, balbutia Mme Ogilvie qui avait blêmi. Dieu du Ciel ! Un regard sur vous, et il pensera que je me suis remise à faire le trottoir, c'est sûr. Il essaiera de vous tuer, et de vous piquer vos beaux habits. Sortez par la fenêtre, conclut-elle abruptement.

Sous le choc, Lydia ne saisit pas tout de suite la signification de la dernière phrase. Mais elle remarqua l'expression soucieuse de Sanburne.

— *Vraiment* ? demanda-t-il.

— Y a une petite échelle sur le toit. Vous pourrez attendre là.

Haussant les épaules, Sanburne se dirigea vers la fenêtre. Comprenant enfin ce qu'on lui demandait, Lydia le retint par le bras.

— Il n'est pas question que je grimpe sur le toit !
Sanburne s'immobilisa.

— Non ?

Visiblement paniquée, Mme Ogilvie fourra en hâte le billet que Sanburne lui avait donné sous le matelas.

— Vous risquerez rien, assura-t-elle. Quand la nuit est douce, ma Mary et moi, on aime regarder les étoiles là-haut.

— Je peux toujours lui tirer dessus, proposa Sanburne.

— Non ! protestèrent Lydia et Mme Ogilvie d'une même voix.

— Alors, allons-y.

Il ouvrit grand la fenêtre et jeta un coup d'œil dehors.

— Venez, mademoiselle Boyce. Il y a un joli petit balcon qui vous attend.

Le sifflotement devenait de plus en plus fort. Elle fut terriblement tentée de dire à Sanburne d'y aller sans elle. Reggie ne tuerait pas une femme, quand même ?

On la poussa si rudement qu'elle trébucha.

— Vite, lui souffla Mme Ogilvie à l'oreille. S'il vous plaît, mademoiselle, *dépêchez-vous*.

Sanburne la saisit par la taille et la souleva dans l'air doux et printanier.

Elle baissa les yeux – et se rejeta en arrière, dans les bras du vicomte. Les enfants qui jouaient aux osselets paraissaient minuscules vus de cette hauteur.

— Ne faites pas ça, lui conseilla-t-il gentiment.

— Ne pas faire quoi ?

— Regardez plutôt par là.

Il lui prit la main et la plaqua fermement sur le châssis de la fenêtre.

— Partez sur votre droite. Je serai juste derrière vous. Allons, mademoiselle Boyce – c'est une aventure.

Les genoux de Lydia tremblaient si fort qu'elle se demanda s'ils allaient la soutenir. Elle suivit le rebord étroit – auquel on ne pouvait honnêtement pas donner le noble nom de *balcon* – jusqu'à l'endroit où la lucarne finissait et où commençait le toit plat. Elle inspira à fond, y posa le pied – et tomba promptement à quatre pattes pour s'éloigner le plus possible du bord du toit. Lorsqu'elle se retourna, Sanburne posait le pied sur l'ardoise. Derrière lui s'étendait une mer de toits, de lucarnes aveugles et de cheminées affaissées.

Elle se mit en position assise, puis s'adossa au côté de la fenêtre. *Une aventure, vraiment.* Les humains n'étaient pas censés jouir d'un tel spectacle.

— Ce toit va s'effondrer sous notre poids, prédit-elle.

Sanburne s'assit à côté d'elle.

— Un éléphant pourrait y gambader, mademoiselle Boyce. Et quelle vue !

Elle n'était pas d'accord. Cela lui rappelait la maquette qu'elle avait regardée un jour dans la vitrine d'un magasin : l'élégant quartier du West End avec ses ponts, ses palais, ses hôtels particuliers, Buckingham Palace et de minuscules voitures disposées sur les allées délicatement dessinées de Hyde Park. La maquette qu'elle observait en ce moment n'était constituée que de taudis entassés les uns contre les autres, le long de rues dont elle ignorait les noms. Peuplés de milliers de gens qui auraient pu aussi bien ne pas exister, vu l'importance qu'on leur accordait. Ils occupaient le cœur de Londres, mais pour elle et ses semblables ils auraient pu vivre au fin fond de l'Égypte.

— Mme Ogilvie ne monte pas ici pour regarder les étoiles, marmonna-t-elle.

Comparé à cet amas sombre de maisons croulantes, son grenier devait lui donner l'impression d'être un palace – un rempart contre la marée de la pauvreté.

— J'imagine que non, acquiesça Sanburne d'un ton tranquille.

— Ce n'est pas juste, commença-t-elle.

Elle s'interrompit. C'était une remarque puérile, et il allait sûrement se moquer d'elle.

Elle sentit le souffle du vicomte sur son cou comme il tournait la tête vers elle.

— Vous avez l'air fâché, dit-il. Pas contre moi, j'espère.

— Je ne suis pas fâchée, répliqua-t-elle avec raideur, car elle se sentait embarrassée sans savoir pourquoi. C'est juste que je ne comprends pas pourquoi nous avons dû sortir par la fenêtre.

— Ce sont les ordres de l'hôtesse, chérie. Elle n'avait pas envie que je me bagarre avec son mari.

Un pigeon sautillait devant eux. Quel luxe que d'avoir des ailes, songea Lydia qui n'avait pas imaginé qu'un jour une telle pensée lui traverserait l'esprit.

— Je n'aime pas les hauteurs.

— Je vous dirais bien que je ne vous laisserai pas tomber, murmura-t-il. Mais ce serait peut-être une erreur.

— J'espère que cela ne signifie pas que vous avez l'intention de me pousser !

— Cela signifie que la peur peut s'accompagner de plaisir.

Elle lui glissa un regard de biais. Que diable voulait-il dire ? s'exaspéra-t-elle.

— Regardez ses effets miraculeux, reprit-il. Je vous ai enlacée et vous ne l'avez pas remarqué.

Elle baissa les yeux, stupéfaite. Il avait raison. Mais, d'un autre côté, il n'avait pas d'autre endroit où mettre le bras.

— Ce n'est pas un plaisir, riposta-t-elle. C'est une nécessité.

Il s'esclaffa.

— Comme c'est humiliant. Mais voyez la suite, lorsque ma main remonte…

Il la fit glisser lentement vers le haut.

Le souffle coupé, elle écarquilla les yeux.

— Et voilà, fit-il. Ça, ce n'est pas le moins du monde nécessaire.

Les doigts du vicomte reposaient sur une partie de son anatomie qui n'avait pas à être touchée par lui.

— Maintenant, lui chuchota-t-il à l'oreille, vous pouvez dire que je profite honteusement de la situation, ou bien…

Ses doigts se refermèrent en coupe sur son sein.

— … vous pouvez louer ma créativité. Dans un cas comme dans l'autre, vous ne pensez plus à une chute éventuelle.

9

Lydia se pétrifia – non parce qu'elle était choquée, mais à cause de la soudaine palpitation en elle qui menaçait son équilibre. Deux couches seulement séparaient la main du vicomte de son sein. Le soleil répandait une douce chaleur sur le toit ; le pigeon émit un roucoulement sourd, puis s'envola. Et les doigts ondulèrent sur elle, faisant se durcir de façon tout à fait inappropriée cette région de son corps.

— Vous avez l'air d'aimer cela, observa Sanburne d'un ton placide comme s'il commentait un arrangement floral.

Comprenant avec un temps de retard ce que cela signifiait, elle rougit et riposta à voix basse :

— Un bain froid a le même effet.

Son rire ravi lui chatouilla le cou.

— Que vous êtes amusante ! ronronna-t-il. Laissez-moi y mettre les lèvres, et je vous convaincrai de la différence.

Elle n'avait nul besoin d'être convaincue. Elle percevait parfaitement la différence. Un bain froid lui éclaircissait les idées. Le contact de la main du vicomte les embrouillait tandis qu'un flot de chaleur la submergeait. « Je pourrais me laisser aller contre lui », songea-t-elle fugitivement. Même sur un toit, il semblait fort et stable. Comment diable avait-il acquis une telle assurance ? Sa naissance lui avait octroyé des privilèges, bien sûr, ainsi que son sexe. Mais il y avait plus que cela. Les regards étaient toujours fixés sur lui. Les journaux disséquaient chacun de ses faits et gestes. Pourtant, il le supportait comme si cela ne le concernait pas. Elle ne l'imaginait pas hésitant sur le seuil d'une pièce de crainte d'être jugé. Si quelqu'un tentait de le blesser, il se contentait de rire. Traverser l'existence avec une telle assurance, ne jamais se soucier de l'opinion d'autrui... Seigneur, ce devait être une tout autre vie. Plus d'incertitudes. Indifférence aux railleries et aux calomnies. Que ne pouvait-on faire lorsqu'on jouissait d'une telle liberté ?

Elle allait se laisser aller sur lui. Juste un moment, sur ce toit où personne ne pouvait les voir. L'épaule de Sanburne était tiède sous sa joue ; il sentait la bergamote et le savon. Il ne bougea pas d'un millimètre. C'est à peine s'il respirait.

— On a toujours peur ? demanda-t-il au bout d'un long moment.

Lydia fixait les rideaux jaunes d'une fenêtre, au loin, que la fumée de charbon avait noircis et transformés en lambeaux tristes.

Elle soupira.

— Bien sûr, répondit-elle doucement. J'ai toujours peur de quelque chose.

N'était-ce pas son devoir de femme ? S'il ne s'agissait pas de sa réputation, il s'agissait de celles de ses sœurs. Si elle ne s'inquiétait pas pour son père, c'était pour l'avenir d'Antonia, quand ce n'était pas des regards fixés sur elle. Il y avait toujours quelque chose à craindre.

Finalement, quel endroit plus sûr et plus inviolable qu'un toit ? Elle se détendit. Le silence de Sanburne était confortable. La lumière du soleil était douce, tamisée par les nuages et la brise paresseuse. N'ayant d'autre choix que d'attendre, elle pouvait cesser – juste un instant – de se tracasser pour une chose ou une autre.

La main du vicomte reposait toujours sur son sein, mais ses doigts s'étaient immobilisés. De troublant, ce contact était devenu rassurant. Une douce langueur s'empara d'elle, et sa tête s'alourdit contre l'épaule de Sanburne.

— De quoi avez-vous peur ? demanda ce dernier.

Elle ne pouvait répondre, n'avait pas envie de parler.

— Ça n'a pas d'importance.

Les minutes s'égrenèrent, paisibles.

— Comment vous êtes-vous fait ces bleus que vous aviez chez les Stromond ? murmura-t-elle soudain.

Les doigts du vicomte se crispèrent brièvement. Elle l'avait pris au dépourvu.

— Vous m'auriez posé la question sur la terre ferme, je vous aurais sans doute répondu que la maladresse est une tare familiale. On passe son temps à tomber dans l'escalier, à trébucher sur les trottoirs, à heurter les poignées de porte… Mais la vérité, c'est que je fais de la boxe. Dans un endroit qui n'est pas loin d'ici, d'ailleurs.

— Ce doit être douloureux.

— Oui. C'est du reste l'objectif.

Il ne parlait pas du sport en général, elle le comprit.

— Vous allez toujours aux excès, observa-t-elle. Dans tous les domaines. Vous êtes le gentleman le plus outrancier que j'ai jamais rencontré.

— Le gentleman ? Et moi qui pensais que j'étais un vaurien.

— Vous ne devriez pas en être si fier.

— Je ne le suis pas, répondit-il posément. Mais j'ai un rôle à tenir, tout comme vous.

Oui. Il avait raison. Elle ne devrait pas être assise ici, à tirer du réconfort de son contact. La réaction appropriée était la colère. L'indignation. Et plus tard, peut-être, des reproches pour s'être mise dans une telle situation.

— De quoi avez-vous peur, Lydia ?

L'entendre prononcer son prénom la troubla – et elle dut admettre qu'elle n'avait pas envie de protester. En avouant rechercher la douleur, il avait fait preuve d'une franchise inhabituelle, et qui lui avait visiblement coûté.

Il aurait été bien de sa part de lui rendre la pareille. Mais que pouvait-elle lui raconter ? Ses soucis étaient sans intérêt. N'importe quelle femme célibataire qui avançait en âge les partageait. Ses articles ne lui rapportaient que des sommes dérisoires, son père lui donnait certes tout l'argent qu'il pouvait mais l'essentiel de ses bénéfices était consacré à ses projets. Il ne lui laisserait rien à sa mort. Que se passerait-il alors ? Son avenir, songea-t-elle tristement : celui de la parente pauvre, fardeau encombrant, épiant du premier étage les invités élégants qui riaient et dansaient au rez-de-chaussée. La tante vieille fille de la future progéniture d'Antonia. Ou de celle de Sophie et de George. Ne serait-ce pas le pire ? Nounou et préceptrice nourrie et logée par l'homme qu'elle avait cru aimer jadis. Servante gratuite dans la maison dont elle avait espéré qu'elle serait la sienne.

Bien sûr qu'elle était inquiète. Qui ne le serait à sa place ?

Mais l'idée d'exprimer à voix haute de telles pensées la révulsait. Elle n'apparaîtrait que comme un exemple de plus de l'espèce la plus pitoyable : la vieille fille bien née, instruite et sans le sou. Toute sa sensibilité se révoltait à la perspective d'incarner un personnage aussi typique. « Je suis vaniteuse », se dit-elle. Enfant, émerveillée par ce que le monde contenait de promesses, et encouragée à étudier par son père, elle avait rêvé d'une vie différente.

Être aimée, respectée et admirée. Mais la société n'avait pas grand-chose à faire d'une femme qui n'avait d'autre atout que son esprit. Lorsque les gens la remarquaient à présent, ce n'était pas pour ses facultés intellectuelles (*la compétence avec laquelle vous assumez ces lourdes responsabilités* – oh, de quel ton apitoyé George avait dit cela !), mais pour l'excellent contre-exemple qu'elle donnait aux débutantes. « Soyez modeste, sinon vous finirez comme elle », murmuraient les mères en poussant leurs filles dans la salle de bal.

Que comprendrait Sanburne à cette souffrance ? Cela ne ferait que l'ennuyer. Du reste, devant l'immense cruauté de Londres, ses plaintes seraient mal venues. Regardez ces taudis ! Elle, au moins, avait la chance d'avoir une place assurée sous le toit de ses sœurs.

Si elle avait pu lui dire la vérité, qu'aurait-elle dit ? « Sanburne, c'est de moi que j'ai peur. »

— Je sens votre cœur s'affoler, murmura-t-il.

— Oui, admit-elle d'une voix faible.

C'était facile pour lui de parler franchement – un homme dont les choix semblaient infinis, et sans conséquence.

— Et alors ? reprit-elle. Vous jouez avec moi.

— Il y a d'autres mots pour désigner ce que je fais. Mais vous manquez peut-être d'expérience pour les connaître.

Et voilà, il recommençait à attribuer ses réticences à la naïveté.

— Je n'ai pas toujours vécu dans un cocon, répliqua-t-elle. J'ai voyagé, je suis allée en Égypte, contrairement à mes sœurs. Mon père m'y a emmenée il y a quelques années, juste avant le bombardement d'Alexandrie.

Elle y était allée volontiers, car cela lui avait évité l'humiliation d'assister au mariage de sa sœur. Tante

Augusta s'était chargée de l'organisation, mais Sophie ne le lui avait pas pardonné.

— Vraiment ? fit-il, visiblement intrigué par ce coq-à-l'âne. Moi aussi, j'y suis allé cet hiver.

— Pour faire du tourisme ?

— Oui, bien sûr. Et vous ?

— Non. Je n'ai pas vu Le Caire, les pyramides, rien de tout cela. Juste Alexandrie. Mon père travaillait à proximité. J'ai passé deux mois à l'Hôtel de l'Europe.

En pleurant la plupart du temps. Elle avait sombré dans un terrible apitoiement sur elle-même dont le souvenir lui avait longtemps fait honte.

— Quel dommage, murmura-t-il.

Ses doigts entamèrent une petite danse – la plus légère des caresses – sur son sein. Elle tenta de résister, mais elle n'avait d'autre point d'appui que le corps chaud du vicomte.

— Il n'y a pas grand-chose à voir à Alexandrie, reprit-il d'un ton songeur, du moins comparé au reste du pays. La colonne de Dioclétien, bien sûr. Et l'obélisque.

Son ongle la gratta légèrement à travers le tissu.

— Et la ville, ajouta-t-elle d'une voix enrouée, unique façon de reconnaître sentir quelque chose, car en parler l'obligerait à prendre une décision.

— La ville ?

La main du vicomte s'immobilisa.

— Je ne m'en souviens pas très bien, avoua-t-il. Nous avons débarqué là. J'étais fatigué par le voyage. Une ville laide… c'est tout ce dont je me souviens.

— Vous ne vous rappelez pas l'odeur ?

— Une odeur de marécage.

Ses doigts reprirent leur petite danse, et un soupir échappa à Lydia. Elle en fut récompensée par une caresse plus ferme.

— Il y a un marais dans les faubourgs de la ville, poursuivit-il. Cela pue.

Elle émit un petit rire.

— Mais non. Cela sent l'eau salée, les épices et les acacias. Je n'avais jamais remarqué que les fleurs d'acacias étaient parfumées Un parfum très doux.

Elle tourna la tête, le visage contre l'épaule du vicomte, et huma son odeur. Cet homme n'était pas pour elle, c'était clair. Mais il sentait délicieusement bon, et son esprit était centré sur elle, de même que sa main. En ce moment, il ne pensait à personne d'autre.

— J'imagine que vous ne vous êtes pas non plus donné la peine de passer un moment au port, ajouta-t-elle.

Il s'écarta, juste assez pour l'obliger à le regarder. De si près, les yeux du vicomte étaient extraordinaires. De gris argent, ses iris devenaient dorés autour des pupilles.

— Le port, répéta-t-il doucement, les lèvres à quelques centimètres des siennes.

— Vous étiez fatigué, bien sûr, acquiesça-t-elle dans un chuchotement. Et le port est réputé assez laid. Mais la plupart du sucre que nous consommons part de là. Vous le saviez ?

Une ride apparut entre les sourcils du vicomte.

— Je le suppose.

— Et probablement un peu du coton que vous et moi portons. Vous n'y avez pas songé à ce moment-là. Vous pensiez aux pyramides de Gizeh – ou vous aménagiez le bateau qui devait vous emmener sur le Nil. Mais maintenant que je vous en ai parlé…

Elle détourna les yeux et fixa l'horizon indistinct.

— … vous vous interrogerez sur le port. Et la prochaine fois que vous passerez devant un acacia, vous pourrez vous arrêter et le humer, par pure curiosité.

La main du vicomte lui prit le menton et tourna son visage face au sien.

— Vous cherchez à me dire quelque chose, mais je ne comprends pas. Ayez pitié d'un cerveau moins complexe que le vôtre.

— Il n'a rien de complexe. Je signalais simplement qu'il est facile d'ignorer ce qui semble banal jusqu'à ce que ce banal devienne… inaccessible. Et, alors, on le trouve subitement très intéressant – pour un court instant, du moins.

Le vicomte sourit.

— Attendez une minute. Vous pensez que je m'intéresse à vous parce que je vous trouve… banale ?

— Je pense que le fait qu'une femme comme moi soit capable de vous résister vous laisse perplexe.

Elle cherchait à le décontenancer en lui montrant combien elle voyait clair en lui. Aucun homme n'aime être évident.

— Cela vous titille. Mais il n'y a là rien de mystérieux ; c'est juste que je ne suis pas le genre de femme que flattent les attentions d'un dilettante vain et indolent.

Le sourire de Sanburne la surprit.

— Une femme comme vous. Et de quel genre de femme s'agit-il ?

— Une femme instruite. Réservée. Déterminée. Mettez de côté ma résistance, et vous ne me trouverez plus aussi intéressante. Traitez-moi de bas-bleu si vous voulez. Quelqu'un qui tient à sa dignité et à sa fierté ne se laisse pas déstabiliser par un beau visage.

— Je pense que déstabilisée vous l'êtes déjà, Lydia. Au point que vous ne pouvez vous résoudre à repousser ma main.

Il aimait son prénom. C'était la seconde fois qu'il le prononçait. « Je ne les compterai pas », se promit-elle.

— Pourtant je le devrais, dit-elle plus pour elle-même que pour lui.

— Et cela fait partie de votre charme, murmura-t-il. Vous connaissez les règles. Mais sans y accorder trop d'importance. Sinon pourquoi seriez-vous là ? Ne me dites pas que c'est par amour filial.

Le demi-sourire du vicomte la frappa. Il lui semblait terriblement intime. Comme s'il voyait les pensées qui lui traversaient l'esprit, et qu'il compatissait. *Lui !* Cette splendide créature, qui errait entre la démence et l'inconsistance.

— Je suis bel et bien ici pour mon père.

C'était partiellement le cas.

Mais pas complètement.

Il la dévisagea un long moment, comme s'il attendait qu'elle poursuive. Puis, voyant qu'elle gardait le silence, il haussa les épaules et lâcha :

— Croyez-moi ou non, mais je sais ce que c'est que de se sentir à l'étroit.

Elle tenta de rire.

— Vous ? Qui cédez à tous vos désirs ?

— Tandis que vous luttez contre les vôtres. En le regrettant.

Un vent de panique balaya Lydia. Sanburne était en train de retourner ses propres armes contre elle, et avec de bien meilleurs résultats qu'elle-même n'en avait obtenu. Elle ne supportait pas d'être mise à nu. Pas par lui. Pas de cette façon. Il n'y avait aucun moyen de lui échapper – elle n'avait même pas la place de lever les mains pour les plaquer sur les oreilles.

— Vous ne me connaissez pas. N'ayez pas la présomption de le croire. Je ne suis *pas* une romantique, Sanburne. Contrairement à vous. J'affronte les conséquences de mes erreurs.

Il se pencha plus près, et ses mots fusèrent comme un défi.

— *Quelles* conséquences ? Ici, sur le toit ? De quoi avez-vous tellement peur, Lydia ? Que j'aie raison ? Ou de moi ?

« J'ai peur de ce que je ferai avec vous si vous continuez à m'encourager », aurait-elle voulu lui répondre.

Elle détourna la tête. Elle en avait assez. Assez !

— Rien à dire ? Très bien.

Il se mit debout.

— Où allez-vous ?

Il lui tendit les mains. Elle le laissa la hisser sur ses pieds uniquement parce qu'elle craignait qu'en résistant, elle ne bascule du toit.

— Fermez les yeux.

— Pardon ? Pourquoi ?

— Fermez-les, répéta-t-il calmement.

— Je vais tomber !

Il glissa la main sur sa taille.

— Ayez un peu confiance en votre corps, pour une fois. Votre cerveau vous le pardonnera.

— Confiance ? Vous ne croyez pas à la confiance.

— Faux. J'ai dit qu'il fallait la mériter. Et je mériterai la vôtre, Lydia. Fermez les yeux.

Oh, elle savait ce qu'il avait en tête ! Elle ne le ferait pas. Elle serait la femme qu'elle avait décrite : digne et réservée. Digne était un mot trop froid, peut-être. Elle avait aimé jadis se voir en femme passionnée, éprise de lecture, enivrée d'histoire, amoureuse du vaste monde, de tous les peuples qui y vivaient. Être studieuse, c'était le contraire d'être ennuyeuse, avait-elle cru ; c'était être si intéressée, si follement curieuse, qu'on ne pouvait attendre que les réponses arrivent d'elles-mêmes : on devait aller les chercher.

Pourtant, ses yeux s'étaient fermés. Bon, juste une fois. Sur le toit. Il avait raison : personne ne les voyait. Il n'y aurait pas de conséquences. Elle pouvait croire qu'il s'agissait d'un rêve, ces lèvres sur sa gorge, cette langue qui suivait la courbe de sa mâchoire. Cela faisait si longtemps qu'elle n'avait pas fait quelque chose d'imprudent et d'égoïste. Se l'autoriser une fois ne signifiait pas qu'elle le referait. Le mordillement sur sa mâchoire lui arracha un petit cri. Elle se cramponna aux épaules du vicomte. Bien sûr, un bain froid était loin d'être aussi agréable que la main du vicomte sur son sein. Elle savait d'avance quelle serait sa réaction si elle l'admettait : il rirait et la féliciterait. Cet homme était un fou, qui disait *debout* quand tout le monde disait *assis*, juste pour le plaisir de s'opposer. Le goût de la rébellion. Un trait de caractère que Sanburne aimait en elle, et qui la poussait à dire des choses qu'elle aurait mieux fait de ne pas penser, et encore moins d'exprimer à voix haute. George lui avait demandé de parler librement, mais sans l'écouter. Sanburne l'écoutait. Et c'était ce qui le rendait si dangereux.

C'était aussi ce qui le rendait si attirant.

Sa main se pressait sur les cuisses de Lydia. Il retroussait ses jupes, les doigts s'insinuant entre les couches de tissu, remontant millimètre par millimètre. Elle sentit la brise balayer ses chevilles.

— Vous devez vraiment me laisser vous séduire, mademoiselle Boyce, murmura-t-il d'une voix rauque, tout contre ses lèvres. Nous passerions un si bon moment, vous et moi.

— Qu'est-ce que ceci, sinon une entreprise de séduction ? s'enquit-elle, perplexe.

— Un très agréable préambule.

Les lèvres de Lydia s'incurvèrent en un sourire.

— Tous les débauchés sont-ils aussi pointilleux en matière de classification ?

— Non, l'esprit scientifique leur fait défaut.

La bouche du vicomte se plaqua sur la sienne, et sa langue joua sur ses lèvres. Elle le laissa les entrouvrir. Sa langue avait un bon goût, pas du tout celui d'une erreur. Il se déplaça légèrement pour la clouer, jupes relevées, contre le mur, puis ses doigts remontèrent le long de sa cuisse au-delà de la jarretière, pression à la fois douce et brûlante sur le tissu fin de son sous-vêtement. Jamais personne ne l'avait touchée à cet endroit ; elle-même évitait de s'y attarder. Cette partie de son corps était censée être inviolable. Pourtant son corps ne s'y opposa pas. Il accueillit ses caresses avec une ardeur plus qu'amicale.

Les doigts l'atteignirent là où elle se sentait liquéfiée. Se mettant en coupe entre ses jambes, ils lui offrirent un autre appui. Avec le mur derrière elle et la main du vicomte entre les cuisses, elle se sentait solidement calée. Elle poussa les hanches en avant ; la paume pressa plus fort. « Dévergondée », commenta-t-elle avec un recul quasi clinique. Et puis, lorsque ses doigts trouvèrent la fente de sa culotte et touchèrent sa chair nue, une douleur exquise la traversa qui redéfinit sa notion du dévergondage : il en avait trouvé la source, là. D'ici peu, s'il continuait à la caresser ainsi, son doigt explorant une partie de son corps dont elle n'osait même pas prononcer le nom, mais qu'apparemment il connaissait mieux qu'elle...

Elle laissa échapper un cri.

— Bien, murmura-t-il. Plus fort.

Et voilà que ses doigts s'introduisaient *en* elle – causant une légère brûlure, un très léger inconfort, qui ajouta à la caresse du pouce, un peu plus haut, une tension délicieuse. Son corps se cabra tout à coup sous la ruée de sensations quasi animales. Et soudain tout en elle, prudence, inquiétude, souci de sa dignité, vola en éclats, et ses hanches se haussèrent dans un spasme qui la fit chanceler. Il la rattrapa sur sa main, la soutenant de l'autre bras tandis qu'elle le mordait à l'épaule.

Une vague pensée : « Je suis perdue. »

Après une longue minute, le temps de reprendre son souffle, il lui vint à l'esprit qu'elle devrait se dégager. La perspective de croiser le regard du vicomte l'horrifiait, l'humiliait. Mais... était-ce humiliant ? Apprendre sur soi un secret – un secret comme celui-ci, tellement élémentaire, et cependant assez puissant pour la secouer et la laisser toute tremblante –, à son âge. Aurait-elle choisi la lâcheté et fui le vicomte qu'elle ne l'aurait jamais découvert. Le beau monde, correct et policé, dans son entier serait d'accord sur ce point : son corps devait lui rester étranger. Mais le corps du vicomte les avait présentés l'un à l'autre. Et lui n'était pas correct, Dieu merci.

Des larmes lui brûlèrent les paupières, et elle prit une inspiration saccadée. Non, elle ne regretterait rien.

La main de Sanburne remua légèrement, puis se détacha de cet endroit si tendre – lui arrachant malgré elle un soupir déçu –, pour se poser sur son épaule et l'écarter doucement.

— Lydia, vous allez me croire à présent quand je vous dis que vous êtes belle.

Elle inspira – un bref halètement. Elle allait le regarder dans les yeux. Elle lui demanderait de répéter tandis qu'elle observait ses yeux. Et, alors, peut-être que...

Un hurlement monta jusqu'à eux.

Elle sursauta.

— C'était Mme Ogilvie ?

Sanburne tourna la tête.

— J'en ai l'impression.

Un autre hurlement. Puis le bruit de quelque chose qui se brisait.

— Restez là, ordonna le vicomte.

D'une longue enjambée, il atteignit le bord du toit, agrippa le châssis de la lucarne et disparu à sa vue.

Lydia s'apprêtait à l'imiter lorsqu'elle se rappela abruptement qu'elle se trouvait loin au-dessus du sol, et privée d'ailes. Elle s'aplatit contre le côté de la lucarne. Ses membres frémissaient, comme si elle était quelque toupie cessant lentement de tourner.

Les mains tremblantes, elle lissa ses jupes. Le débauché qu'était censé être Sanburne aurait dû savoir qu'il y avait de meilleures façons de courtiser une dame que de la séduire, puis de l'abandonner sur le toit d'un bâtiment.

Elle se concentra sur les rideaux jaunes de la fenêtre au loin et compta ses inspirations. Rapides, superficielles. Le ciel s'assombrissait à présent, comme des nuages se rassemblaient. Il l'avait touchée *là*. Elle l'avait laissé faire. Ç'avait été... magnifique.

S'il pleuvait, le toit serait humide, et s'y déplacer serait encore plus périlleux.

Elle avait compté jusqu'à vingt lorsqu'un hurlement fusa, aigu et féminin :

— *Vous allez le tuer !*

Lydia se mordit une phalange. Son avenir lui apparut en un éclair : un squelette éparpillé sur le toit, oublié de tous parce que le vicomte s'était fait trucider dans la mansarde des Ogilvie tandis qu'elle restait là, pétrifiée par la peur. Une fin justifiée par la débauche qui avait précédé ; les moralistes approuveraient sans aucun doute.

— *Arrêtez !*

Très bien. Elle s'obligea à faire un pas en avant. Au suivant, ses articulations se bloquèrent. Elle avait fait tant de cauchemars dans lesquels elle tombait sans fin, des mains se tendant dans l'obscurité, mais se refermant lorsqu'elle tentait de les attraper. Elle n'arriverait jamais à marcher jusqu'au bord du toit. Essayer de voler aurait été plus facile.

« Lâche », s'insulta-t-elle.

Une bouffée d'air lui échappa. Elle pouvait ramper, après tout. Elle s'accroupit sur les ardoises chaudes et progressa centimètre par centimètre. Atteindre le bord lui prit une éternité. Si elle mourait dans ce quartier, Sophie ne le lui pardonnerait pas. George serait horrifié. Elle se surprit à rire. Quelle optimiste elle était, qui trouvait des raisons de rire à la perspective de sa propre mort.

Arrivée au bord du toit, elle se retourna, s'efforça de se redresser, agrippa le châssis de la lucarne et posa le pied sur le rebord étroit. Quelques pas jusqu'à la fenêtre, si elle parvenait jusque-là. Ses doigts se crispèrent.

Un pigeon se posa là où elle se trouvait un peu plus tôt. Il la fixa de ses yeux ronds en se rengorgeant. Elle eut envie de le chasser d'un geste de la main, mais ses doigts refusèrent de lâcher prise. Qu'importe si l'oiseau sautillait comme un acrobate. Il n'avait pas à se sentir supérieur. Elle était plus grande, et mieux armée pour l'effrayer.

Cette pensée était si ridicule qu'elle sentit ses membres se décrisper. Elle avança rapidement de biais, et se pétrifia en arrivant à la fenêtre. Sanburne avait plaqué Reggie contre le mur – une main à la gorge, l'autre pressée contre son nez. La respiration de Reggie était sifflante, et Mme Ogilvie se cramponnait au bras de Sanburne sans résultat apparent.

L'apercevant, la femme se précipita pour la tirer à l'intérieur. Lydia se retrouva à quatre pattes ; Mme Ogilvie l'aida à se relever en la prenant par la taille.

— Arrêtez-le ! supplia-t-elle d'une voix suraiguë.

Son visage était ensanglanté et l'un de ses yeux était en train d'enfler.

— Il va tuer mon mari !

Lydia se racla la gorge. Le visage de Sanburne était dépourvu d'expression, mais il exerçait une telle pression sur la gorge de Reggie Ogilvie que son bras en tremblait.

— Sanburne, appela-t-elle sèchement.

Il ne parut pas l'entendre. Sa concentration obstinée et muette offrait un contraste glaçant avec les râles étouffés de Reggie. Mme Ogilvie gémit et poussa Lydia en avant. Elle trébucha sur le bas de ses jupes, les yeux rivés sur le vicomte. Il avait une coupure fraîche sur la pommette, mais la chemise de sa victime était couverte de sang, et son nez présentait un angle bizarre.

— Sanburne, arrêtez, s'écria-t-elle, la gorge nouée. Lâchez-le !

Elle posa la main sur son bras.

À son contact, le coude de Sanburne se plia subitement tel un fil de fer qui claque. Reggie s'écroula sur le sol. Écartant Lydia sans ménagement, Mme Ogilvie se jeta à genoux près de lui.

— Il est fou, votre ami ! lui cria-t-elle. *Fou à lier !* Je lui avais dit que j'avais pas besoin d'aide !

— Il vous frappait, dit le vicomte d'une voix atone.

— C'est pas vos oignons ! glapit la femme. Sortez de chez moi !

Enlaçant son mari, elle l'appuya contre sa poitrine.

La bouche de Sanburne se retroussa en rictus, comme chez un homme confronté à ses prédictions les plus cyniques. Il inspira à fond, expira longuement. Lydia était hébétée. Comment avait-elle pu le croire superficiel ? Un homme à deux visages ne l'était pas. C'était à tout le moins la marque classique du traître.

Il tourna son attention vers elle. Le rictus disparut au profit d'un sourire teinté de mépris.

— Vous voilà muette, observa-t-il. C'est une première. On ressent de la compassion envers Moreland à présent, pas vrai ?

Son ton était dénué de sympathie. Il parlait comme si *elle* était à blâmer. Une nausée la saisit. Il l'avait caressée si doucement, lui avait dit qu'elle était belle, avait eu l'air de la comprendre, de l'apprécier. Elle avait été si sûre, pendant quelques minutes, de s'être trompée sur son compte...

Sanburne pivota sur ses talons.

— On y va, lui lança-t-il par-dessus son épaule comme s'il s'adressait à un chien.

Un épagneul, n'avait-il pas dit ? Elle franchit la porte derrière lui, luttant contre l'humiliation. « Je ne me suis pas livrée », se rappela-t-elle. Heureusement. Seule, sa chair avait réagi à ses attentions. C'était tout.

La rampe de l'escalier était rugueuse. Une écharde s'enfonça dans le doigt de Lydia, qui le suça machinalement. Des idées folles lui traversaient l'esprit. Sanburne n'était pas un papillon, mais un prédateur. Elle avait été dupe de la désinvolture affichée, du badinage, des attentions simulées d'un homme malfaisant. Et elle était allée baguenauder en ville avec lui sans se méfier !

Ils dépassèrent le quatrième étage, puis le troisième. L'une des planches du palier était cassée, offrant une vue plongeante sur l'appartement du dessous. Une casserole de soupe cuisait sur le fourneau et une odeur d'oignons lui retourna l'estomac. Non, elle n'aurait pu se tromper davantage sur le compte de quelqu'un.

— Sanburne ! cria-t-elle. Attendez.

Il se retourna brusquement.

— *Quoi ?*

La violence de l'interjection la fit reculer d'un pas. Le visage du vicomte se métamorphosa brusquement. Il porta la main à sa tempe, ferma brièvement les yeux.

— Je suis désolé. Seigneur, je...

Ses phalanges étaient à vif. L'une saignait.

— Lydia, reprit-il d'un ton posé, ne me regardez pas ainsi. Je ne vous ferai aucun mal, vous le savez.

Elle l'avait déjà vu meurtri. Il avait déclaré que le but était de souffrir. Quelle sorte d'homme désirait souffrir ?

— Bien sûr, dit-elle sans conviction.

Il laissa retomber sa main et inspira longuement.

— Vous auriez quelque raison de ne pas me faire confiance. Surtout après ce qui vient de se passer. C'est normal. Je ne peux pas vous le reprocher.

Elle n'était qu'une idiote. Car déjà son instinct la poussait à lui chercher des excuses.

— Vous aviez perdu la tête, hasarda-t-elle.

— Non. Je voulais l'étrangler.

— Mais pas jusqu'à le tuer !

Il eut un rire sinistre.

— Vous voulez vraiment que je réponde à cela.

— Oui, murmura-t-elle.

Il s'affala contre le mur, leva la tête pour fixer le plafond.

— Peut-être, lâcha-t-il enfin. Je ne sais pas.

Il la regarda.

— J'aurais dû le tuer, ajouta-t-il du ton de la conversation.

Elle écoutait un homme parler tranquillement de meurtre. De son désir d'en commettre un. Pourquoi ne s'enfuyait-elle pas ? Pourquoi tout en elle s'inclinait vers lui, avec compassion, avec le désir de le *réconforter* ?

— Ne dites pas cela, souffla-t-elle. Vous ne le pensez pas vraiment.

— Ah bon ? fit-il en haussant les épaules. C'est sa vie à lui contre la sienne à elle. Si elle reste avec lui – ce qu'elle fera –, il la tuera. Elle sortira d'ici dans un cercueil, bien avant le moment qui lui était imparti.

— Vous ne pouvez pas le savoir.

— Si, riposta-t-il. Je le peux.

— Mais… elle ne voulait pas de votre aide.

Le visage du vicomte se ferma.

— Non. Elles ne veulent jamais qu'on les aide.

— Peut-être partira-t-elle de sa propre initiative.

— Elle rampait à ses pieds. Alors qu'il venait de lui flanquer un œil au beurre noir. Ce détail vous a échappé, mademoiselle Boyce ?

Il se moquait d'elle, et peut-être aussi de la femme là-haut. Cette dernière possibilité la mit en colère. Il avait vu cette mansarde. Il savait aussi bien qu'elle qu'aucune belle voiture n'attendait pour emmener Mme Ogilvie en sécurité.

— Chacun est courageux à sa manière, rétorqua-t-elle. Vous ne pouvez reprocher aux gens de ne pas se couler dans votre moule.

Durant quelques instants, il se contenta de la regarder.

— Vous êtes incroyablement naïve, dit-il doucement.

C'est alors qu'un souvenir revint à Lydia. Durant le procès de lady Boland, une rumeur avait circulé, selon laquelle son mari la maltraitait.

— C'est à cause de votre sœur ? demanda-t-elle.

La question agit sur Sanburne comme un tonique. Il cligna des yeux, détourna la tête, et lorsqu'il lui fit de nouveau face, il avait revêtu son masque amusé.

— Quelle fille intelligente vous faites !

Elle se raidit. Il cherchait à la blesser, comme le faisait parfois Sophie lorsqu'elle était confrontée à une vérité désagréable. Réaction puérile, mais qui n'en faisait pas moins mal. Il se remit en marche.

— Attendez, dit-elle.

Il s'immobilisa trois marches plus bas, dans une posture rigide qui ne lui était pas habituelle. Elle rameuta son courage.

— Vous avez raison d'être inquiet, dit-elle au dos du vicomte. C'est très noble. Mais il y a d'autres façons d'aider ces femmes. Vous ne pouvez pas vous contenter d'agresser les maris...

Il se retourna si brusquement qu'elle en tressaillit.

— Je sais *exactement* ce que je peux et ne peux pas faire, répliqua-t-il d'une voix dure. Je vis avec ça tous les jours, mademoiselle Boyce. Je n'en souffre pas, vous l'avez remarqué. Sous-employé et complètement inutile: c'est une belle existence, si on a le compte en banque qui va avec. Alors gardez vos foutus sermons pour ceux qui en ont besoin. Je vous en serais reconnaissant.

Elle ne bougea pas, fixa le mur sans le voir. Au bout d'un moment, le bruit des pas du vicomte lui parvint, assourdi par le battement sourd de son propre cœur. Il s'en allait. Il en avait fini avec elle. Seigneur, elle n'apprendrait donc jamais.

Elle devait le suivre. Elle n'avait pas le choix. Elle avait beau le savoir, ses pieds refusaient de lui obéir. Elle dut faire un effort considérable pour que ses pieds se mettent enfin en mouvement.

Un instant après, elle sortait dans l'air frais. La pluie s'annonça par une goutte sur son nez, puis sur son poignet.

— Je ne voulais pas vous offenser, dit-elle calmement.

— Vous ne m'avez pas offensé, répondit-il d'un ton las. Mais vous avez raison; je suis complètement inutile. Vous devriez chercher quelqu'un d'autre pour vous aider.

Les mots la mirent mal à l'aise. Elle ne l'avait pas traité d'inutile. Mais il avait sans doute raison: lui demander de l'accompagner avait été stupide. Serrant les bras autour d'elle, elle le dépassa et remonta la ruelle, les yeux fixés sur le sol. Le temps qu'ils atteignent le fiacre, la pluie martelait les pavés.

Comme le cocher ouvrait la portière, elle glissa un coup d'œil de biais à Sanburne. Son expression était distante, sa posture réservée ; il semblait infiniment loin, détaché de tout. Dire qu'un quart d'heure plus tôt seulement – mais cela semblait une éternité –, elle était sur le toit avec lui, le soleil brillait, et elle se sentait si insouciante.

Une impulsion la saisit, pas si aberrante que cela. Elle y discernait même une certaine logique : elle ne voulait pas que leurs quelques instants d'intimité n'aient mené qu'à cet éloignement. Cela les diminuerait terriblement. Elle s'entendit demander :

— Nous allons au palais du gin, alors ?

Sanburne la regarda. Son visage demeura indéchiffrable, mais, après une brève hésitation, il haussa les épaules et répondit :

— Pourquoi pas ? Dieu sait qu'un verre ne me ferait pas de mal.

10

Lydia n'en revenait pas. L'envie d'arranger les choses entre Sanburne et elle l'avait entraînée en territoire inconnu. Un palais du gin ! Elle n'avait encore jamais vu un endroit pareil, ce qui semblait être moins la conséquence d'une vie réglée que celle du hasard. Car un tel bâtiment ne pouvait passer inaperçu. Trois étages de moulures dorées, tel un château de conte de fées dressé en plein taudis. Mais elle doutait qu'aucun château ait jamais émis une telle puanteur : alcool et huile de friture.

À l'intérieur, la chaleur et le bruit la frappèrent de plein fouet. La longue salle était bondée : les clients criaient, riaient, s'assénaient de grandes claques amicales, trinquaient, tapaient sur le comptoir, piétinaient lourdement. Des ouvriers vêtus de vêtements grossiers côtoyaient des employés en costume. La femme au boa pendillant et à la figure peinturlurée ne surprit pas Lydia. En revanche, la petite dame d'un certain âge à la robe modeste qui buvait un verre avec son mari lui parut s'être trompée d'endroit. Quelques mètres plus loin, deux filles aux robes rapiécées flirtaient avec un jeune homme, aucun des trois n'ayant l'air d'avoir plus de dix-sept ans. Ils étaient si pâles que l'on ne pouvait que regretter qu'ils ne dépensent pas leur argent en nourriture. Mais ils riaient de si bon cœur que Lydia se sentit sourire. Surprise, elle porta la main à sa bouche.

— L'alcoolisme ne connaît pas les barrières de classes, observa-t-elle.

Sanburne eut un rire bref.

— Parce que selon vous ce sont *tous* des alcooliques ?

— Pourquoi, autrement, consommeraient-ils un alcool aussi nuisible à la santé à cette heure de la journée ?

— Par ennui ? Pour passer une heure de façon agréable ?

— Agréable ? En s'empoisonnant le cerveau ?

— Vous en parlez en femme qui ne s'est jamais enivrée.

— À vous entendre, on dirait que c'est un défaut.

— Et si je dis que c'est le cas ? fit-il en arquant un sourcil.

— Alors, je vous rappellerai que je n'ai jamais eu besoin d'une inconnue pour remettre en place ma tournure, riposta-t-elle en arquant un sourcil en réponse.

Il parut surpris, puis, au bout d'un moment, sourit. Un petit sourire tout simple, et cependant appréciateur. Son cœur se mit à cogner fort.

« Arrête, se tança-t-elle. Tu ne connais pas les règles de ce petit jeu. Tenter de lui plaire est d'une stupidité sans nom. » Elle le contourna et se dirigeait vers le bar quand un homme qui portait un panier de moules frites se mit en travers de son chemin. Les deux jeunes filles bondirent, tendirent une pièce en échange d'un cornet graisseux en papier journal. Elle fut heureuse de les voir manger.

La main de Sanburne se referma sur son coude. Elle se laissa guider dans la foule, se tordant le cou pour en voir le plus possible. Les palais du gin étaient réputés être des lieux de perdition où de pauvres hères achevaient de se détruire, pourtant, la salle était aussi resplendissante que le vestibule d'un opéra. Des lampes à gaz en verre et cuivre jaillissaient du mur, telles des fleurs exotiques. Les moulures du plafond étaient dorées, et des chérubins s'inclinaient gracieusement aux angles. Derrière le comptoir, de vastes miroirs réfléchissaient les lumières.

Et puis il y avait le gin. Les barils étaient empilés derrière le comptoir, chacun peint en verre et or, et portant une inscription manuscrite. *La crème des crèmes. Le coup de fouet. La rosée de Ben Nevis. La gnôle de papa…*

— Que signifient les chiffres écrits à la craie ? s'enquit Lydia en désignant les barils.

— Le nombre de gallons restants. Des tuyaux encastrés vont jusqu'au comptoir. Le barman n'a qu'à abaisser la bonne manette pour remplir une chope.

Elle voulut observer la manœuvre, mais fut distraite par les minuscules trous qui formaient un motif de fleurs et de vigne sur le dessus du comptoir.

— C'est pour récupérer le gin renversé, expliqua Sanburne. Il est vendu à bas prix sous le nom de « doux mélange ». Vous voulez essayer ?

— Non, merci, fit-elle avec une grimace.

— Qu'est-ce que ça sera ?

La question venait d'un géant en casquette de fourrure, qui les observait avec désinvolture de derrière le comptoir. Il mâchonnait une paille et portait une fleur en papier fichée derrière l'oreille.

— Six pence de « Old Tom » pour moi, répondit Sanburne, et une « Crème des crèmes » pour la dame.

— Je ne le boirai pas, lui chuchota Lydia qui estimait plus prudent de ne pas proclamer publiquement son dégoût.

Lorsque le barman leur tendit leurs boissons – après avoir mordu dans la pièce de Sanburne –, elle demanda :

— Nous cherchons Mlle Polly Marshall.

L'homme haussa les épaules.

— Je leur demande par leurs noms avant de les servir. Bonne chance quand même.

Ils s'éloignèrent du comptoir et empruntèrent un passage voûté qui menait à une autre salle. La foule était tout aussi dense, mais il n'y avait pas trace de la femme dont Lydia avait vu le portrait. La dernière pièce était plus petite ; des banquettes recouvertes de peluche rouge couraient le long des murs qu'ornaient des fresques inspirées de la mythologie grecque. La qualité des peintures la surprit. Combien de personnes venaient ici, pas seulement pour le gin, mais aussi pour oublier un instant l'environnement sinistre dans lesquelles elles vivaient ? se demanda-t-elle.

Une fois assis, Sanburne avala une lampée de gin. Lydia attendit qu'il parle, mais il se contentait de regarder autour de lui d'un air maussade. Un silence inconfortable tomba entre eux. Elle découvrit, non sans un léger embarras, ce qui la tracassait : jusqu'à présent, il l'avait regardée avec attention, et intérêt – comme si rien d'autre n'existait. Et elle avait fini par y prendre goût.

Il surprit son regard. Elle ouvrait la bouche pour faire quelque remarque, mais il la prit de vitesse.

— Je vous dois une excuse.

Faisait-il allusion à la scène sur le toit ou à celle dans l'escalier ? Hésitant entre la peine et la curiosité, elle répondit :

— Je vous en prie, parlons d'autre chose.

— Non. Vous aviez raison tout à l'heure. Quand vous avez parlé de ma sœur.

Elle leva les yeux juste à temps pour voir sa bouche s'incurver. Elle n'aurait pu appeler cela un sourire.

— Je suis sûr que vous avez entendu l'histoire.

— Un peu, admit-elle.

— Les journaux ont passé sous silence le plus important. À savoir que Boland était une foutue ordure.

Le vocabulaire la fit rougir.

— Il la battait, et je ne pouvais rien faire, poursuivit-il en passant le doigt sur le bord de son verre. La mettre à l'abri était impossible. À la fin pourtant, elle voulait s'enfuir. À l'époque, je n'avais pas grand-chose à lui offrir. Ni usine ni héritage. La pension que me versait Moreland aurait pu lui permettre de vivre sur le continent, mais pas dans le luxe auquel elle était habituée. Et elle ne se voyait pas affronter la pauvreté, même si j'étais prêt à la partager avec elle.

Il eut un rire bref.

— Stella a toujours été très douée pour dépenser de l'argent.

— Et votre père ? hasarda Lydia. Il ne pouvait pas l'aider ?

Au lieu de répondre, il vida son verre et fit signe qu'on lui en apporte un autre.

— Vous allez vous enivrer, observa-t-elle, inquiète.

— Malheureusement, non. Ces derniers temps, je n'arrive pas à dépasser une plaisante hébétude.

— Alors, peut-être devriez-vous cesser de boire.

Le barman lui apporta un verre.

— Peut-être, répondit Sanburne. Et, non, mon père ne l'a pas aidée. Les ragots sur le mariage de Stella avaient des conséquences quant à ses alliances politiques. Il lui a dit de retourner chez Boland, et m'a ordonné de ne plus m'en mêler. C'était une histoire entre mari et une femme. Boland était un gentleman, et Stella avait tendance à dramatiser.

Il s'empara de son verre.

— J'ai proposé à ma sœur de tuer son mari. Mon erreur a été de ne pas insister quand elle a refusé. Il est plus difficile d'enfermer un héritier qu'une femme.

Son visage était si sombre. Toutes les répliques auxquelles songeait Lydia lui semblaient vaines.

— Vous avez essayé de l'aider, dit-elle finalement. Vous n'avez rien à vous reprocher.

— Oh, je ne me reproche rien, répondit-il d'un ton léger. C'est lui que je blâme. Moreland.

La gorge de Lydia se serra. Comme ce devait être terrible de haïr son père !

— Mais il n'avait pas idée de ce qui se passait, dit-elle. Il était persuadé qu'elle ne risquait rien. Pensez combien ça a dû être atroce lorsqu'il s'est rendu compte qu'il s'était trompé.

— Il ne s'en est *jamais* rendu compte.

— Sanburne, sûrement…

— Non.

Il lui adressa un sourire triste. La lumière violente mettait son physique en valeur, soulignant les mèches plus claires de ses cheveux et l'ossature de son visage. En cet instant, son regard était celui de quelqu'un d'infiniment plus âgé.

— Moreland croit vraiment que Stella est folle. J'ai essayé par tous les moyens possibles de la faire sortir de ce fichu asile. Mais il l'y maintient. Je pense qu'il est convaincu que Boland n'a levé la main sur elle qu'une seule fois, la dernière. Et ainsi il la laisse pourrir là-bas.

Elle sentit dans sa voix que son mépris ne s'adressait pas seulement à son père.

— Ce n'est pas votre faute.

— Voilà qui est savoureux, venant d'une femme qui s'aventure dans un palais du gin pour racheter les erreurs de son père.

— Même si l'envoi des faux était dû à une erreur de sa part, je ne me sentirais pas coupable, assura-t-elle. Mais c'est votre cas. Pourquoi sinon faire toutes ces choses idiotes ? Pourquoi vous faire rouer de coups dans l'East End ?

Sanburne lui décochant un regard glacial, elle ajouta d'un ton tranchant :

— Si mon opinion vous dérange, il fallait vous taire. Vous avez dit que vous aimiez souffrir, non ? Vous vous comportez comme un enfant qui cherche à contrarier son père et à se punir lui-même. Cela confirme ma première impression de vous, Sanburne. À savoir que tout ceci est d'une banalité extrême, et d'une stupidité sans nom.

Il lâcha un soupir et but une grande rasade.

— Eh bien... Moi qui pensais boire un verre en compagnie d'une amie, voilà que je récolte un sermon.

— Je vous aime bien, commença-t-elle, tout en s'interrogeant sur la sagesse d'un tel aveu. Mais je trouve difficile de vous respecter. Vous avez un grand potentiel que vous gâchez avec détermination.

— Un grand potentiel, répéta-t-il. Oui, sans doute. Je vais me retrouver à la tête de cent mille hectares avant d'avoir cinquante ans. Pensez au nombre de moutons que je vais pouvoir élever.

— Je trouve comme vous que s'apitoyer sur soi-même est déplaisant.

— Pourtant, vous êtes douée pour cela. Comment appelle-t-on cela, Lydia, lorsqu'une femme fascinante se voit en bas-bleu laide et ennuyeuse ?

— Ne flirtez pas. Nous parlons sérieusement.

— C'est plus fort que moi. Votre stupidité est une provocation.

Elle baissa la tête pour dissimuler le petit sourire qui tentait de fleurir sur ses lèvres. Étrange qu'elle puisse écouter les accusations du vicomte sans en prendre ombrage. De l'index, elle caressa le dessus de la table. Quelqu'un avait gravé ses initiales dans le bois : *DSR Août 81*. Les incisions étaient profondes. Ce n'était pas le travail d'un soir, mais celui de plusieurs longues soirées. Pourtant, la table serait poncée tôt ou tard. Le graveur avait dû y penser, alors même qu'il s'échinait.

L'idée la chagrina. Tout le monde voulait laisser une trace quelque part, même les clients d'un palais du gin. Mais la plupart ne laisserait leur nom que sur une tombe.

— Vous avez tellement de choix possibles, dit-elle. L'élevage des moutons n'est pas le plus important.

— Oh, je ne suis pas entièrement inutile. Mes usines ne sont pas…

Comme il s'interrompait, elle lui adressa un regard interrogateur. Il secoua la tête.

— Cela ne m'ennuierait pas d'avoir votre respect, Lydia. Mais pour être franc, je ne pense pas avoir envie de me donner le mal de le mériter. Cela bouleverserait mes habitudes, voyez-vous.

La remarque n'était sans doute pas destinée à être cruelle, mais elle fit à Lydia l'effet d'un coup de fouet.

— D'accord, répliqua-t-elle ave brusquerie. Et moi, je n'ai certainement pas l'intention d'essayer de vous distraire.

Puis, cherchant à feindre l'aisance et oubliant la nature du liquide contenu dans son verre, elle porta celui-ci à ses lèvres.

Sa bouche s'embrasa. Le souffle coupé, s'étranglant à demi, elle reposa son verre. Ses doigts se refermèrent sur le bord de la table tandis qu'elle s'efforçait de ne pas recracher le liquide.

Sanburne réussit admirablement à retenir un éclat rire.

— Alors, la crème des crèmes ? Crémeuse ou pas ?

Le liquide traça un chemin de feu jusque dans l'estomac de Lydia. Une fois là, l'incendie se transforma en une sensation pas désagréable. Était-ce cela que les gens cherchaient en buvant du gin ?

— Pas crémeuse *du tout*.

Il affichait un petit sourire narquois, à présent. S'il ne voulait pas se donner le mal de mériter son respect, elle n'avait pas besoin de mériter le sien. Elle avala une autre gorgée de gin. Celle-ci descendit plus facilement. L'amertume s'accordait bien à son humeur.

— C'est plus comme un charbon ardent, décida-t-elle.

— Certes, mais « braise sortie du feu » sonne assez mal, non ?

Elle laissa échapper un gloussement. Choquée, elle frôla ses lèvres. Oui, le son était bien sorti de sa bouche.

— Serais-je déjà ivre ?

Il sourit.

— Hautement improbable. Pourquoi ? Vous avez l'intention de l'être ?

Elle s'apprêtait à répondre lorsqu'elle repéra la femme du dessin – une petite brune au regard rusé.

— C'est elle, dit Lydia en se levant. C'est Mlle Marshall.

Rien dans l'allure de Polly Marshall n'évoquait les galetas et les voleurs. Elle les salua aimablement, et fit montre d'une surprise polie lorsqu'elle apprit le rang de Sanburne.

— Quelle plaisante compagnie pour une conversation, commenta-t-elle en désignant une banquette où tous trois pourraient prendre place.

Elle s'assit et, d'une torsion du poignet, disposa ses jupes avec élégance.

Son accent ne correspondait pas au milieu dans lequel elle avait grandi. M. Hartnett y était sûrement pour quelque chose.

— Quelle bonne fortune. La route a été difficile pour venir jusqu'à vous, mademoiselle Boyce.

Cela ne sonnait pas comme l'entrée en matière d'un chantage.

— J'espère que vous m'expliquerez pourquoi, mademoiselle Marshall, répondit Lydia.

Polly Marshall but une généreuse gorgée de gin et reposa son verre un peu trop bruyamment.

— Pardon, murmura-t-elle.

Ses doigts tremblaient, nota Lydia.

— Je voudrais ma part, lâcha-t-elle. Je la mérite.

— Je ne comprends pas, dit Lydia d'un ton hésitant.

— Soyons francs, mademoiselle Boyce. L'affaire a été fructueuse tant qu'elle a duré. Et je n'insisterais pas s'il m'avait laissé quelque chose. Mais onze ans de bons et loyaux services, comme dans un mariage, et qu'est-ce qu'il me laisse ? Des clous. Je mérite quelque chose, vous ne trouvez pas ?

Lydia ne sut que répondre.

— Soyez plus précise, madame, intervint Sanburne. *Que* méritez-vous ?

— Juste une ou deux.

Mlle Marshall jeta un regard autour d'elle, puis se pencha et ajouta sur le ton de la confidence :

— Je les vendrai pour m'installer à la campagne. Vous faites une bonne affaire, mademoiselle – et, moi, on me doit quelque chose.

Abasourdie, Lydia secoua la tête.

Fronçant les sourcils, Polly Marshall se redressa.

— Ne refusez pas. Vous ne me laisseriez pas le choix. J'ai un ami journaliste qui sortirait toute l'histoire.

Toute l'histoire ?

Sanburne lui agrippa le poignet.

— Vous voulez dire que vous désirez l'un des faux ?

— Des faux ? Oh, je vois ! C'est ce qu'ils utilisaient. Malin. Mais non, je ne saurais qu'en faire. Je veux une ou deux pierres précieuses.

L'espèce d'engourdissement qui s'était emparé de Lydia se dissipa.

— Êtes-vous en train d'insinuer que mon père est un *voleur* ?

— Grands dieux ! s'écria Polly Marshall en laissant échapper un bref rire étranglé. Ne me dites pas que vous ne le saviez pas ?

Lydia bondit sur ses pieds. Cette femme *riait* ?

— J'ignore ce que vous espérez tirer de ces mensonges.

Elle parlait très calmement. Cette catin ne méritait pas qu'elle se fatigue à crier.

— Si vous reprenez de nouveau contact avec moi, je porterai plainte pour tentative d'extorsion.

Sanburne la rattrapa alors qu'elle se dirigeait au pas de charge vers la salle de devant.

— Lydia. Nous devrions peut-être l'écouter jusqu'au bout.

— L'écouter jusqu'au bout ? répéta-t-elle en faisant volte-face. Elle a traité mon père de voleur !

— Elle est au courant de l'existence des faux, observa-t-il posément. Comment le serait-elle si Hartnett ne les attendait pas ?

En effet. Comment la maîtresse de Hartnett pouvait-elle être au courant ? Lydia prit une courte inspiration.

— Hartnett aurait organisé les substitutions ? Mais pourquoi ? C'était le meilleur ami de papa.

— Lydia, soupira le vicomte, l'air subitement las, vous êtes une femme intelligente. Vous avez dit que votre père avait besoin de beaucoup d'argent pour ses projets. Vous n'avez vraiment pas envisagé la possibilité qu'il puisse être impliqué dans cette histoire ?

Elle ouvrit la bouche pour rétorquer. La referma.

Peut-être n'avait-il pas besoin de mériter son respect pour obtenir son amitié, songea-t-elle. Après tout, que ses paroles les plus dures aient perdu leur pouvoir de blesser, n'était-ce pas la preuve d'une grande intimité ?

— Tous les pères ne sont pas comme le vôtre, Sanburne, murmura-t-elle.

Un muscle palpita sur la joue du vicomte.

— Cela n'a rien à voir avec Moreland. C'est une question de faits et de logique. L'explication la plus simple désigne votre père.

Elle l'étudia un instant, puis sourit. Ceci pouvait être une leçon pour le vicomte, une leçon dont il avait besoin.

— L'explication la plus simple n'est pas toujours la bonne. Mais vous avez raison, pourquoi spéculer alors que nous pouvons examiner les faits par nous-mêmes ? Vous pensez qu'il y a des diamants dans ces faux ? Eh bien, venez avec moi, dit-elle lui saisissant le poignet.

— Pour faire quoi ?

— Réduire en miettes ma naïveté, ou votre cynisme.

Les maisons bordant Wilton Crescent étaient aussi silencieuses que des tombes dans la lumière du crépuscule. Les portes fermées évoquaient des bouches hermétiquement closes entre les deux yeux des lampes à gaz qui les flanquaient. Telles les lumières des farfadets qui attiraient les voyageurs dans les marais, ces lampes suggéraient qu'il suffisait de frapper pour être invité à prendre le thé. Lydia savait qu'il n'en était rien, bien sûr. Les invitations qu'elle recevait étaient faites par politesse envers George et Sophie, et dans l'idée implicite qu'elle devrait se faire la plus discrète possible. Elle prenait donc un grand risque en amenant Sanburne chez elle. Mais pour qui prendre des risques sinon pour ses amis ?

Dans le vestibule, sa requête surprit le majordome.

— J'ai besoin d'un marteau, Trenton. Et faites transporter dans le jardin la caisse qui se trouve dans mon dressing-room.

Elle emmena Sanburne dans le petit enclos dallé entouré d'arbustes. Si elle avait l'estomac noué, c'était à cause de lui, et non pas à cause des mensonges de Polly Marshall. *Ne me dites pas que vous ne le saviez pas.* Coïncidence morbide, c'étaient les mots (le tutoiement en plus) qu'avait prononcés Sophie quatre ans plus tôt en trouvant Lydia en pleurs dans le salon que George venait de quitter. Oui, à cette époque, elle avait été naïve et sotte, mais aujourd'hui, elle n'était ni naïve ni sotte d'avoir foi en son père.

— Vous n'êtes pas obligée de faire cela, dit Sanburne.

Si, elle le devait

Le ciel jaunâtre était traversé de nuages minces qui ressemblaient à des traînées de boue : le coucher de soleil vu à travers la fumée de charbon. Le jardin avait l'air d'être éclairé par la lumière électrique, et les bancs de pierre et le sentier de gravier ressemblaient au décor d'une pièce. Il ne manquait plus que les comédiens.

Un valet les rejoignit, portant une caisse. Trenton suivait avec un marteau. Après les avoir congédiés, Lydia sortit la stèle qu'elle déposa sur le sol.

— Vous remarquerez que la pierre est d'un seul bloc. Je ne vois pas comment on aurait pu introduire quelque chose à l'intérieur.

Sanburne s'accroupit près d'elle.

— Cela semble improbable, en effet... Mais vous n'êtes pas obligée de faire cela, répéta-t-il. Pas pour moi.

Sa neutralité le trahissait : il croyait Polly Marshall.

— Vous pensez que la confiance requiert des preuves, dit-elle. Eh bien, je vais vous fournir une preuve.

Le regard gris du vicomte accrocha le sien.

— C'est donc important pour vous que j'aie confiance en vous ?

Le cœur de Lydia manqua un battement.

— Si nous devons être amis, la confiance est une condition *sine qua non*.

— Alors va pour le marteau.

Elle leva le bras, mais sa prise se desserra si bien qu'elle dut le baisser de peur que le marteau lui échappe. Cette démonstration de faiblesse était vraiment malvenue !

— Vous voulez que je m'en charge ? risqua le vicomte

— Non, c'est à moi de le faire, répondit-elle fermement.

Elle leva de nouveau le marteau.

— Protégez-vous le visage, l'avertit-elle.

Puis, fermant les yeux, elle abaissa l'outil.

Un petit morceau de pierre vola, heurta la balustrade. La stèle n'était pas creuse. Elle se sentit sourire.

— Vous voyez ?

— Je vois, murmura-t-il.

Plus sûre de sa technique, elle asséna de nouveau un coup de marteau, qui sonna comme une détonation. Lorsqu'elle rouvrit les yeux, le soulagement l'envahit, aussitôt suivi d'une espèce de choc.

— Uniquement de la pierre, dit-elle d'une voix que la honte faisait légèrement chevroter.

— Pas précieuse, acquiesça-t-il d'un ton songeur, en la dévisageant, elle, ce qui la mit mal à l'aise.

— Ce n'est pas moi qu'il faut regarder, mais la stèle, fit-elle sèchement.

Encore un coup. La pierre était têtue, jalouse de son intégrité ; à ce rythme, il faudrait une heure pour la détruire. Elle s'apprêtait à taper dessus une troisième fois, lorsque Sanburne lui agrippa le poignet.

— Ça suffit.

Elle secoua la tête. Elle ne pourrait s'arrêter avant d'avoir achevé sa destruction, et prouvé qu'elle avait raison – non à lui, mais à elle-même et au petit démon dubitatif qui grimaçait dans son cerveau et qu'elle aimerait pouvoir réduire pareillement en miettes.

La colère ranima ses forces : encore et encore elle frappa, jusqu'à ce qu'ils soient entourés de débris de pierre et que ses bras soient douloureux. Elle se rassit sur ses talons, haletante.

— Encore une minute, balbutia-t-elle.

Le regard patient de Sanburne était exaspérant. Comment osait-il avoir l'air aussi peu intéressé par l'issue de cette tâche ?

— Encore une minute, répéta-t-elle, et vous ne pourrez plus douter, n'est-ce pas ?

Il s'agenouilla et se glissa derrière elle. Sentant son torse se presser contre son dos, Lydia tenta de le repousser d'un mouvement d'épaules, mais il émit un petit bruit apaisant – le genre destiné à rassurer un chiot –, et ses mains glissèrent lentement le long des bras de Lydia jusqu'à entremêler ses doigts aux siens.

— Nous le ferons ensemble, murmura-t-il. C'est logique, non ? Faire cela ensemble, comme des amis.

Il rit et pressa brièvement sa joue, qu'un début de barbe rendait râpeuse, contre la sienne.

— Oui, chuchota-t-elle.

Elle souleva le marteau. Les doigts du vicomte se refermèrent sur les siens et ses bras se bandèrent, si bien que l'outil retomba avec force. La violence de l'explosion la fit tressaillir.

— Fini, dit-il en l'embrassant dans le cou. Et pas un diamant en vue. Vous voilà tout à fait vengée, mademoiselle Boyce.

Elle ouvrit les yeux. Les gravats recouvraient le sol du petit patio. Sa victoire reposait dans ces débris. Comme c'était étrange. Plus étrange encore de compatir avec les morceaux de pierre. Elle s'était toujours considérée comme le roc de son père, d'une loyauté à toute épreuve. Découvrir qu'il n'en était rien l'ébranlait, la laissait comme mutilée. Incomplète. Elle frissonna et Sanburne resserra son étreinte. Il savait. Il avait compris. Dieu merci, il ne dit rien.

« Je pourrais lui en vouloir », songea-t-elle. D'avoir insinué le doute en elle. « Vous n'êtes pas obligée de faire cela », avait-il dit, mais peut-être fallait-il comprendre : « Vous ne devriez pas faire ça. » Après tout, il en savait plus qu'elle sur l'amour. Il savait ce qu'on éprouvait lorsqu'on avait trahi un être cher. Et sans doute avait-il voulu lui épargner cela.

Un étrange sentiment naquit en elle – mélancolie, gratitude et allégresse mêlées. Elle n'avait pas eu tort de se fier à lui, n'est-ce pas ? Cédant à une impulsion, elle pivota et lui fit face. Elle posa la main sur sa joue, le pouce sur sa bouche, l'index sur la tempe. Un inconnu ne devinerait jamais quel abîme d'obscurité se dissimulait derrière cette séduisante façade. Mais elle n'était plus une inconnue pour lui à présent. « Je pourrais l'aimer », se dit-elle. À la place, elle murmura :

— Merci.

Puis elle l'embrassa.

Il fut pris au dépourvu. Puis il émit un murmure approbateur et glissa la main derrière la nuque de Lydia. Sa bouche avait un léger goût de gin mais, grâce à une étrange alchimie, c'était délicieux. Les domestiques ! Elle s'autorisa quelques secondes supplémentaires de plaisir avant de s'écarter.

— On va nous voir, souffla-t-elle.

Elle espérait à demi qu'il ne tienne pas compte de son inquiétude. Mais il hésita, puis hocha la tête. Jetant un regard vers la porte, il se redressa. Cet inhabituel souci des convenances la déconcerta. Apparemment, la maison de Southerton imposait plus de prudence que le toit d'un taudis. Il était vrai que si on les surprenait en train de s'embrasser, il risquait d'être obligé de la demander en mariage.

Pourquoi n'était-il toujours pas marié ? se demanda-t-elle soudain, comme ils rentraient dans la maison. Elle avait consulté le registre de la noblesse (en se moquant d'elle-même) ; il avait déjà trente ans et le comté avait besoin d'un héritier…

Mais c'était précisément la raison, devina-t-elle. Demeurer célibataire était un moyen supplémentaire de blesser son père. Comme ils passaient devant le miroir au pied de l'escalier, elle aperçut son sourire amer. Fallait-il qu'elle soit sotte. Bâtir des châteaux en Espagne, vraiment ! Sanburne avait été très honnête avec elle. Il revendiquait son statut de bon à rien. Au fond, la rumeur de ses fiançailles avec Mme Chudderley était aussi pratique pour lui que pour cette dame.

Comme il mettait son chapeau, elle le remercia pour son aide. Il ouvrit la bouche pour répondre puis, après un regard au majordome, il s'inclina et prit congé.

Tout en le regardant s'éloigner, elle songea à sa conduite avec elle chez son père. Il ne s'était pas soucié qu'on les voie ensemble. Il devait l'aimer beaucoup, finalement, pour s'efforcer d'éviter une situation où il devrait la rejeter publiquement. Car il n'aurait pas d'autre choix. *Mon père vous trouve très raisonnable*. Si elle avait été une vulgaire catin, peut-être aurait-elle eu une chance.

N'était-ce pas stupéfiant ? Un mois plus tôt, elle n'aurait pu imaginer qu'apprendre à comprendre un homme était le meilleur moyen de ne pas s'en éprendre.

11

La foule des spectateurs n'était pas d'humeur patriotique. Lorsqu'une jolie blonde monta sur scène pour entonner *Vive l'Empire*, des sifflements couvrirent sa voix. Un verre s'écrasa sur les draperies écarlates derrière elle. Rougissante, elle s'inclina et disparut entre les rideaux. L'orchestre, se rendant soudain compte qu'il n'avait plus personne à accompagner, s'arrêta sur quelques notes isolées.

Des protestations fusèrent. Les lampes électriques se rallumèrent, éclairant une mer de têtes agitées. De sa loge du quatrième étage, James aperçut un jeune homme qui vomissait derrière un pilier. D'autres grimpaient sur les épaules d'amis pour réclamer le numéro suivant. Les sièges crème et dorés seraient souillés de milliers d'empreintes avant que la nuit s'achève.

Il jeta un coup d'œil à Phin qui, moins d'une heure auparavant, s'était envoyé des rasades de whisky tel un soldat avant la bataille. Il était à présent affalé dans son fauteuil, le menton sur la poitrine.

— Il est mort ? s'enquit Dalton.

James se pencha et secoua l'épaule de Phin.

— La fête commence, Phin, annonça-t-il comme son ami demeurait inerte. On va avoir une émeute.

Dalton se pencha par-dessus James pour hurler :

— Ça va chauffer, mon vieux !

— Bon Dieu ! s'exclama James en le repoussant. C'est mon oreille, Dalton, pas un porte-voix !

— Pourquoi est-ce qu'il est venu, s'il voulait faire la sieste ? commenta Dalton en se rasseyant. Triste spectacle. Tout ce que je demandais, c'était une fête. Ce n'est pas tous les jours qu'un homme devient riche... C'est une fête, Ashmore ! cria-t-il en se penchant vers ce dernier.

Phin bâilla. Dalton se tourna pour se plaindre à Tilney. L'un des yeux de Phin s'ouvrit : il sourit à James avant de se rendormir.

À quoi diable jouait-il ? s'agaça James. Le rôle du bon à rien ne lui convenait pas. Et s'il avait décidé de s'inventer un nouveau personnage, il aurait pu au moins faire preuve d'un peu d'imagination. James était déjà trop fatigué de lui-même pour assumer une doublure.

Se penchant sur Phin pour le raisonner, il détecta une odeur douceâtre. L'opium, une fois de plus. Seigneur !

— Le gin serait un maître moins exigeant, murmura-t-il. Même l'arsenic t'agresserait moins le cerveau.

Un bref instant, il sembla que Phin ne répondrait pas. Puis il se décida :

— C'est vrai. Mais ne t'inquiète pas pour moi.

— Mais si, voyons. Il faut arrêter ça.

— Je ne peux pas en discuter maintenant.

— Moi si. Depuis que tu as hérité du titre...

Phin ouvrit les yeux.

— Tu as un miroir, James ?

Touché.

Il s'adossa à son siège. Autrefois, il aurait insisté. Il aurait répliqué : « Oui, à la réflexion, moi aussi, j'ai fait un beau gâchis de ma vie. » Il aurait exigé des réponses. À une époque, ils avaient été plus proches que des frères. Puis leurs chemins avaient divergé, et la nécessité avait poussé Phin à plus de réserve. C'était du moins ce que James avait supposé. Mais maintenant il était fichtrement clair que Phin *choisissait* de maintenir cette distance. Tant pis. Pourquoi accorderait-il sa confiance à qui la lui refusait ?

Sur scène, les rideaux s'ouvrirent sur M. Campbell, un petit homme rond à l'air jovial. Ses yeux parcoururent l'assistance tandis qu'il saluait de la tête. Puis, sans plus de cérémonie, il se lança dans une chanson entraînante dans laquelle il dénigrait l'aristocratie.

Dalton lâcha un juron. Quatre étages n'offraient pas assez de sécurité ; il entreprit d'ôter ses boutons de manchette en diamant.

— On n'aurait jamais dû venir directement ici en sortant du dîner, marmonna-t-il. Il ne fait pas bon se promener en queue-de-pie.

— Tu as peur de quelques Irlandais ? ricana Tilney, affalé dans un fauteuil, les bottes reposant sur le balcon.

Une danseuse rousse qu'il avait trouvée en train de déambuler durant l'entracte était coincée sous son bras. Elle avait les yeux rivés sur les diamants des boutons de manchette de Dalton.

James donna un coup de coude à celui-ci, et désigna la fille du menton.

— C'est fou ce qu'ils brillent, murmura-t-elle.

— Ils te plaisent, chérie ? Tiens, fit Dalton en les fourrant dans la main de la fille. Où est le garçon ? Je prendrais bien un autre verre.

— J'y vais, proposa James.

Il avait beau boire avec assiduité depuis le dîner, son cerveau demeurait peu imaginatif, et sa vision n'était pas encore brouillée. Autant passer à la vitesse supérieure.

— C'est ce qui s'appelle se rendre utile, approuva Dalton. Prends-en de la graine, Ashmore.

James contourna la forme immobile de Phin et sortit dans le corridor étouffant. Les murs étaient recouverts de velours brun, et des appliques disposées à intervalles réguliers jetaient de petites flaques de lumière. Les propriétaires avaient beau affirmer que le bâtiment était ininflammable, une odeur de brûlé flottait, comme si les fils électriques s'étaient emmêlés.

Il pensait rejoindre rapidement le foyer où les détenteurs des billets les moins chers achetaient leur gin. Mais, en proie à un étrange malaise, il s'arrêta et demeura les yeux rivés sur l'endroit où le couloir disparaissait dans l'ombre. Contrastant avec l'architecture mauresque du théâtre où chaque espace disponible scintillait de doré et de miroirs, ce bout de couloir avait quelque chose d'effrayant. Silencieux, sombre, calme. L'endroit adéquat pour savourer l'ennui. Et Dieu qu'il s'ennuyait !

Lydia Boyce. Elle le hantait. Une semaine s'était écoulée depuis qu'ils s'étaient vus. Elle n'était pas venue à la garden-party des Spencer, ni au raout des Elmore, pas même à la soirée musicale des Mowbray. Pourquoi diable s'était-il rendu à des événements aussi idiots ? Pour la croiser ? Cette possibilité ne le troubla pas. Il était d'humeur à subir des reproches, un sermon dans la pénombre d'un corridor, un autre baiser, et plus peut-être. Il s'était promené ici et là, attendant de la voir apparaître. Il saurait la distraire, il n'en doutait pas. Sauf qu'elle n'avait pas l'air de vouloir qu'on la distraie. Elle s'était enfuie dans les Chilterns, chez les Pateshall, avait-il découvert grâce à une lettre d'Elizabeth qui lui décrivait la « sérénité » de sa Némésis. Sérénité ? Le mot ne convenait pas à ce qu'il savait de Lydia.

Si nous devons être amis... Impossible. Il avait tout fait pour qu'elle le méprise. Il avait failli tuer un homme devant elle. Son expression lorsqu'il avait lâché ce fumier lui avait fait l'effet d'une gifle. Elle le regardait comme s'il était l'une de ces brutes qui laissent leur femme inconsciente au pied de l'escalier. Stella avait dû avoir la même expression, durant ses dernières semaines auprès de Boland.

Et ensuite, pour une raison inconnue, elle lui avait pardonné. Il en avait été sidéré. Plus tard, devant les débris de la stèle, elle avait posé sur lui un regard plus émerveillé encore que celui d'un nouveau-né. Il aurait fait n'importe quoi pour elle, à ce moment-là. Elle ne devrait pas lancer de telles invitations avec ses yeux. Quelqu'un devrait la prévenir. On pouvait passer du désir à la peur, et revenir en arrière. Mais on ne passait pas de la peur à l'amitié en l'espace d'une journée. On avançait prudemment. On exigeait des garanties. Si son fichu père était le héros qu'elle pensait, il aurait dû lui enseigner ces choses. Mais non. Elle était encore plus naïve que Stella. Pensée terrifiante.

Dalton voulait un verre.

Il se remit en marche. Le foyer était bondé. Il joua des coudes jusqu'au comptoir où une barmaid hérissée de plumes flétries servait pour six pence de gin. Deux filles gloussantes lui tapotèrent le bras et réclamèrent un verre. Il le leur offrit, mais refusa qu'elles l'accompagnent dans sa loge. Il se sentait curieusement distant de lui-même, comme s'il s'observait d'en haut. Trop habillé, un sourire narquois sur les lèvres : avec quelle classe il s'échinait à ne rien faire ! *Je trouve très difficile de vous respecter.* Eh bien, tant pis pour elle. Il espérait qu'elle distribue son respect avec parcimonie, puisque après l'avoir obtenu on pouvait tout exiger d'elle. *Écrivez mes articles. Trouvez-moi de l'argent. Hasardez-vous dans les bas-fonds pour défendre ma réputa-*

tion. Risquez votre sécurité pour obtenir l'aide d'un bon à rien immoral qui rêve de vous empoigner et de…

Il arrivait au troisième étage lorsqu'un homme surgit de la pénombre. À peine un homme, en réalité : moins de vingt ans, un duvet brun en guise de barbe. Mais le couteau dans sa main était bien réel, et plus encore lorsqu'il le pressa contre la gorge de James.

Pris au dépourvu, celui-ci recula. Le bras tendu du garçon suivit le mouvement, au-dessus des trois verres de gin. Étrange ballet : aucune goutte ne se répandit sur les doigts de James tandis qu'il fixait le visage de son agresseur. Sa peau avait la couleur du teck et ses yeux parlaient de choses pires que tout ce qui pouvait surgir d'un couloir obscur.

— Rendez-les, siffla le gamin.

L'endroit était mal choisi pour commettre un meurtre. Il y avait du monde à l'étage inférieur et des pas résonnaient dans l'escalier.

— Rendre quoi ? demanda James.

La lame lui entailla la peau. Assassiné dans un music-hall, inondé du gin qui se renverserait au cours de sa chute : son père en ferait une crise d'apoplexie.

— Vous le savez très bien.

Le gosse avait la peau basanée, mais son accent était de Whitechapel.

— Dites pas que vous les avez pas. Je sais lire le journal. Les Larmes appartiennent à l'Égypte !

Encore cette satanée histoire de larmes ! Cependant la référence à l'Égype était un élément nouveau.

Et une très improbable coïncidence. Il aurait bien interrogé son assaillant s'il n'avait craint que parler n'attire la lame plus profondément dans sa gorge.

— Quoi… Hé là ! C'est un *couteau* ? s'exclama un individu en chapeau haut de forme qui s'était arrêté pour regarder la scène à travers son monocle.

Le garçon lui jeta un coup d'œil par-dessus son épaule, puis fit volte-face et, le bousculant, s'élança vers l'escalier.

James posa les verres sur le tapis. Se redressant, il se tâta le cou et regarda ses doigts. Du sang. Il bondit, contourna l'homme au chapeau haut de forme, et se rua dans l'escalier. Du premier étage, il aperçut le garçon qui fendait la foule agglutinée dans l'entrée. James sauta quasiment les dernières marches et joua des coudes jusqu'aux portes.

Leicester Square grouillait de monde. Un millier de lampes éclairaient les façades des music-halls, des cafés et des restaurants. Le garçon n'était nulle part en vue. James s'efforça de respirer calmement. L'air sentait le sucre brûlé, le poisson frit et le vomi.

Un fou. C'était ce qu'il avait pensé de l'auteur des lettres. À tort, apparemment. Le garçon avait parlé de l'Égypte. Quand les messages avaient-ils commencé à arriver ? James croyait se rappeler que le premier était arrivé le lendemain de l'incident à l'Institut.

Bon Dieu ! Quelqu'un le soupçonnait d'avoir reçu plus qu'une stèle de la cargaison de Hartnett. Et ne manquerait pas de soupçonner aussi Lydia – si ce n'était déjà fait. Elle avait intérêt à se méfier. Il ne tenait pas à ce qu'elle se fasse trancher la gorge.

Il regagna sa loge en hâte.

— On sort, dit-il à Phin.

Il l'entraîna dans le couloir en ignorant Dalton qui réclamait son verre de gin.

— J'ai besoin de ton aide. Es-tu assez sobre ?

Phin hésita une fraction de seconde.

— À peu près.

— Bien. En bref: je suis harcelé de messages qui parlent de malédictions, de larmes que je suis censé détenir, et de ma perte imminente. Et, là, un garçon vient de me sauter dessus et d'essayer de me trancher la gorge. Il a filé, et je veux le retrouver. C'est probablement lui qui dépose les lettres chez moi; crois-tu pouvoir obtenir qu'on surveille ma maison?

Phin haussa un sourcil.

— Sans problème. Des larmes, dis-tu? Et des malédictions. C'est tout?

— J'ai des raisons de suspecter que cette histoire est liée à une affaire de contrebande, en provenance d'Égypte.

Pour Lydia, il se refusait à prononcer le nom de Boyce. Quelle attitude stupide! Dissimuler des faits n'était pas la meilleure façon de la protéger.

— Cela a à voir avec la stèle que j'ai achetée.

La protéger? C'était son but, à présent? Grotesque!

— Il se trouve qu'elle provenait d'une cargaison de Henry Boyce.

Et tout aussi grotesque de se sentir coupable.

— Mais il est probable qu'elle a été placée là par quelqu'un d'autre. Tu dois avoir des amis dans cette partie du monde. Si tu les consultais, je t'en serais reconnaissant.

Phin regardait au loin, l'air absent.

— Je peux faire mieux, dit-il lentement. Une rumeur m'est parvenue récemment.

Il jeta un coup d'œil à James.

— Je ne vois pas comment tu pourrais être impliqué dans cette histoire… J'espère que tu ne l'es pas. Cependant, n'y voir qu'une coïncidence serait… imprudent.

— Raconte-moi tout, fit James. Mais sur le chemin de la gare. Il faut que je parte sur-le-champ à la campagne.

Les obligations de la saison faisaient que beaucoup de domaines étaient désertés durant cette période. Mais Bagley End n'était qu'à deux heures de Londres, et les Pateshall aimaient s'y réfugier de temps à autre pour se reposer des mondanités. Lorsque Sophie avait reçu leur invitation, l'enthousiasme inhabituel de Lydia l'avait surprise et poussée à accepter.

— Cela te fera peut-être du bien, avait-elle remarqué. Tu as l'air abattue ces derniers temps.

Elles s'étaient dévisagées, aussi surprise l'une que l'autre, et Antonia avait applaudi, et leur avait demandé de s'embrasser, ce qu'elles avaient fait, sans que cela les empêche de se quereller de nouveau après le dîner.

Les Pateshall recevaient des invités d'humeur sportive. Croquet, tennis, bicyclette et tir à l'arc occupaient la plus grande partie des journées d'Antonia, tandis que Sophie préférait paresser au salon, bavarder avec ses amies et lire des romans. Lydia, qui avait expliqué son « abattement » par une légère fièvre, avait été laissée libre de s'occuper à sa guise. Elle montait lire en haut d'une tourelle qui dominait le parc ou explorait les pièces qui n'étaient pas des chambres en quête de trésors. Déjà, elle avait découvert un masque de momie derrière la tapisserie d'un petit salon, et un obélisque assyrien servant de pied supplémentaire pour la table du billard. À sa grande horreur, une urne romaine était utilisée comme cendrier dans le fumoir.

Les premiers soirs, elle se retira de bonne heure. Elle avait la fièvre, non ? Elle avait beau se dire que sa mélancolie n'avait rien à voir avec Sanburne, lorsque les bruits étouffés des réjouissances à l'étage en dessous lui parvenaient, elle ne pouvait s'empêcher de penser à lui. C'était stupide. Même si, grâce à quelque bizarre alignement des étoiles, Sanburne tombait amoureux d'elle, elle ne voudrait pas l'épouser. Oh, il avait des raisons d'en vouloir à Moreland, aucun doute. Mais il sacrifiait délibérément son propre bonheur pour tourmenter son père. Sa colère lui importait plus que n'importe quel amour.

Le cinquième soir, lasse de broyer du noir, elle décida de s'attarder au rez-de-chaussée. De nouveaux invités étaient arrivés pour le week-end et, par quelque réaction chimique, leur présence avait modifié l'ambiance qui avait tendance à virer au chahut général. Pendant le dîner, les remarques taquines de Mme Chudderley sur la silhouette de M. Ensley déclenchèrent une série de commentaires osés qui se poursuivirent lorsque l'on passa au salon. Lydia tenta d'envoyer Antonia se coucher, mais celle-ci protesta qu'elle était adulte et ne devrait pas se retirer si tôt, d'autant plus que M. Pagett était là. Lydia l'entraîna dans le couloir pour lui faire un sermon sur les libertés autorisées aux femmes selon qu'elles étaient fiancées ou mariées.

— Qu'est-ce que tu en sais ? s'écria Antonia.

Puis, visiblement choquée par son audace, elle fondit en larmes, bafouilla des excuses et monta dans sa chambre en courant.

Lorsque Lydia regagna le salon, M. Ensley était accoudé à la cheminée et pérorait devant un auditoire ravi.

— Une partie de cache-cache, proposa-t-il tandis que Lydia s'asseyait à côté de Sophie. Mais ajoutons-y quelque chose d'autre. Fermez les yeux et dites-vous qu'on est au mois d'août. Les courses d'Epsom et les régates d'Henley sont derrière nous. Les compétitions de tir de Bisley sont terminées. Vous êtes éreintés, malades de ces mondanités, et vous vous êtes retirés dans une maison au fin fond de l'Angleterre, quelque part dans le Nord, là où il pleut interminablement.

— Les Hébrides ! s'écria Mme Chudderley.

Elle était assise sur une causeuse, la main reposant avec désinvolture sur le genou de M. Nelson. À la connaissance de Lydia, ils n'étaient ni apparentés ni officiellement engagés l'un envers l'autre. Bien sûr Sanburne ne s'étonnerait pas d'un tel comportement. C'était le genre de licence que l'on trouvait *normal* dans son petit groupe d'amis.

— Les Hébrides, répéta M. Ensley en soulevant un chapeau imaginaire. Excellent. Donc, nous sommes perdus dans les Hébrides, et nous devons pourvoir à nos propres divertissements. Aussi je propose le « baiser volé ».

Un petit cri courut dans l'assistance, suivi de gloussements nerveux.

— Oui, confirma-t-il avec un sourire. Vous en avez entendu parler. Si un gentleman attrape une dame, il a le droit de l'embrasser. Une dame n'est à l'abri que dans le jardin d'hiver !

M. Pagett sortit discrètement de la pièce, et l'estime que Lydia éprouvait pour lui s'en trouva accrue. Elle s'apprêta à l'imiter, mais Sophie lui agrippa le poignet. Son regard était fiévreux.

— Tu *dois* rester, chuchota-t-elle. Cela promet d'être terriblement amusant, Lydia – mais, si tu pars, je ne peux pas jouer.

— Et tu ne le devrais pas. Ce n'est pas convenable. George ne…

— Oh, *George* s'en moquerait ! Il ne se soucie que de sa carrière.

— Éteignez les lumières ! cria M. Ensley. Le rez-de-chaussée doit être entièrement dans le noir.

Il jeta un bref coup d'œil à Sophie. Mais, remarquant que Lydia l'observait, il rougit et se tourna vers un valet.

— Sophie, c'est imprudent, chuchota Lydia. Je crains que M. Ensley ne sache pas se tenir.

Sophie se leva. Son expression butée n'était, hélas, que trop familière.

— M. Ensley est un gentleman, et George m'a demandé d'être *particulièrement* amicale avec lui. Son père est un homme fort influent.

— Mais...

— Et qui es-tu pour me donner des conseils ? Joue les rabat-joie si ça te chante, mais ne te mêle pas de mes affaires.

Sur ce, elle se dirigea vers le groupe des dames qui gloussaient en glissant des regards nerveux aux messieurs. De nouveau M. Ensley fixa Sophie, laquelle, Dieu du Ciel, rougit en soutenant son regard !

Lydia rejoignit sa sœur au pas de charge.

— Je ne te quitterai pas d'une semelle, la prévint-elle.

— Dans ce cas, tu devras me suivre.

— Je le ferai.

Le lustre s'éteignit. Des cris d'excitation fusèrent du groupe de dames. Lydia agrippa le bras de sa sœur.

— Je ne te lâcherai pas.

— Quatre-vingt-dix secondes, mesdames ! Vous avez quatre-vingt-dix secondes pour vous sauver.

— Tu n'es pas ma mère, chuchota Sophie, en se dégageant si brutalement que Lydia chancela.

Elle heurta quelqu'un – Mme Ellis, devina-t-elle au son de sa protestation étouffée. Un piétinement furtif, des gloussements qui s'éloignaient, et ce fut le silence.

Non. Pas tout à fait. Elle entendait le bruissement de vêtements, le crissement de chaussures en cuir. Le bruit d'une respiration lui parvint de tout près.

— Quarante-cinq secondes, prévint Ensley. À vos marques, messieurs. Ces dames ont hâte qu'on les attrape.

Un frisson glacé courut le long de la colonne vertébrale de Lydia. Elle était entourée d'hommes attendant de se mettre en chasse. Pas question de s'attarder dans cette pièce.

Retenant son souffle, elle se dirigea vers la porte, les mains tendues devant elle, les épaules crispées de crainte de frôler un corps masculin. Ce fut la marche la plus longue de sa vie, douze pas entrecoupés d'arrêts. Puis sa main heurta quelque chose. Le mur. Elle tâtonna à droite, puis à gauche. Ses doigts trouvèrent le chambranle. Elle se glissa dans l'antichambre, tourna à droite, et empoigna ses jupes pour s'élancer vers le vestibule d'où partait l'escalier principal.

Sa main avait agrippé la rampe lorsqu'une main se referma sur son poignet. Un ongle lui écorcha le doigt.

— Je vous ai attrapée, dit Ensley qui la fit pivoter et plaqua sa bouche sur la sienne.

Elle le repoussa si violemment qu'il chancela et s'affala dans le rai de lumière que laissait passer une lucarne.

— Bon Dieu ! souffla-t-il en se relevant. Sophie, qu'est-ce qu'il…

— Lydia, corrigea-t-elle d'un ton glacial. *Sa sœur.*

Il émit un bruit dégoûté, comme s'il avait avalé quelque chose de répugnant.

— Bon sang, je vous ai prise pour Sophie.

— Laquelle est mariée, lui rappela Lydia qui se reprochait de se sentir blessée.

L'air furieux d'Ensley se mua en un sourire méchant.

— Vous êtes amère ? demanda-t-il. Qu'est-ce que vous faites dans l'escalier, d'ailleurs ? C'était au jardin d'hiver que vous auriez dû vous réfugier.

Comme il s'approchait d'elle, elle remarqua son pas hésitant. Les messieurs avaient dû abuser du porto lorsqu'ils s'étaient retirés après le dîner.

— Certains en déduiraient que vous vouliez qu'on vous attrape, poursuivit-il. Pauvre petite vieille fille desséchée…

— Pas si petite, l'interrompit-elle. Et je préférerais embrasser une grenouille. À présent, ressaisissez-vous ou vous le regretterez demain matin.

Il fit un autre pas vers elle. Quel ignoble individu ! Elle allait devoir le gifler.

Un éclair leur arracha un sursaut. Ils se tournèrent d'un même mouvement vers la lucarne. Le tonnerre grondait sourdement au loin.

L'approche de l'orage parut ramener M. Ensley à la raison. Il fourragea dans ses cheveux, marmonna, puis tourna les talons.

Lydia demeura immobile tandis que le bruit de ses pas s'éloignait. *Desséchée*, elle ? Elle s'était regardée dans un miroir ce matin. Peut-être y avait-il autour de ses yeux quelques rides qui n'existaient pas quatre ans auparavant. Mais si elle n'était plus une débutante, elle n'était pas vieille, non plus. Il est vrai qu'à vingt-six ans, beaucoup de femmes avaient déjà deux enfants, et un autre en route. Ce ne serait pas son destin. Et alors ? Elle avait plus important à faire qu'avoir honte d'elle-même.

N'empêche. Ce bruit qu'il avait émis en découvrant son identité – presque un haut-le-cœur. C'était un mufle, un butor. Elle ne devrait pas se sentir blessée. Elle avait été embrassée par un homme autrement plus séduisant que *lui*. Et qui avait eu l'air d'apprécier l'expérience. « Ne pense pas à lui », s'exhorta-t-elle.

M. Ensley l'avait appelée Sophie. Pourquoi s'était-il étonné que sa sœur puisse le repousser ? Pourquoi se sentait-il autorisé à s'adresser à elle aussi familièrement ? C'était presque comme si… comme s'ils s'étaient donné rendez-vous.

Non. Elle devait se tromper. Sophie ne ferait jamais une chose pareille.

Mais si elle traversait ce hall et découvrait qu'elle se trompait du tout au tout… elle ne pouvait l'envisager. Tant d'*hypocrisie* la mettrait en rage. Séduire George sous son nez, pour ensuite batifoler avec M. Ensley ?

— J'en ai par-dessus la tête, marmonna-t-elle.

Par-dessus la tête de jouer les chaperons. Que Sophie fasse des erreurs. Et qu'elle en paie le prix. « La beauté n'est que la beauté, certes, mais c'est beaucoup », pensait sa sœur. Qu'elle teste donc son hypothèse.

Le tonnerre gronda de nouveau. Lydia ouvrit la porte d'entrée. Il pleuvait à verse. Enfant, elle aimait sortir par ce temps, se laisser malmener par les éléments.

— Ma petite Bacchante, l'appelait son père.

Les éclairs effrayaient Sophie. Elle courait se cacher dans les jupes de leur mère, insensible à la beauté de l'orage. Jamais elle ne serait allée à St. Giles, la vie de leur père en eût-elle dépendu. Elle aimait les jolies choses, les gens élégants, et abandonnait aux autres les tâches qui lui déplaisaient. « Je ne comprends pas comment vous pouvez vous abaisser à faire du commerce ! » Comme si ses gants n'avaient pas été achetés grâce au commerce de leur père !

Lydia sortit sur le perron. La pelouse descendait en pente douce jusqu'à un petit lac. Lorsque la porte claqua derrière elle, elle y vit une injonction. Très bien, elle ne rentrerait que lorsque la partie de cache-cache serait terminée.

La maison était une monstruosité gothique, étalée sous la pluie telle une gargouille arrogante. Et inquiétante. Toutes les fenêtres du rez-de-chaussée étaient sombres. Intrigué, James sauta à terre avant même que la voiture se soit immobilisée.

La porte s'ouvrit sous ses coups impatients.

Les poils se hérissèrent sur sa nuque.

Il inspira à fond, envisageant toutes sortes d'hypothèses folles. La faute de Phin et de sa théorie au sujet des fameuses Larmes égyptiennes. Mais même si une bande de malfrats avait réussi à deviner où il se rendait, ils n'auraient pu venir à bout d'un personnel nombreux. Du moins pas en aussi peu de temps.

Le halo dansant d'une lampe s'éloignait dans le hall.

— Holà ! appela-t-il.

— Oui ?

Le halo virevolta avant de rebrousser chemin pour venir vers lui. La lampe s'élevant, le regard de James tomba sur le visage surpris d'une servante.

— Oh, monsieur vient d'arriver ? Nous n'attendions plus d'invités pour la nuit !

— Il y a une panne de gaz ?

— Non, ce sont les invités qui l'ont coupé. Ils jouent à une sorte de chasse – enfin, ils jouaient. Maintenant, ils sont dans le jardin d'hiver. Voulez-vous la lampe, monsieur ? Je vais en chercher une autre.

— Non. Gardez-la. Et…

Il n'était pas chez lui, mais tant pis ! Il s'était fait une telle peur qu'il préférait ne pas être dans l'obscurité.

— Rallumez.

— Bien, monsieur.

Il attendit que la lumière revienne, puis emprunta un couloir. Il était déjà venu à Bagley End, mais cela remontait à plusieurs années.

Quelqu'un jouait du piano ; il se dirigea vers l'endroit d'où provenait le son. Il lui fallait trouver Lydia, lui expliquer la situation et découvrir où elle avait rangé les faux. Après quoi, il les briserait tous, en espérant trouver les fameuses Larmes qu'il rendrait au petit imbécile qui l'avait agressé, ou, mieux, à Phin qui se chargerait de la restitution. Et voilà ! Il aurait fait son devoir, et atteint la sainteté.

Comme il arrivait dans une antichambre, la musique devint plus forte. Il fit glisser des portes coulissantes, et se retrouva dans la salle à manger. L'un des mystères était éclairci : les serviteurs étaient rassemblés devant les portes vitrées du jardin d'hiver et regardaient les invités danser et boire au milieu des arbres en pot. Il repéra la sœur de Lydia près d'un palmier, gesticulant et souriant à un homme. La chasse l'avait échauffée : son chignon avait glissé, et l'un de ses gants de dentelle était déchiré jusqu'au poignet.

Il se fraya un chemin entre les domestiques qui s'égaillèrent comme des tourterelles. Mme Joyner était là, et lady Bulmer, et Michael Hancock – un sale type, celui-là, mais excellent poète. Les Pateshall se flattaient d'aimer les arts.

Lydia était invisible.

— Lady Southerton, appela-t-il, en vain.

La sœur de Lydia semblait en proie à un engourdissement béat. Il s'approcha, lui tapota l'épaule.

— Madame.

Elle se retourna abruptement.

— Vicomte !

Elle adressa un regard fiévreux à son compagnon, un blond mince moulé dans un pantalon étroit et armé d'un monocle. Malheureusement pour lui, il faisait partie de ces gens qu'un ou deux verres rendaient écarlates.

— M. Ensley vient de nous proposer une version très particulière de jeu de cache-cache. Oh... vous connaissez M. Ensley ?

Ensley. Oui, effectivement.

— Nous nous sommes rencontrés, répondit James. Fils de banquier, non ?

Ensley sourit de toutes ses dents.

— On ne peut pas me le reprocher.

— Et aussi coureur de jupons et tricheur aux cartes, ajouta James. Ce que je ne vous reproche pas non plus. Lady Southerton, où est votre sœur ?

Mal à l'aise, celle-ci regarda l'un puis l'autre. Ensley avait blêmi. Ce qui lui allait beaucoup mieux.

— Euh... Je ne saurais dire, balbutia-t-elle. Je pensais que... mais non, je ne l'ai pas vue depuis qu'on a éteint les lumières. Elle s'est peut-être retirée pour la nuit.

— Elle est sortie, dit Ensley avec une sorte de petit reniflement méprisant.

La sœur de Lydia regarda dehors.

— Il pleut, murmura-t-elle comme si elle remarquait seulement maintenant l'eau qui ruisselait sur les parois vitrées. Oui, c'est possible.

— Vous dites qu'elle est sortie sous l'orage ? Mais pourquoi ?

— Qui sait ? ricana Ensley. Elle s'est sans doute égarée dans les buissons. Je suis désolé, Sophie, mais vous devez admettre que votre sœur est un vrai rabat-joie.

— Vous trouvez ? fit lady Southerton avec un petit rire embarrassé. Peut-être. Très sérieuse, notre Lydia.

Un éclair illumina le parc, arrachant des cris aux invités. James se détourna. Il n'avait rien contre s'amuser, mais si un éclair suffisait à ces idiots, ils n'étaient pas difficiles.

Il rebroussa chemin, et buta en route sur Elizabeth qui sortait d'une pièce en se tapotant les cheveux.

— Vous devrez m'attraper de nouveau, dans ce cas, lança-t-elle d'un ton coquin à quelqu'un qui se trouvait dedans. Oh… James ! Que faites-vous là ?

— Je cherche quelqu'un. Si vous voulez bien m'excuser, dit-il en ouvrant la porte d'entrée.

Surprise, elle ne tenta pas de le retenir.

Il descendit le perron.

La pluie tombait avec violence. Pour ne rien arranger, un léger brouillard affreusement traître flottait au-dessus du sol. Il se coinça le pied dans une racine et il s'en fallut de peu qu'il ne s'étale dans la boue. Que diable fichait-elle dehors ? Et quelle mouche l'avait piqué, *lui*, de se lancer aux trousses d'une imbécile de bas-bleu qui devrait savoir qu'on ne s'aventurait pas à l'extérieur lorsqu'il y avait un orage ?

Un éclair illumina le parc. L'image se grava dans sa tête : un lac où roulaient des vagues courtes, deux barques qui dansaient au bout de leurs amarres – et la silhouette solitaire d'une femme en robe blanche, debout à l'extrémité du ponton… Bon Dieu ! Il hâta le pas. Tentait-elle d'attraper la mort ? Un abri se trouvait à proximité, mais elle demeurait le visage offert aux éléments. La pluie tombait assez dru à présent pour lui cingler le crâne ; il ne comprenait pas qu'elle puisse aimer se faire gifler ainsi, ni pourquoi elle s'attardait là sans protection. Peut-être était-elle pétrifiée de peur. Elizabeth succombait parfois à de telles frayeurs – araignées, souris, flocons de poussière, un tas d'horreurs naturelles qui pouvaient la faire se figer sur place ou s'enfuir à toutes jambes comme un poulain effarouché.

Mais tandis qu'il approchait de Lydia, sa crainte se dissipa. Les mains ouvertes, elle avait l'air d'accueillir la pluie. Et lorsqu'un éclair zébra de nouveau le ciel, il remarqua quelque chose qui ressemblait à… de l'euphorie sur son visage.

Le tonnerre explosa si violemment qu'il ne put s'empêcher de jeter un coup d'œil inquiet vers le hangar à bateaux. Lorsqu'il la regarda de nouveau, elle s'était retournée et avait les yeux posés sur lui. Un lent sourire se forma sur ses lèvres.

Un frisson dansa sur la nuque de James. Quel étrange sourire… à la fois entendu et distant.

— Que faites-vous là ? demanda-t-il.

Elle rit. Aurait-elle bu ? Non, l'idée ne correspondait pas à ce qu'il savait d'elle.

— Bonsoir, James. Quand êtes-vous arrivé ?

L'accueil guindé le déconcerta.

— À l'instant, répondit-il entre ses dents.

Il se sentait idiot, tout à coup. Il s'était rué sous la pluie pour sauver une damoiselle en détresse, et était tombé sur une nymphe qui n'avait aucunement besoin de lui.

D'accord, il était en colère. Mais qu'avait-il manqué d'autre chez elle ? Allait-il lui pousser des ailes quand il aurait le dos tourné ? « Je n'aime pas les hauteurs », avait-elle déclaré avant de s'inquiéter de l'absence de chaperon. Et lorsque, un peu plus tard, elle avait assuré qu'elle ne boirait pas le gin, il aurait dû voir clair dans son jeu. Deviner que ses reparties étaient des leurres, destinés à le pousser à faire des suppositions banales à son sujet. Que c'était ingrat de sa part – mesquin, même – de feindre d'être la femme la plus ordinaire du monde. Eh bien, le monde attendait mieux d'elle. Et *lui* aussi.

— Comme cela doit vous peser de jouer en permanence les bas-bleus collet monté, observa-t-il sans se donner le mal de cacher son ressentiment.

— Vous êtes venu me chercher ?

— Là-bas, on vous croyait perdue.

— Oh mon Dieu ! J'espère que personne ne s'est inquiété.

Sa sœur n'avait pas eu l'air de se tracasser, se rappela James. Ni même d'être surprise.

— Pas du tout, répondit-il. Vous aimez ça, n'est-ce pas ? Vous n'avez pas été surprise par l'orage ; vous êtes sortie à sa rencontre.

Elle eut un petit sourire narquois.

— Peut-être avais-je besoin de prendre un bain… Et je savais que je ne manquerais à personne.

Constatation faite avec sérénité.

Il regarda autour de lui ; le brouillard s'était épaissi et on n'y voyait pas à dix pas. Mais l'odeur qui émanait de la terre agressée, des herbes fauchées, à quoi s'ajoutait une légère pointe d'ozone, était puissante et entêtante. Les éclairs continuaient à déchirer le ciel au loin.

Lydia passa devant James, qui hésita, puis la suivit. Elle ralentit le pas, s'immobilisa et plongea les mains dans le brouillard. Elle en ramena une rose.

— Elles s'épanouissent sous la pluie, murmura-t-elle. Regardez comme celle-ci s'ouvre.

Ces mots le troublèrent. C'était la remarque d'une femme sensuelle – de la femme qu'elle pourrait être si seulement elle s'y autorisait.

Un étrange sentiment l'envahit alors. Quelque chose comme de l'affection, mais plus doux, plus nuisible à son équilibre. Bien sûr, elle se ruait dans les orages. Elle s'y sentait à l'abri comme sur le toit d'un immeuble. Personne ne la verrait enfreindre les règles. Et personne ne se soucierait de la chercher. Quelle bande d'idiots !

Il inspira profondément. Il sentait le parfum des roses, à présent. Mais Lydia avait tort, elles n'aimaient pas la pluie. Les pétales s'ouvraient parce qu'elles se soumettaient à sa violence.

Elle lui glissa un regard oblique. Auquel il répondit franchement. Il avait cru n'éprouver qu'une passade, une folie temporaire qui se dissiperait en même temps que le plaisir de la nouveauté. Mais rien ne se déroulait comme prévu. Que c'était étrange ! Stupéfiant, même.

— Est-ce un jeu qui vous amuse ? commença-t-il.

Il voulut ajouter : « Feindre la froideur, l'indifférence, la réserve », mais sa gorge se noua. Il craignait qu'elle ne réponde pas honnêtement.

Elle fronça les sourcils. Elle ne voyait pas où il voulait en venir. Ou faisait semblant, car voilà qu'elle détournait les yeux en se balançant d'un pied sur l'autre, craignant peut-être d'en avoir trop dit sur elle-même. « Trop tard, Lydia, songea-t-il. Je vous ai percée à jour. »

Un éclair blanc transperça le brouillard. Elle eut un bref sourire, vite effacé. Visiblement, elle continuait à prendre plaisir à l'orage, mais aurait préféré être seule. Elle n'avait pourtant pas besoin de continuer à faire semblant. Pas avec *lui*, bon sang ! Bizarrement, il ressentait cela comme une trahison.

Il ne voulait cependant pas gâcher l'instant, lui asséner des vérités qui ne serviraient qu'à la faire fuir. Il lui prit le bras et l'entraîna vers l'abri à bateaux.

Elle résista à peine.

Des avirons étaient appuyés contre le mur du petit bâtiment et l'air sentait la colle et le vernis à bois. Lydia se dégagea et s'écarta, ses jupes trempées chuintant sur le plancher. James secoua vigoureusement la tête, prenant un plaisir puéril à l'asperger de gouttelettes. Inexplicable, ce besoin qui le taraudait de provoquer une réaction de sa part, n'importe laquelle. Il mourait d'envie de l'empoigner, de la forcer à le regarder.

Elle lui refusa cette satisfaction. Et s'affaira longtemps à secouer et à arranger ses jupes jusqu'à ce que ce prétexte ne soit plus crédible. Elle leva alors les yeux, et tressaillit en découvrant ceux de James rivés sur elle.

Elle ne jouait pas. Elle ne se doutait vraiment pas de l'effet qu'elle produisait.

Seigneur, comment une femme adulte pouvait-elle être à ce point ignorante de son pouvoir de séduction ?

— La campagne me manque, lâcha-t-elle tout à trac en guise d'explication.

Mais il l'écoutait avec plus d'attention qu'elle ne le supposait. Il y avait quelque chose de rauque dans sa voix – il l'avait remarqué dès le premier jour. Une sauvagerie soigneusement tenue en bride, comme si elle ravalait les paroles qu'elle rêvait de prononcer.

Un jour, elle les lui dirait. Encore et encore, jusqu'à ce qu'elle n'ait plus peur. Cette décision lui apporta une profonde satisfaction, de celle que l'on éprouve après avoir résolu un problème particulièrement complexe.

— Vous pourriez vous mettre au jardinage, suggéra-t-il. Se ruer dehors en plein orage est décidément excessif.

Elle haussa un sourcil.

— Vicomte, dit-elle d'un ton guindé de bonne d'enfant, vous me donnez des leçons d'étiquette, à présent ? Et moi qui vous prenais pour un original.

Elle ne s'en était pas encore aperçue, mais il n'était plus dupe de son attitude collet monté.

— Mademoiselle, répondit-il en imitant son ton, je sais que vous aimez déprécier mon style de vie, mais permettez-moi de vous rappeler que c'est *vous* qui avez décidé de courir sous l'orage.

— Je ne vous ai pas demandé de venir me chercher. J'imagine que c'est Sophie qui vous en a prié ?

Le sourire de James se fit taquin.

— En réalité, ce que vous voulez savoir, c'est si quelqu'un sait que nous sommes seuls.

— Nous l'avons déjà été.

— Oh, oui, acquiesça-t-il doucement. Et ces moments font partie de mes plus tendres souvenirs.

— Quel homme redoutable vous faites ! s'exclama-t-elle avec un sourire amusé. J'imagine que je devrais courir de nouveau dans l'orage pour vous échapper.

— Essayez. Cela pourrait être amusant.

Le sourire de Lydia s'effaça. Elle se détourna. Il devina que l'idée d'être poursuivie l'excitait.

Il l'imagina, les cheveux dénoués, courant sur la pelouse, et lui s'élançant derrière elle. La rattrapant. La ramenant. Lydia, épinglée au mur.

— Personne ne l'a jamais fait ?

— Pardon ?

— Personne ne vous a jamais pourchassée, Lydia ?

Elle rit, et le regard qu'elle lui adressa était si franc, si direct, qu'il en eut le souffle coupé.

— Si, répondit-elle, il semble que quelqu'un l'a fait. La question est pourquoi. Pourquoi êtes-vous là, Sanburne ?

— James, murmura-t-il. Est-ce si bizarre que je sois là ?

— Ce ne sont pas des gens que vous fréquentez d'ordinaire, *Sanburne*.

— J'avais peut-être besoin de campagne, moi aussi.

— Ha ! Je n'en crois rien. La vie à la campagne est trop prosaïque pour un homme comme vous.

— Petite maligne, dit-il. Pourquoi croyez-vous que je sois là ?

— L'ennui, peut-être.

— Vous savez que je ne m'ennuie pas le moins du monde.

— Oh, fit-elle, moqueuse. Je suis censée être flattée.

— L'êtes-vous ?

— Laissez-moi réfléchir.

Son ton désagréable le prit de court. Avant de le ravir. Elle était sarcastique et ombrageuse à souhait.

Un autre éclair déchira le ciel. Elle prit le mouvement qu'il fit vers elle pour de l'inquiétude.

— Vous avez peur ? s'enquit-elle, amusée. Vous craignez que nous ne soyons frappés par la foudre ?

— Oui, absolument, fit-il en s'emparant de sa main pour l'attirer à lui.

12

Il n'eut pas à fournir d'efforts. L'orage l'avait électrisée. Elle vint à lui, et l'aida à se débarrasser de sa veste imbibée d'eau, qui tomba sur le sol avec un bruit mou.

— Je ne fais pas cela pour vous, souffla-t-elle en serrant le bras de James. *Je le fais pour moi.*

Il eut une infime hésitation, puis, d'une voix sourde :

— Très bien

Elle sourit. Bien sûr que cela ne le dérangeait pas. Que lui importait qu'elle se montre égoïste ? On ne pouvait blesser un homme immunisé contre les opinions des autres. Pour autant qu'il sache, elle aurait pu coucher avec n'importe qui, ce soir. Elle était d'humeur, il était là ; c'était pratique. Il ne remettrait pas cela en question. Et qu'il réagisse ainsi devrait la laisser de marbre.

Ses lèvres effleurèrent les siennes. Elles étaient chaudes. Elle se laissa aller contre lui. Il lui taquina la bouche de la langue, avec trop de douceur à son gré. Elle n'était pas quelque petite fille effarouchée réclamant de la sollicitude. Elle fit mine de s'écarter afin de le lui faire savoir, mais il enfouit la main dans ses cheveux pour l'en empêcher. Des épingles tombèrent en tintant sur le sol. Le baiser s'approfondit, exigeant. Oui, c'était *cela* qu'elle voulait –

cette férocité, comme s'il n'y avait plus de place pour la peur ou l'incertitude, juste l'envie d'explorer un nouveau territoire, de se surprendre l'un l'autre.

Elle fut vaguement consciente de sa main libre qui lui pressait la taille, la faisant pivoter comme pour danser. Elle lui avait dit la vérité : elle n'aimait pas danser. Les hommes étaient persuadés que les vieilles filles *desséchées* recherchaient l'excitation. Un imbécile s'était amusé un jour à la faire virevolter follement, et elle était tombée. Depuis elle déclinait les invitations. L'humiliation résonnait à présent en elle comme une prémonition. Elle allait se ridiculiser. Elle allait commettre une erreur.

Mais il ne l'embrassa pas comme si elle était une vieille fille. Il ne l'avait jamais fait. Et puis, flûte ! Tant pis si elle tombait ! C'était *elle* qui mènerait la danse. Elle se dégagea de ses bras, et recula à petits pas glissants. La pluie crépitait sur le toit, mais, à l'intérieur, il régnait un silence tendu. Il n'était plus question de séduction – tous deux partageaient un même but, et le poursuivait avec une intensité primitive. L'expression du vicomte dans la pénombre était grave, presque sinistre. Lorsque son dos heurta le mur, elle n'eut pas envie de sourire.

Il plaqua les paumes de chaque côté de sa tête et s'empara de sa bouche. Spontanément, elle referma la main sur sa nuque, sentit le petit creux à la base de son crâne. Une étrange tendresse naquit en elle, tout à fait incongrue vu la violence du baiser. Chaque personne était son propre pays, songea-t-elle, avec son langage, sa raison et ses usages. Elle en était encore à se découvrir elle-même, et cet homme l'y aidait efficacement. Alors pourquoi pas ?

Prise d'impatience, elle déboutonna son gilet, effleura son torse musclé. Elle voulait le déchiffrer comme des hiéroglyphes. Une fois qu'elle l'aurait lu, il ne l'empêcherait plus de dormir, n'est-ce pas ? Ceci, tout ceci, était pour elle. Il se pressa contre elle. Un corps beaucoup plus grand que le sien, émouvant. Pas beaucoup plus vieux. Elle posa les mains sur ses reins, et il se cambra comme un chat. Les muscles jouèrent sous les paumes de Lydia, et elle sentit une autre partie de son corps se plaquer contre elle. Son *pénis*. Sophie lui avait décrit l'acte un jour. On commençait par souffrir.

Le doute survint. Elle n'était pas censée faire cela. Ce serait sa perte. Mais aux yeux de qui ? *Elle* ne se considérerait pas comme perdue.

— Vous êtes en train de penser, murmura-t-il contre ses lèvres. Arrêtez, je vous en prie.

Elle eut un rire doux.

— Je pense toujours. Il n'y a pas moyen de m'arrêter.

— Je relève le défi.

Il entreprit de déboutonner son corsage. La main de Lydia descendit un peu, jusqu'à l'endroit où les reins de James s'arrondissaient en fesses. Il lâcha un soupir bref.

Elle eut l'impression étrange de s'éloigner de la scène et de la contempler : elle dans ce hangar à bateaux avec Sanburne, ses sœurs à moins de cent mètres, la pluie tombant dru, sur sa droite une embarcation recouverte d'un drap blanc – un drap si blanc qu'il était lumineux dans l'ombre. Un domestique, une femme sans aucun doute, travaillait dur pour le blanchir, au point qu'elle devait en avoir les bras douloureux. Ce pour quoi personne ne la remercierait. Sur le périmètre du monde de Sanburne, du monde de Sophie, une foule de gens s'échinaient, des êtres invisibles, dont la disparition passait inaperçue. Les seules femmes moins visibles que les vieilles filles étaient les servantes.

Les lèvres de James s'écartèrent.

— Lydia.

— Quoi ? fit-elle d'un ton de défi.

— Regardez-moi.

Elle fit non de la tête.

— Regardez-moi, insista-t-il.

Son visage était gris dans l'obscurité. Les ombres apparaissaient métalliques sous ses pommettes, ses lèvres humides argentées, ses yeux couleur clair de lune sur la surface noire d'un lac.

— Le beau célibataire en scène, marmonna-t-elle.

Elle cachait mal son ressentiment ; il se raidit.

— J'ai laissé mon personnage dehors, assura-t-il.

Était-ce mieux ou pire ?

— Alors, pourquoi faites-vous cela ?

Il prit sa joue en coupe dans sa main, lui caressa la bouche du pouce.

— Parce que vous êtes avec moi. Parce que vous êtes belle.

— Belle.

— C'est ce que j'ai dit.

— Je ne suis pas une fleur fragile, chuchota-t-elle. Donnez-moi une autre raison. Une raison à laquelle je puisse croire.

— C'est vrai, vous n'êtes pas fragile. C'est là une autre bonne raison. À moins que vous ne pensiez que je suis de ces hommes que séduit la fragilité féminine.

Non. Elle savait qu'il n'était pas ainsi. Ses réticences cédèrent. Elle l'aida à se débarrasser de son gilet qui tomba sur le sol.

— Très bien, fit-elle. Ensemble, alors.

Il hocha la tête, puis s'agenouilla pour défaire les derniers boutons de son corsage.

Un sein apparut. Il le souleva et referma les lèvres sur la pointe. *Délicieux.* Elle découvrait un nouveau sens à ce mot. Une idée fantaisiste lui traversa la tête : les confiseries, les chocolats et les gâteaux prenaient-ils plaisir à être dévorés ? Des deux mains, James lui caressaient les jambes sous sa jupe tandis qu'il aspirait un sein après l'autre. Comme sa bouche se faisait plus exigeante, elle empoigna ses cheveux humides.

Ses jupes trempées devinrent soudain plus légères. Ses dessous glissèrent jusqu'au sol, et son ventre se contracta lorsque ses lèvres se posèrent sur sa cuisse. Du bout des doigts, il se mit à y dessiner des cercles. Des spirales étourdissantes qui remontaient lentement en même temps que sa bouche. Et alors... et *alors*...

Elle baissa les yeux. L'abri aurait pu s'écrouler qu'elle n'aurait pas émis un son. Sa stupéfaction était si totale que toute sensation s'effaça : rien n'existait plus que la vue de cette tête entre ses cuisses. Ahurie, elle chercha les mots pour décrire ce qu'il faisait : il l'ouvrait et la caressait de la langue. Et, bras tendus, il écartait ses jupes, les clouaient au mur afin qu'elle puisse voir.

Un gémissement lui échappa. C'était épouvantable. C'était l'extase. Elle avait l'impression de jaillir hors de sa propre peau. Il n'y avait pas de mots pour dire les sensations qui la ravageaient. Le besoin impérieux de sentir son corps musclé pressé contre le sien, plus violemment, plus profondément...

— Je vous en prie...

Pressant sur ses épaules, elle le repoussa sur le sol et s'agenouilla à côté de lui.

Les mains tremblantes, elle agrippa le bas de sa chemise. Il leva les bras pour l'aider à la lui ôter. Docilité qui la bouleversa. Elle le regarda comme elle n'avait jamais regardé personne. Aussi attentivement et tranquillement que s'il était un objet. Il n'émit pas la moindre objection. Son ventre était plat, les muscles bien visibles. Ce n'était pas la musculature d'un docker, comme elle l'avait d'abord pensé, mais celle d'un boxeur. Il utilisait son corps pour se battre. Et le lui offrait maintenant pour un usage plus doux, sinon plus paisible.

S'inclinant sur lui, elle déposa un baiser sur son épaule nue. Il s'allongea et elle le suivit, les mèches échappées de sa coiffure se répandant autour d'elle, encadrant le torse de James. Elle recroquevilla les orteils pour se débarrasser de ses souliers, puis allongea les jambes sur celles de James, repliant les pieds derrière ses chevilles.

Il la fit basculer sur le sol, retroussa ses jupes avant de se hisser sur elle. Les mains de Lydia tâtonnèrent à la recherche des boutons du pantalon. Il la guida, jusqu'à ce qu'elle referme les doigts sur son sexe – dur, chaud et étrangement lisse. La violence de sa propre faim la stupéfiait. Elle en tremblait. En plus du désir physique, il y avait là quelque chose de jubilatoire, qui se nourrissait des vestiges de sa peur, qui transformait le risque en un aphrodisiaque. *Voilà la femme que je serai.* Il n'y avait aucune dignité en cet instant, avec ses jupes humides en paquet autour de la taille, maintenant leurs ventres séparés. Depuis les plus infimes détails, tous ses actes à présent étaient à l'opposé de ceux qu'on attendait d'elle. Elle aurait pu être une fille de la campagne ou une femme de mauvaise vie – n'importe qui à l'exception de Lydia Boyce. Sauf qu'elle *était* Lydia Boyce. Et qu'elle allait faire l'amour de son plein gré, avec appétit et joie.

Elle embrassa James avec une ardeur renouvelée. Son pénis se nicha contre elle, exerçant une pression franche. Au fur et à mesure que tout en elle cédait à la force mâle, elle se sentait devenir plus souple. Le sol qui lui meurtrissait les omoplates offrait un contraste jouissif à la dissolution de ses membres.

Il n'y eut d'abord qu'une brûlure… suivie d'une sensation inédite. Puis James s'introduisit d'un coup et la douleur la traversa. Elle gémit, et il se figea. Elle était sur un chemin qu'elle n'avait jamais parcouru, et découvrait en elle un territoire inconnu. Il lui murmura à l'oreille un mot qu'elle ne comprit pas. Elle hocha la tête, et cela lui suffit. Ses hanches reculèrent, puis revinrent hardiment à la charge. Elle serra les poings dans ses cheveux, puis les plaqua sur ses épaules, sur ses reins – pour le posséder entièrement. Cette pensée, en apaisant la douleur, libéra le désir en elle. Elle se cambra, le pressant de poursuivre. Il demeura avec elle, concentré, ses lèvres sur son épaule, puis sur son cou ; d'un côté il la courtisait, de l'autre il l'envahissait avec obstination.

Il s'écarta légèrement afin de glisser la main entre eux. Quelques caresses suffirent, prestes et délibérées. Un spasme violent la fit sursauter. Ses muscles intimes se contractèrent autour de lui. Il s'enfonça de nouveau en elle sur un rythme rapide, une fois, deux fois, et la rejoignit dans la volupté. Sa tête retomba sur l'épaule de Lydia qui tremblait, sous le choc, émerveillée.

Au bout d'un instant, il roula sur le côté, l'entraînant avec lui de sorte qu'elle repose contre son flanc, la tête au creux de son épaule. Son cœur battait encore la chamade, et elle sentait dans sa main qui reposait sur sa hanche une certaine tension. Elle éprouva le besoin pressant de dire quelque chose. Mais quels mots convenaient à cet instant ? Elle n'en connaissait pas.

Comme les sensations physiques refluaient, l'énormité de ce qu'elle avait fait lui apparut. Elle se souvint du couple à la bibliothèque. En les regardant, elle avait pensé à Sanburne, et se l'était reproché. Mais maintenant qu'il lui caressait la hanche, il lui sembla que cette caresse n'était pas dépourvue de tendresse. Et, certainement, ce n'était pas avec indifférence qu'elle jouait avec les cheveux de James.

Grands dieux, était-elle arrogante au point de croire qu'elle pourrait faire cela impunément ? Elle était lovée contre lui comme une enfant, sans désir de bouger, ni même de ciller. Elle n'avait pas reposé aussi étroitement avec quelqu'un depuis ses neuf ans – l'été où elle avait souffert d'une fièvre maligne avec des hallucinations. Hurlant de peur, elle ne s'était calmée que lorsque sa mère l'avait rejointe dans son lit. Le visage pressé contre elle, Lydia s'était sentie suffisamment en sécurité pour s'endormir. En sécurité : c'était ainsi qu'elle se sentait en ce moment même, enveloppée dans la chaleur de James. Pourtant, parler de sécurité était ridicule. Il ne lui avait rien offert de ce genre. Et elle-même n'avait pas fait cela dans le but d'obtenir quelque chose de lui. Ou bien si ?

Mal à l'aise, elle fit mine de se redresser.

— Attendez, murmura-t-il. Encore une minute. Quelles que soient les pensées qui vous traversent l'esprit – ou les mots que vous vous dites –, ignorez-les pour l'instant.

— C'était imprudent.

— Extrêmement. Les meilleures décisions le sont généralement.

Lydia fixa la fenêtre du regard. La pluie ne martelait plus la vitre, et les nuages semblaient se dissiper.

— Il est toutefois très peu probable que cela se termine par un enfant, murmura-t-elle. Je connais la biologie…

— C'est ce qui vous inquiète ?

Il fit une pause, et les mots suivants jaillirent sur un rythme gauche, comme s'il ne savait plus comment s'adresser à elle.

— Je ne suis pas un vrai libertin. Je ne vous abandonnerai pas.

Pour un homme immunisé contre les sentiments, cette garantie apparaissait curieuse. Mais elle ne cessait d'oublier qu'il y avait deux hommes en lui : celui qui haïssait lord Moreland, et celui qui aimait lady Boland. Les deux avaient du mal à coexister dans son esprit.

Comment pouvait-il ne pas comprendre sa dévotion indéfectible envers son père ? C'était si semblable à ce qu'il éprouvait pour sa sœur. Oh, être l'objet d'une telle dévotion de la part d'un amant... L'idée seule lui coupa le souffle.

La seconde d'après, elle s'emporta contre elle-même. Il avait dit qu'il accordait sa loyauté à ceux qui la méritaient. Nourrissait-elle sérieusement l'espoir qu'elle l'avait méritée en s'allongeant sur le sol d'un hangar à bateaux ? C'était si incroyablement dégradant.

Elle se redressa et, les doigts raides et gauches, commença à reboutonner son corsage. James s'assit et voulut l'aider, mais elle s'écarta.

— Ça ira, dit-elle.

— Laissez-moi faire.

Il lui repoussa les mains, et elle tapa sur la sienne en retour. Lui attrapant les poignets, il les retint captif, comme si elle était la petite chose fragile qu'elle n'était pas censée être. Elle s'agenouilla et tenta de se dégager. Il tint bon. Exaspérée, elle secoua les mains qui la retenaient prisonnière, obligeant James à se mettre genoux à son tour, mais il ne la libéra pas. Elle tira encore, et encore – son irritation se muant rapidement en colère. Mais elle eut beau s'escrimer, il ne la lâcha pas. Son regard assuré ne quittait pas son visage. Il avait l'air si calme, si placide, malgré sa violence à elle... Elle sentit ses yeux la brûler. Quelle sotte ! Elle réagissait comme s'il l'avait trahie, alors que, bien sûr, il n'avait rien fait de tel.

Laissant échapper un long soupir saccadé, elle cessa de se débattre. Les mains de Sanburne abandonnèrent ses poignets et revinrent aux boutons de son corsage.

— Écoutez, dit-il. Vous m'écoutez ?

— Oui, marmonna-t-elle.

— Je veux que vous ayez confiance en moi, Lydia.

Avec quelle habileté il manipulait les minuscules boutons de son corsage ! De toute évidence, il avait fait cela des centaines de fois.

— Pourquoi ? répliqua-t-elle avec un rire qui sonnait faux. Vous voulez me donner des conseils ?

— Je ne suis pas aussi généreux que ça. Non, je réclame votre confiance parce que j'attends de vous une totale honnêteté. L'honnêteté est une denrée rare, et je crois… je crois que je pourrais en devenir dépendant, avec le temps.

C'était une réponse étrange. Qui la fit réagir d'une façon tout aussi étrange. Sa méfiance se dissipa, et se mua en une mélancolie inattendue.

— Alors, soyez honnête avec *moi*, dit-elle d'une voix sourde.

Le corsage boutonné, il l'aida à se relever, puis recula d'un pas, les mains derrière le dos.

— Que voulez-vous savoir ? demanda-t-il.

Sa première impulsion jaillit d'un vieux réflexe. « Que voulez-vous réellement de moi ? » faillit-elle demander. Mais à peine la question s'était-elle formée dans son esprit qu'elle n'en vit plus l'intérêt. Elle lui plaisait, elle en était convaincue à présent, et le savoir avait agi sur elle comme un aphrodisiaque.

Mais elle se souvint aussi de leur affrontement dans l'escalier de Mme Ogilvie. Il avait fui tout échange, alors.

— Pourquoi mon honnêteté vous séduirait-elle ? Que voulez-vous m'entendre dire réellement ?

— Tout ce que vous voudrez.

La réponse la déçut. Elle était trop évasive, trop facile. Elle avait posé la mauvaise question.

— Qu'avez-vous peur de m'entendre dire ?

Il lui adressa un petit sourire ironique.

— Je pense que vous l'avez déjà dit, Lydia. Vous avez un talent pour ça.

— Alors, je suis comme votre club de boxe. Vous vous servez de moi pour souffrir, répliqua-t-elle avec un rire triste. Et humilier votre père, peut-être ?

— Seigneur, non.

Il fit un pas vers elle, mais elle s'empressa de reculer – elle n'avait pas confiance en sa propre réaction s'il la touchait de nouveau. Il n'insista pas.

— Cela n'a rien à voir mon père, assura-t-il en se passant la main dans les cheveux. Vous êtes très lucide, Lydia. Et vous endurez ces choses avec grâce. Moi, pas. Et il est si facile de ne *pas* endurer. De se laisser simplement... engloutir par tous ces pièges féodaux. Et de se mettre à croire en eux. Encore une année comme celle-ci, et je deviendrai un autre de ces pantins privés de cervelle, dont la seule occupation est de faire des ronds de jambes ici et là... Je deviendrai comme mon satané père, fit-il avec un rire amer. Sinon ? Si je m'échappais ? Seigneur, je pourrais bien découvrir que je suis aussi... aussi *inutile* que vous dites.

L'entendre balbutier peina Lydia.

_ Non, souffla-t-elle.

Elle s'approcha de lui et pressa les lèvres contre les siennes. Lorsqu'elle recula, James avait l'air... bouleversé.

— Je ne peux pas vous aider en cela, reprit-elle doucement. Votre destin dépend de vous, James. Vous n'imaginez pas quelle chance vous avez.

— Bon, cessons de parler de moi, dit-il d'une voix plus normale. Vous cherchez la liberté, non ?

Je sais mieux que personne combien les règles de la bonne société peuvent emprisonner une femme. Je peux peut-être vous aider.

« Je ne suis pas votre sœur », faillit-elle dire. L'instinct la retint. Il devait avoir une raison pour aborder ce sujet.

— Ce n'est pas à vous de le faire.

— Certes non. Mais la vie n'est pas juste. Si vous avez besoin d'une occasion, je pourrai vous la fournir.

Elle ne savait plus de quoi ils parlaient. Lui non plus, soupçonna-t-elle. Ils se dévisagèrent dans un silence grandissant. L'un d'eux allait devoir le briser, et poser les questions qui devaient l'être. Mais elle avait appris la leçon. Elle ne prendrait pas la parole la première.

On frappa à la porte. Réprimant un cri, Lydia plongea précipitamment derrière l'embarcation.

Les gonds grincèrent :

— Ils ont décidé de faire du bateau au clair de lune, annonça Mme Chudderley. Si Mlle Boyce est là, je suggère qu'elle revienne avec moi à la maison.

La pelouse détrempée scintillait sous la lune. Les jupes de Lydia ramassaient eau et boue, et leur poids l'obligeait à donner des coups de pied dedans à chaque pas. Apparemment trop agile pour être affectée par des détails aussi vulgaires que la boue, Mme Chudderley semblait glisser devant elle, sa jolie tête bien droite. De temps à autre, elle jetait un regard songeur par-dessus son épaule et émettait un petit fredonnement amusé. Le visage de Lydia s'embrasait alors.

— Vous m'appellerez Elizabeth, décréta Mme Chudderley comme elles s'arrêtaient sur le perron pour secouer leurs jupes. Et je vous appellerai Lydia, ce qui est un joli prénom, à propos.

Comme le silence se prolongeait, elle haussa les sourcils, et Lydia n'eut d'autre choix que de murmurer :

— Merci.

— Je vous en prie. Maintenant que nous sommes censées avoir fait connaissance, je vous pose la question : quelles sont vos intentions vis-à-vis de James ?

Lydia en lâcha ses jupes.

— Je… N'est-ce pas au gentleman qu'on pose cette question, d'ordinaire ?

Elizabeth éclata de rire.

— Et moi qui voyais en vous la Femme de Demain ! Chérie, James est comme un frère pour moi. Il me faudrait être aveugle pour ne pas voir l'intérêt qu'il vous porte. Et ne vous méprenez pas : je n'ai rien à y redire. Depuis cette triste histoire avec Stella, il ne s'intéressait plus à grand-chose. Enfin, en dehors de ses usines, bien sûr. Mais c'est en rapport avec elle, de toute façon.

Le ton désinvolte ne leurra pas Lydia. Mme Chudderley attendait qu'elle la prie d'entrer dans les détails, et Lydia ne vit aucune raison de ne pas le faire.

— Comment cela ?

— Il ne vous l'a pas dit ? Je me suis peut-être trompée, alors.

Un groupe d'invités descendait vers le lac, accompagné de serviteurs dont les torches projetaient des ombres dansantes sur l'herbe.

— Vous êtes au courant pour sa sœur, bien sûr ?

— Un peu, répondit Lydia, mal à l'aise. Qui ne l'est pas ?

— Eh bien, les usines de James sont destinées à accueillir des femmes comme sa sœur. Des femmes de base extraction, bien sûr, qui n'ont pas les moyens d'échapper à une situation difficile. Il leur donne du travail et, pour un prix modique, leurs enfants peuvent aller à la crèche ou à l'école de l'usine. Cela l'occupe, en tout cas... Vous avez l'air abasourdie, commenta Elizabeth en souriant. Vous le preniez pour un bon à rien ?

— Non, répondit Lydia. En dépit de tous ses efforts.

— Certes, dit Elizabeth.

Elles pénétrèrent dans le hall. Une éternité semblait s'être écoulée depuis que Lydia était sortie en courant sous la pluie et, à chaque pas, la douleur entre ses cuisses lui rappelait que c'était une autre femme qui revenait. Elle oscillait entre hébétude, mélancolie et quelque chose qui ressemblait à de l'excitation. Était-ce cela qu'on appelait hystérie ? Et, comme pour le prouver, elle lâcha abruptement :

— À quel sujet pensez-vous vous être trompée ?

Elizabeth avait commencé à gravir l'escalier. Elle se retourna, sa main pâle se détachant sur le bois sombre de la rampe.

— Eh bien, je me demandais s'il n'était pas amoureux de vous. Mais ne vous faites pas d'idées – il est fort possible que je me trompe. Vous n'êtes certes pas le genre de femme que j'imaginais capable de le tirer de sa mélancolie. Mais s'il ne s'agit que d'un flirt, je ne m'y opposerai pas non plus. Tout plutôt que de le voir traîner sans fin cette humeur sinistre qui devient carrément pénible.

Stupéfaite, Lydia ne sut que dire. Seule une beauté reconnue pouvait se permettre une sortie aussi désinvolte. Le dos droit, Elizabeth s'éloigna sans un regard, absolument indifférente à l'émoi que ses commentaires avaient causé.

Une servante traversa le hall en courant, une bouteille de porto à la main. Son regard intrigué incita Lydia à regagner sa chambre en hâte.

Son reflet dans le miroir du palier lui arracha un sursaut : pâle, les yeux rouges comme si elle était au bord des larmes. Comme si son corps savait quelque chose que son cerveau n'avait pas encore admis.

Lydia Boyce, femme déchue.

Lydia Durham, vicomtesse Sanburne.

Elle rougit. Oh, bravo ! Voilà qui serait amusant ! Le chéri de ces dames obligé de convoler avec une vieille fille desséchée. Jamais Sanburne n'avait parlé d'amour, encore moins de mariage. Il avait seulement promis de ne pas l'*abandonner*. Même une putain de haut vol aurait espéré mieux : une pension généreuse, une maison bien à elle, une voiture...

Se détournant de son reflet, elle se dirigea vers la porte de Sophie, frappa brièvement au battant. N'obtenant pas de réponse, elle tourna la poignée. La femme de chambre dormait sur un lit de camp dans un coin de la pièce, mais le lit de sa sœur était vide. Il n'avait pas été défait.

Elle était allée faire du bateau avec les autres. Voilà tout.

Elle n'en éprouva pas moins un vague malaise. Sophie avait à peine échangé cinquante mots en privé avec George avant d'accepter qu'il la courtise. Elle avait été séduite par ses manières distinguées, son beau visage, la vie facile qu'il serait à même de lui offrir, et pas du tout par sa façon de se comporter avec elle. Résultat : à présent, elle ne cessait de se plaindre de lui et d'insister peu élégamment sur ses multiples déceptions.

De retour dans sa propre chambre, elle trouva Antonia déjà endormie. Un télégramme de leur père était appuyé contre la lampe. Il racontait qu'à bord du bateau qui le ramenait en Angleterre, il était tombé sur une vieille connaissance, qui était aussi un ami du regretté Hartnett. Cet homme prétendait que, peu avant sa mort, Hartnett s'était lié d'amitié avec Overton. L'idée que son vieil ami ait pu conspirer avec un rival malhonnête pour saper sa réputation l'horrifiait, mais la possibilité ne pouvait être écartée.

Elle baissa le télégramme. C'était plausible. Carnelly avait dit que les affaires d'Overton allaient mal. Il aurait payé quelqu'un pour remplacer les antiquités authentiques de Hartnett par des faux.

Elle savait ce qu'elle aurait dû éprouver : du soulagement, car l'explication était crédible, et de la colère envers Overton. Mais ses émotions étaient curieusement émoussées. *Je ne vous abandonnerai pas*. Elle aurait aimé pouvoir le croire, mais Moreland ne serait sans doute pas d'accord. Là gisait la véritable erreur de James – et celle de Sophie. Une fois que l'amour avait été déclaré et la loyauté accordée, on ne pouvait revenir sur sa parole. En tout cas, pas si l'on espérait être cru de nouveau.

Avec un soupir, elle plia le télégramme et le fourra dans sa valise. Il était temps de retourner voir Carnelly.

13

À cette heure matinale, il y avait peu de passagers à bord de l'express de Londres. Un étudiant qui lisait une lettre en soupirant. Une mère et sa petite fille remuante, qui décocha un sourire édenté à James lorsqu'il était passé devant elle. Un professeur grisonnant parcourant avec une moue réprobatrice une traduction récente d'Hérodote. Et la femme assise en face de lui. Elle n'avait pas dit un mot depuis qu'il s'était assis. Boutonnée jusqu'au menton, la main plaquée sur la paroi pour résister au balancement de la voiture, Lydia Boyce arborait une expression peu aimable.

En d'autres circonstances, James l'aurait taquinée. Mais lui non plus n'était pas d'humeur affable. Il n'avait pas dormi plus d'une heure. Peu après l'aube, il s'était levé dans l'idée d'aller se promener, et avait trouvé Lydia dans l'entrée en train de demander à un valet de lui faire préparer une voiture. La femme avec qui il avait couché quelques heures plus tôt, dont les cuisses avaient tremblé sous ses lèvres, avait l'intention de s'en aller sans un mot d'adieu ! Il était furieux.

— Prendre la fuite sans chaperon, c'est non seulement lâche, mais aussi, oserais-je le dire, *imprudent*, avait-il commenté d'un ton sarcastique.

Elle l'avait dévisagé longuement, le front plissé, comme si elle voyait mal.

— Vous avez perdu vos lunettes ? avait-il demandé, mi-railleur mi-inquiet. Ne faites pas ça, avait-il poursuivi. Restez et parlez-moi.

Se sentant rougir, il s'était tu. Jacassement idiot de collégien.

— Je suis désolée, avait-elle dit. Je dois rentrer en ville. Une affaire urgente. Nous parlerons une autre fois, lorsque j'aurai les idées plus claires.

Elle comptait s'éclipser et reporter la discussion à un moment qui lui conviendrait mieux ?

— Parlons maintenant. Si vous n'avez pas les idées claires, vous n'êtes pas en état de voyager seule.

Un sourire inattendu avait retroussé les lèvres de Lydia.

— Vous me prenez pour une fleur de serre ? Je vous rappelle que je m'occupe des affaires de mon père, Sanburne. Je suis capable de prendre le train toute seule.

Sur ce, avec un hochement de tête, elle avait tourné les talons et était sortie.

Il était resté bouche bée une bonne minute. « Je possède le talent de faire des sorties mémorables », l'avait-elle averti. Mais il n'avait pas écouté. Oh, vanité des vanités ! Quelles qu'aient été ses raisons de coucher avec lui, il s'était imaginé être l'une d'elles. Mais, dans le bruit de la porte qui se refermait, il entendit une vérité qu'il n'avait pas pris la peine d'envisager : en dehors d'une heure de plaisir et d'une escorte dans les bas-fonds de Londres, elle ne voulait rien de lui.

L'incrédulité le poussa à la suivre. Il était beau, riche, apprécié. Héritier d'un titre et d'une fortune considérable. Résultat, les femmes venaient à lui avec des ambitions très précises en tête. La dernière fois qu'il avait couché avec une femme qui ne désirait rien de plus que sa compagnie, il avait seize ans et elle trente. C'était la veuve d'un ami de la famille, et elle s'ennuyait.

Il avait suivi Lydia à la gare et acheté un billet pour Londres.

Il la regardait à présent, si rigide en face de lui. Le chuintement ténu de la pluie lui parvenait par-dessus le grondement du train. Il se sentait d'humeur contemplative. De quoi avait-elle peur ? Elle l'aimait davantage qu'elle n'était prête à l'admettre. Elle l'avait aimé suffisamment pour coucher avec lui. Et il la soupçonnait de l'aimer suffisamment pour rêver de lui. Mais elle était loin d'être aussi honnête avec lui qu'elle l'était avec elle-même.

En tout cas, elle avait l'air d'aussi mauvaise humeur que lui. De dessous le large bord de son chapeau, elle dardait un regard sombre sur les champs humides qui défilaient derrière la fenêtre. Même le petit oiseau qui ornait son chapeau semblait plongé dans quelque dilemme compliqué ; il frissonnait comme s'il était sur le point de faire des révélations.

Peut-être savait-il ce qui l'affligeait. Ses remarques, la nuit passée, l'avaient surprise et déconcertée. S'il n'était pas l'ignoble séducteur qu'elle pensait, mais un homme qui s'intéressait sincèrement à elle, alors sa petite tentative pour jouer à la femme de mauvaise vie avait échoué. En bref, elle avait baisé avec lui pour rien.

Dieu, qu'il était ridicule de se sentir… blessé ? Comme un chiot à qui l'on a flanqué un coup de pied et qui cherche un coin tranquille pour lécher ses plaies. Les plaisirs du sexe ne garantissaient pas une émotion plus profonde. Il aurait dû le savoir mieux qu'elle, lui qui avait couché avec tant de femmes. Alors qu'elle était vierge.

Mais on aurait dit que tout s'était mélangé dans sa tête. Il pouvait situer le moment précis où cela avait eu lieu : il essayait de parler de Stella, de la prison dans laquelle elle vivait, du moment imminent où il se réveillerait dans la peau d'un pantin sans cervelle, aussi vain et désespérant que les autres. Et elle l'avait embrassée, si doucement. Comme si les mots lui étaient déjà connus, et qu'elle voulait lui éviter la souffrance de les prononcer. Un baiser empli de compréhension et de compassion. C'était du moins ce qu'il avait ressenti.

En réalité, elle avait juste voulu le faire taire. Elle ne désirait pas d'aveux. L'intimité n'était pas son objectif. Un rire bref lui échappa. Quel foutu idiot il était ! Comment s'y prenait-elle pour le déstabiliser à ce point ? Peut-être que, s'il le savait, il parviendrait à se débarrasser de ce besoin ridicule de poser les mains sur elle.

Il se vautra sur sa banquette, si bien que ses genoux touchèrent ses jupes. Elle lui adressa un regard lourd de sous-entendus, mais ne fit pas de commentaire. Elle devenait incroyablement difficile à contrarier. Grands dieux, il lui avait pris sa virginité. Le moins qu'elle pût faire était de rougir. Peut-être y avait-il un trou dans son cerveau, et tout ce qui concernait les hommes glissait dedans, lui laissant l'esprit disponible pour des choses plus importantes, comme les déchets de peuplades exotiques.

Il s'éclaircit la voix.

— Je suis convaincu que les messages que j'ai reçus ont un rapport avec la cargaison de Hartnett.

Il fit une pause généreuse, mais n'obtint pas de réponse.

— C'était une idée en passant, bien sûr. Mais il se trouve que les tentatives d'assassinat incitent à la réflexion.

— Que voulez-vous dire ? Parlez franchement, monsieur.

— *Monsieur ?* Voyons, Lydia. Êtes-vous toujours aussi protocolaire avec les hommes avec qui vous avez fait l'amour ?

Elle eut un mouvement brusque qui fit frémir l'oiseau sur son chapeau.

— Suis-je censée être embarrassée par cette remarque ?

— Pas du tout. Si l'acte ne vous a pas embarrassée, je ne vois pas pourquoi y faire référence vous mettrait mal à l'aise.

De nouveau, elle le dévisagea en fronçant les sourcils.

— Si vous voulez savoir quelque chose, il vous suffit de demander, reprit-il.

La poitrine de Lydia se souleva comme elle inspirait à fond.

— Très bien. De quelle tentative d'assassinat parlez-vous ?

— Lâche.

— Continuez, fit-elle en rougissant.

Il haussa les épaules.

— Un garçon m'a accosté à l'*Empire*. Plus exactement, il a appuyé la lame d'un couteau sur ma gorge. Il parlait de larmes qui devaient être restituées. Comme les messages que j'ai reçus. Cette fois-ci, il a lâché un mot nouveau. *Égypte ?* N'est-ce pas fascinant ?

L'espace d'un instant, elle parut alarmée. Puis, tout aussi rapidement, elle prit un air mutin.

— L'Égypte est un grand pays – et l'un de nos principaux partenaires commerciaux. J'imagine qu'un tas de gens en parlent très régulièrement.

— Sans doute, mais je me suis souvenu d'autre chose. Ces messages ont commencé à arriver peu après que les journaux ont raconté notre face-à-face à l'Institut.

Elle garda le silence.

— C'est troublant, admit-elle finalement. Mais pourquoi vous menacer ? Les faux n'ont aucune valeur.

— Peut-être y a-t-il quelque chose en eux qui n'est pas dépourvu de valeur. Ces larmes qu'on ne cesse de mentionner.

Il fit une pause. Phin avait élaboré une théorie qui s'accordait malheureusement trop bien avec les revendications de Mlle Marshall.

— Avez-vous entendu parler des diamants fabuleux qui ont disparu il y a cinq ans ?

Elle se raidit.

— Oui. Ils faisaient partie du trésor royal égyptien. Ne dites pas de bêtises, Sanburne. Ça n'a rien à voir avec...

— Laissez-moi terminer, coupa-t-il. Le khédive a accusé des espions britanniques – selon lui, le but du vol était de saper son autorité. L'histoire a enchanté mon père, car il a toujours été partisan d'une implication plus hardie dans les affaires égyptiennes. Quoi qu'il en soit, nous avons affirmé que nous n'étions pour rien dans la disparition de ces pierres, et peut-être était-ce vrai.

Phin n'avait rien pu affirmer ; apparemment, il était davantage préoccupé par les problèmes des pays orientaux.

— Les pierres n'ont jamais refait surface, et le khédive avait raison : cette disparition a souligné sa faiblesse. Son général en chef a monté une mutinerie, nous fournissant ainsi le prétexte dont nous avions besoin pour bombarder Alexandrie et prendre le contrôle officieux du pays.

Lydia était devenue très pâle.

— Je n'ai pas besoin d'une leçon d'histoire. Où voulez-vous en venir ?

— Peut-être s'agit-il des pierres dont parlait Mlle Marshall.

Il s'attendait à une remarque narquoise. Mais elle parut réfléchir, brièvement certes, à cette éventualité.

— Dans ce cas où sont-elles ? répliqua-t-elle. Vous m'avez vue briser la stèle. Et j'ai examiné les autres faux une douzaine de fois déjà. Aucun n'est creux.

— Détail qui m'a intrigué, Lydia. Pourquoi payer le port de morceaux de pierre sans valeur ?

Elle se tourna vers la fenêtre.

— Je n'aime pas votre ton, dit-elle, mais, une fois de plus, la réaction vigoureuse à laquelle il s'attendait ne se produisit pas. Je vous ai dit que l'échange a pu avoir eu lieu une fois les articles en caisse.

— Et c'est encore plus étrange, dit-il prudemment. Pourquoi se donner la peine d'ajouter de fausses antiquités à la cargaison ? Lydia, avez-vous obtenu d'autres réponses de votre père ?

— Oui. Il avance une nouvelle hypothèse concernant l'un de ses rivaux...

— Ses rivaux ? s'esclaffa James. J'ignorais que le monde universitaire versait dans le drame.

— Un rival en affaires, précisa-t-elle sobrement. Un dénommé Overton, qui ne fait aucune différence entre l'archéologie et le pillage pur et simple. Il a très mal pris que certains de ses clients l'aient quitté pour mon père. De toute façon, je retourne en ville pour enquêter.

— Vous n'avez pas entendu ce que j'ai dit ? s'exclama-t-il. Un homme armé d'un *couteau* m'a agressé. Vous n'avez pas à enquêter. Si votre père est en route, laissez-le s'en occuper lui-même. Ce sont *ses* affaires, non ?

— Ses affaires, dont *je* m'occupe.

— Vous êtes un vrai chef !

— Que dois-je comprendre ? Que je ferais mieux de faire de la broderie et du piano ?

Il tint sa langue. Mais la façon dont les choses fonctionnaient lui apparaissait clairement, à présent. Elle s'occupait des affaires de Boyce à sa place. Rectifiait ses erreurs. Nettoyait derrière lui. Une secrétaire-gérante gratuite. Quel malin, ce papa !

Elle le fixait toujours.

— À propos, vous étiez en Égypte cet hiver, il me semble, lâcha-t-elle. Peut-être quelqu'un croit-il que *vous* en avez rapporté quelque chose de précieux.

Il n'y avait pas de moyen plus efficace de la mettre sur la défensive que de critiquer son père. La pensée ridicule lui traversa l'esprit qu'il était en compétition avec un sexagénaire.

— C'est possible. Hélas, je n'ai rapporté que des puces ! avoua-t-il. Bon, ce n'était qu'une hypothèse. Mais qu'elle soit juste ou pas, nous sommes d'accord sur un point : les faux sont sans valeur pour nous. Puisque ce garçon y a vu une bonne raison de m'assassiner, donnons-les-lui. Ma boîte aux lettres s'en trouvera mieux. Ma gorge aussi.

— Non. Ce qu'il faut, c'est mettre la main sur ce fou afin de découvrir pour qui il travaille – Overton, ou un autre.

— Mon Dieu, souffla-t-il. Lydia, vous vous mettriez volontairement en danger pour cela ?

Elle le regarda comme s'il était le pire idiot qui soit.

— Sanburne, vous ne comprenez donc pas ? S'il s'agit d'un complot visant à ruiner la réputation de mon père, je n'ai pas le choix.

— L'homme avait un couteau. C'est *vous* qui ne comprenez pas.

Pinçant les lèvres, elle détourna les yeux.

« Quelle rigolade », songea-t-il sombrement. Ce qui avait commencé comme une innocente petite farce pour embarrasser son père l'avait conduit à tenir un rôle dans le mélodrame le plus usé qu'on puisse imaginer : le sauvetage de l'honneur d'un autre père.

Lydia lui rappelait Stella par sa détermination, son aveuglement, son innocence. Boland l'avait réprimandée en public pour avoir salué un homme, et elle s'en était excusée. Il l'avait entraînée violemment hors de la piste de danse parce qu'elle avait souri d'un de ses faux pas, et elle avait imputé sa maladresse à une fausse note de l'orchestre. Il entretenait ouvertement une liaison avec la duchesse de Farley et, lorsque Stella lui en avait parlé, il l'avait giflée. Le mariage le transformerait, avait-elle assuré. Faux. Les gifles et les coups de couteau étaient des avertissements dont les victimes refusaient de tenir compte.

— Une route difficile vous attend, prédit-il tristement.

Elle ne feignit pas de ne pas comprendre.

— Cessez de calomnier mon père, je vous prie. Je vous ai pardonné une fois – non, deux, si l'on compte vos bouffonneries lors du dîner chez vos parents. Mais je ne peux plus me le permettre.

— Ne soyez pas dupe. Si vous vous obstinez, ce n'est plus le personnage de la fille dévouée que vous incarnerez. Vous jouez avec votre vie.

— Comme vous, non ? s'esclaffa-t-elle. Combien de litres d'alcool buvez-vous jour après jour dans le seul but de contrarier Moreland ?

Peut-être était-elle allée trop loin. Il étrécit les yeux et pinça les lèvres, expression qu'elle ne lui connaissait pas. Et qu'elle n'aimait pas. Elle jeta un coup d'œil aux autres voyageurs ; personne ne semblait avoir remarqué leur échange verbal. Bien sûr. Ils devaient les croire mariés. Ce qui lui permettait de s'isoler avec lui. De l'effleurer, même.

Son cœur tressauta, comme il ne cessait de le faire depuis qu'elle avait vu James surgir à la gare. Elle n'en revenait pas qu'il l'ait suivie, qu'il ait eu l'audace de s'asseoir en face d'elle, de la taquiner comme si la nuit dernière n'avait pas eu lieu. Elle aurait aimé posséder son assurance, mais croiser son regard suffisait à la faire rougir, et son pouls se mettait à danser comme un ivrogne lorsqu'il lui souriait.

Que lui avait-il fait ? Son corps était devenu un catalogue de sensations étrangères, opaques à toute interprétation, résistant à toute tentative de contrôle. Comme il ôtait son chapeau, ses lèvres se rappelèrent le soyeux de ses cheveux. Il croisa les jambes, ses doigts se crispèrent au souvenir de ses cuisses musclées. Sa main – assez ! Il ne fallait pas qu'elle pense aux endroits où elle s'était aventurée ! – plongea dans son gilet et en sortit une flasque.

— Lord Moreland ne vous voit pas, lui rappela-t-elle d'un ton railleur. Vous pourriez au moins attendre que nous soyons à St. Pancrace.

Il dévissa le bouchon et porta la flasque à ses lèvres en guise de réponse.

— Vous buvez trop, Sanburne.

Comme la gorge de James ondulait – une fois, deux fois, trois fois –, elle perdit patience.

— Arrêtez ! Dieu du Ciel… il est à peine 8 heures du matin. Vous allez perdre connaissance.

— On ne peut que l'espérer.

Le soleil émergea de derrière un nuage, éclairant le visage de James, ses traits fermes, le chaume sur sa mâchoire, sa bouche. Elle se surprit à la regarder. Ses lèvres faisaient des choses stupéfiantes et terribles. Et sa langue…

Elle détourna les yeux. Mais un éclat attira son attention. Il avait de nouveau levé sa flasque.

— Vous êtes un poivrot, jeta-t-elle.

Il baissa la flasque et la regarda.

— Bien sûr. Un poivrot remarquablement fervent. Et un papillon inutile aussi. Interrogez ma sœur, elle vous dira tout ce que je suis.

Lydia se retint de donner un coup de poing sur la banquette.

— Vous prisez ma franchise ? Eh bien, sachez que je ne peux avoir confiance en un homme qui ne se respecte pas. Car comment pourrait-il me respecter, *moi* ?

Sanburne éclata de rire.

— Oh, excellent ! C'est le meilleur sermon sur la tempérance que j'aie jamais entendu.

Le train commençait à ralentir. Un nuage de fumée tourbillonna devant les fenêtres, masquant les bâtiments le long du quai. Puis, dans un frémissement, le convoi s'immobilisa.

— Terminus, annonça un employé.

— Puis-je vous déposer chez vous ? proposa Sanburne.

— Je ne pense pas. Vous nous mèneriez directement dans la Tamise.

Elle attrapa son parapluie, se leva et remonta la travée. C'était ridicule. Elle ne comprenait pas pourquoi elle était en colère. Il n'avait fait que coller à son personnage.

À cette heure matinale, la gare était en plein chaos. Chaque voie voyait arriver des voitures jaune vif qui vomissaient leurs passagers. Une marée de banquiers en costume sombre se dirigeaient d'un pas raide vers la sortie, le journal du matin plié sous le bras. Elle se glissa derrière l'un d'eux, en espérant qu'il lui fraierait un chemin.

Planté devant la portière d'un compartiment de deuxième classe, un jeune homme souleva son chapeau à son passage. Quel goujat, faire des avances à une inconnue ! Jetant un coup d'œil derrière elle, elle repéra Sanburne à quelques mètres. Le goujat lui emboîta le pas et, comme elle se retournait de nouveau, son visage lui parut familier. Où diable l'avait-elle vu ?

À la bibliothèque ! Peut-être l'avait-il reconnue. Il n'en demeurait pas moins que c'était grossier de sa part de la saluer.

Comme elle passait sous la grande horloge, elle chercha dans son réticule de quoi prendre un fiacre. Elle irait droit chez Carnelly, de peur de céder à la tentation de laisser son père régler le problème comme l'avait suggéré Sanburne. *Tentative d'assassinat* ? Si c'était aussi grave, il lui en aurait parlé la veille au soir. Non, il devait être ivre, et avait offensé quelqu'un. Au pire, l'agresseur était un homme de main d'Overton. Quelle meilleure façon de perdre son père que de le faire accuser de tentative d'assassinat ?

Une main lui frôla le bras. Elle tourna la tête, une remarque acerbe au bout de la langue. Mais elle ne vit que des douzaines de dos qui s'éloignaient – et le jeune homme qui l'avait saluée. Il la suivait à présent. Elle sentit ses jambes flageoler. Sottise. Elle accéléra cependant l'allure. Où était donc Sanburne ? Le grincement strident d'un train la fit tressaillir. Elle s'obligea à rire. Sa panique était absurde. Elle regarda pourtant derrière elle. Le jeune homme gagnait du terrain. Encore quelques pas, et il pourrait la toucher. Mais il ne la suivait pas, voyons ! Il se dirigeait vers la sortie sud, comme des centaines d'autres individus.

Le corps de Lydia refusait cette logique. Son cœur cognait sourdement, réitérant son avertissement. Elle regarda autour d'elle, cherchant dans la foule la tête du vicomte.

Un inconnu se mit en travers de sa route.

— Mademoiselle Boyce, dit-il.

Il était grand et mince, avec un nez osseux et des yeux enfoncés qui la fixaient sans vergogne.

— Il faut que nous parlions.

Il porta le regard au-delà d'elle, et elle sut, d'instinct, qu'il regardait le jeune homme. Ils étaient ensemble.

Il plongea la main dans sa veste. Le geste n'annonçait rien de bon. Dans les cauchemars, les événements se déroulaient ainsi, très lentement, si bien que ses pensées les devançaient.

— Laissez-moi tranquille ! cria-t-elle.

Elle lui jeta son parapluie à la figure et se mit à courir.

Une main se referma sur son coude

— *James !* hurla-t-elle.

Sa voix ne put percer le vacarme ambiant. Des mains puissantes la firent pivoter. Le jeune homme avait des joues grêlées et une bouche minuscule. Elle sentit qu'on lui appliquait un mouchoir sur la bouche. Le parfum douceâtre s'engouffra dans son nez et projeta des vrilles jusque dans ses poumons.

Ne pas respirer. Une quinte de toux la saisit, et l'odeur s'insinua. Elle tenta de reculer, mais heurta un corps qui la maintint en place. Elle étouffait. Les bruits autour d'elle s'affaiblissaient. Elle voulut donner un coup de coude, mais ses muscles se délitaient. Elle tombait. Le sol la reçut. Il lui fit d'abord mal, puis, tout à coup, devint moelleux sous sa joue. Des pieds passèrent devant ses yeux, incroyablement flous. Elle ferma les paupières. De peur… et de fatigue. Jamais elle n'avait été aussi épuisée.

Le monde oscillait autour d'elle. On la souleva. Elle sentit ses bras pendre, lourds et inertes, comme détachés de son buste. Elle rouvrit les yeux et buta sur le visage de Sanburne, qui ondulait étrangement tel un reflet à la surface d'un lac que ridait le vent. Il parlait, mais elle ne comprenait rien. Sa voix bondissait et s'éloignait comme un enregistrement phonographique.

Elle était dans ses bras, se rendit-elle compte progressivement. Il la portait. Elle appuya la joue contre son épaule et laissa l'obscurité s'épanouir telle une rose noire…

Lydia avait beau être aussi légère qu'un enfant, il avait hâte de la mettre à l'abri, et les questions des policiers l'exaspéraient. Il leur jeta son titre au visage, emprunta l'air méprisant de son père et, en moins de dix minutes, les policiers acceptèrent de venir l'interroger plus tard, chez lui.

Dans le fiacre, elle remua à peine. Quelques gémissements lui échappèrent. « James », crut-il entendre.

Il lui caressa la joue jusqu'à ce qu'il soit sûr qu'elle ne se refroidissait pas. Puis, inspirant à fond, il regarda par la fenêtre. Le soleil éclairait la pluie qui ruisselait telle une averse de diamants sur les branches sombres parsemées de fleurs roses. Le printemps s'était enfin souvenu de Londres.

Il avait menti en affirmant que l'alcool ne lui faisait plus d'effet. C'était d'un pas mal assuré qu'il avait suivi Lydia sur le quai. À moins que ce ne soit le résultat de sa nuit blanche et de son épuisement. Dans un cas comme dans l'autre, il n'avait pas d'excuse. Une gorgée de plus, et il n'aurait pas pu maîtriser ces deux hommes.

Lydia s'agita dans ses bras. Les doigts de James se crispèrent dans les cheveux de la jeune femme. Il ne fallait pas que cela se reproduise, songea-t-il. Un type bien la déposerait à Wilton Crescent pour éviter tout scandale. Mais il n'était pas un type bien. Il n'était pas non plus un salaud capable de regarder sans lever le petit doigt une femme tituber allègrement vers son destin à cause de la confiance aveugle qu'elle portait à son abruti de père.

Elle ouvrit les yeux. Les pupilles étaient anormalement petites. Il se demanda ce qu'elle voyait. Si elle le reconnaissait.

— Je suis là, murmura-t-il. Tout va bien.

C'était une équation simple. Il pensa qu'il était capable de la faire fonctionner.

Les cils de Lydia battirent, et elle referma les yeux en soupirant.

14

Elle se réveilla lentement, au son de ce qu'il lui parut d'abord être le tonnerre, puis, la conscience aiguisant ses sens, un piano. Quelqu'un attaquait les notes les plus graves. Cela lui faisait mal à la tête. Inspirant à fond, elle s'aperçut que son estomac aussi était douloureux. Ses yeux s'ouvrirent sur les draperies d'un lit à baldaquin qu'elle ne reconnut pas. Elle se redressa.

La pièce était vaste et joliment meublée. Des rideaux rayés rouge cerise et blanc laissaient entrer le soleil. Des tableaux représentant des scènes champêtres ornaient les murs. Où donc se trouvait-elle ? Pressant la main sur sa poitrine, elle sentit son cœur s'affoler. Son corsage était humide. Baissant la tête, elle sentit une odeur d'eau de lilas et une autre, très légère, de vomi. Aurait-elle été malade ? Était-ce pour cela que son estomac…

Elle se leva avec précaution. Son chapeau était posé sur un fauteuil devant lequel attendaient ses bottines. Elle les enfila, les laça. Des bandits ne fournissaient sûrement pas à leurs prisonniers des geôles aussi raffinées. Pourtant quelque chose dans cette chambre la mettait mal à l'aise. La table de toilette était nue. La table à écrire dépourvue de papier et d'encre. Les chandelles disposées sur le manteau de la cheminée n'avaient jamais été allumées et, dans l'âtre, aucune cendre n'avait souillé les carreaux bleus étincelants. Difficile d'imaginer pièce plus froide et impersonnelle.

Lydia mourait de soif. Sa langue sèche lui encombrait la bouche tel un bloc de poussière. Avisant une carafe en argent, elle se servit un verre, puis un autre, et finalement but tout le contenu avec avidité, tandis que l'on continuait de marteler le piano quelque part dans la maison. Un bandit l'aurait enfermée à clef, se dit-elle en remarquant la porte entrouverte. Elle ramassa son chapeau et sortit dans une antichambre, puis dans un couloir obscur dont l'odeur lui rappela Alexandrie. De l'encens, comprit-elle. Dans le quartier arabe, ils en faisaient brûler en permanence.

Elle découvrit le piano un peu plus loin, dans un salon dont les rideaux ouverts laissaient entrer la lumière à flots. Ce déchaînement de musique était l'œuvre d'une enfant… d'une jeune fille en robe de dentelle blanche. L'arrivée de Lydia fut saluée par un fracas discordant, la pianiste plantant le coude sur les touches pour faire pivoter le tabouret.

— Enfin réveillée ! s'exclama-t-elle. C'est la musique ?

Il fallut un moment à Lydia pour recouvrer ses esprits.

— Non, je…

La fille bondit du tabouret. Elle était d'une beauté saisissante… et sa robe n'était pas celle d'une gamine, après tout. Les longs plis souples laissaient deviner une silhouette plus féminine qu'enfantine. Elle avait un visage en forme de cœur, d'immenses yeux bleus et des cheveux de ce blond platine qui fonce avec l'âge. Quel âge pouvait-elle avoir ? Seize ans peut-être ?

— Pardonnez-moi, reprit Lydia. Est-ce que… votre père est là ?

La fille éclata de rire.

— Oh, ce serait merveilleux !

Son expression ironique obligea Lydia à réviser son estimation. Elle avait au moins vingt ans.

— Toutes mes excuses… Je crains d'avoir l'esprit encore un peu embrouillé.

— Je n'en doute pas.

La jeune femme avait un curieux accent, par moments américain, à d'autres purement anglais.

— Le chloroforme peut assommer pendant des heures. À moins que ce n'ait été de l'éther ? Nous n'avons pas pu décider.

— Euh… je n'en ai aucune idée.

— Les rêves étaient-ils délicieux ? Ou terrifiants ?

— Terrifiants.

La femme fit la grimace.

— Alors, c'était du chloroforme. Pauvre de vous. J'ai dû respirer ce truc une fois à Hong Kong. Ça m'a fait rêver de Phin, acheva-t-elle avec un frisson.

En émergeant d'une tentative d'enlèvement, on aurait pu espérer une compagnie plus posée que celle de cette jeune fille.

— Savez-vous où je pourrais trouver le vicomte Sanburne ?

— Ça dépend. Phin a eu deux visiteurs aujourd'hui. Est-ce le grand et bel homme, ou le petit très moche.

— Le grand.

— Il est dans la bibliothèque.

La jeune fille précéda Lydia, répandant un parfum inhabituel, sûrement de fabrication étrangère. Comme elles se dirigeaient vers l'escalier, elle ajouta :

— Je vous conseillerai de ne pas lui demander son aide. Il devient très vite collant.

— Je vous demande pardon ?

La jeune fille jeta un regard évaluateur sur la silhouette de Lydia. Le chapeau parut l'amuser.

— Mais peut-être que cela ne vous dérange pas, ajouta-t-elle. Quel *ravissant* oiseau empaillé ! Phin va adorer.

Cette fille semblait croire qu'elle connaissait ce dénommé Phin. Lydia réfléchit un instant.

— Vous parlez du comte d'Ashmore ? hasarda-t-elle.

— Oui, si c'est le nom qu'il vous a demandé de lui donner, répondit la jeune fille en reprenant l'accent américain. Monroe, ça marche aussi.

Le cerveau trop confus pour une conversation aussi décousue, Lydia agrippa la rampe de l'escalier.

— C'est ici la résidence du comte, alors ?

— Résidence, prison, pension de famille, comme vous voudrez. Et aussi, à l'occasion… *palais des plaisirs*, précisa la jeune femme en baissant la voix.

Reprenant un ton normal, elle conclut :

— J'en déduis que vous n'êtes pas amis.

— Non, nous ne nous connaissons pas.

— Quelle chance vous avez !

La jeune fille s'arrêta sur la dernière marche et, tendant la main, secoua vigoureusement celle de Lydia à la manière américaine.

— Je m'appelle Mina Masters. Vous avez peut-être entendu parler de ma lotion pour cheveux ? Non ? Cinq shillings pour un brillant spectaculaire… Phin est là-bas.

Elle désigna une porte du menton.

— Dites-lui que vous avez fait ma connaissance ; il en aura une attaque.

Sur un clin d'œil, elle pivota et remonta l'escalier.

Sa désertion surprit Lydia. Elle en profita pour lisser ses jupes. Compte tenu des circonstances, elle pensait garder un calme impressionnant –

jusqu'à ce que, entrant dans la bibliothèque, elle aperçoive Sanburne. Son soulagement fut tel qu'elle se rua vers lui. Peu importait ce que l'autre homme pourrait penser d'elle ; seule comptait ce torse contre lequel elle se blottit. Des bras solides l'enveloppèrent, une main se referma sur sa tête, lui caressant les cheveux.

— James, murmura-t-elle en refoulant des larmes incongrues.

— Chut. Tout va bien, Lydia. Vous ne risquez plus rien.

Sa voix était si merveilleusement familière et calme.

Le nez écrasé contre lui, elle inspira son odeur. Elle n'était pas une petite fille de cinq ans en quête de câlins, pourtant, tandis qu'il continuait de lui caresser les cheveux, elle sentit les battements de son cœur ralentir. Ce n'était pas un homme stable, cela, elle l'avait compris. Mais, en cet instant, il semblait l'être. Son étreinte paraissait impossible à briser. Quelque chose qui tremblait en elle depuis – depuis elle ne savait plus quand – se calma.

Lorsqu'elle se sentit suffisamment remise pour s'écarter, elle découvrit un vilain hématome sur la joue de James. Elle l'effleura de la main. Il lui attrapa le poignet, secoua légèrement la tête, et sourit. Elle lui rendit son sourire. Soudain, elle se sentait presque étourdie.

— J'ai rencontré une jeune fille étrange en haut, murmura-t-elle. Il se peut que je l'aie seulement imaginée.

— Oh, je l'ai rencontrée, aussi, dit-il d'un ton léger. Phin a hérité d'une cousine.

Il glissa au comte un regard qu'elle ne sut interpréter. Ce dernier vit là un signal pour entrer en scène. Elle le reconnut aussitôt : c'était l'homme qui était venu chercher Mme Chudderley au bal des Stromond. Il était grand et mince, et tout chez lui était brun : les yeux, les cheveux, la peau tannée par le soleil.

Il s'inclina sur la main de Lydia tandis que James faisait les présentations.

— Lydia, le comte d'Ashmore. Phin, Mlle Boyce. Soyez aimables l'un avec l'autre et ne vous disputez pas. Vous êtes tous deux trop têtus pour perdre avec élégance.

— N'ayez crainte, mademoiselle Boyce, fit lord Ashmore avec un sourire narquois. Sanburne et moi avons beau être de vieux amis, j'ai appris les bonnes manières ailleurs qu'avec lui.

Elle lui rendit son sourire, mais ne put s'empêcher d'adresser un regard interrogateur à James. L'interprétant correctement, il haussa les épaules.

— Puisque Phin n'a aucun lien avec les faux, il m'a paru plus prudent de vous amener ici. Il y a aussi une autre raison. Vous ne voulez pas vous asseoir ? Vous devez avoir une terrible migraine.

Elle le laissa la guider jusqu'à un fauteuil près de la cheminée. Une fois tout le monde assis, elle se trouva la cible de deux regards graves.

— J'ignore comment je suis arrivée ici, avoua-t-elle.

— C'est simple, dit James. Il n'y a pas mieux pour avoir un fiacre avant les autres que de surgir, encadré de deux policiers, et avec une femme évanouie dans les bras.

— Des policiers ? s'écria-t-elle, soulagée. Ils ont attrapé mes agresseurs, alors !

Il lui adressa un curieux sourire.

— Oui, ils les ont attrapés. Mais le temps que je vous installe ici, et que je me rende à Scotland Yard, ils les avaient relâchés.

— Relâchés ! s'exclama-t-elle. Mais… pourquoi ? Ils ont tenté de m'*enlever* !

— En effet, acquiesça Sanburne qui jeta un coup d'œil au comte. C'est là qu'intervient Phin. Avant que son titre lui tombe dessus comme la peste noire, il a cherché à se rendre utile.

— On peut dire cela ainsi, admit le comte.

Lydia avait trop mal au crâne pour comprendre ces propos obscurs.

— Je vous en prie, parlez franchement.

Elle lut tout à coup de la compassion dans le regard de James. Et sa gorge se noua.

— Ne me dites pas que c'est au sujet de mon père, souffla-t-elle.

James soutint son regard. Son expression était impassible, mais la cicatrice qui lui barrait le sourcil le trahit en rougissant.

— Phin a enquêté. Pour faire court, les hommes qui vous ont agressée sont à la solde du gouvernement

Elle devait avoir mal entendu. Elle regarda le comte, puis baissa les yeux sur ses mains si étroitement serrées que les articulations avaient blanchi.

La main de Sanburne lui frôla le genou. Une grande main à la fois fine et solide. Il lui manifestait de la gentillesse, mais elle n'en voulait pas, car la pitié n'en était sans doute pas exclue.

— Expliquez-moi, dit-elle d'une voix atone.

Le comte d'Ashmore se racla la gorge.

— J'ai entièrement confiance en James. Lorsqu'il assure qu'on peut se fier à vous, je le crois. Aussi vous dirai-je, en confidence, que j'ai travaillé autrefois avec l'un des hommes qui vous a agressée aujourd'hui. Je n'ai pas apprécié l'expérience. Il est en général employé pour régler des affaires trop vilaines pour être traitées par les canaux officiels… Qu'on ait fait appel à lui n'est pas bon signe. Heureusement pour vous, il croyait que vous voyagiez seule. James l'a pris par surprise.

Quelle voix exceptionnelle il avait – basse et chaude, qui forçait l'attention, quand bien même les paroles qu'elle prononçait étaient horribles. Lydia savait ce qui allait suivre.

— Vous vous apprêtez à lancer des accusations contre mon père, fit-elle d'une voix sourde. Allez-y. Qu'on en finisse.

Le comte échangea un regard avec James. Ils la croyaient visiblement au bord de la crise de nerfs.

— Je ne connais pas votre père, reprit Phin. Je ne sais que ce qu'on m'a dit. Une femme du nom de Polly Marshall…

— … est une menteuse, acheva Lydia doucement.

Trop fatiguée, en proie à une tragique impression d'irrévocabilité, elle n'avait plus la force de s'indigner. Une fois de plus, elle débita sa plaidoirie, qui semblait ne convaincre personne.

— Il semblerait à présent que son amant complotait avec un rival en affaires de mon père.

— Tout est possible, admit gentiment le comte. Mais j'ai eu accès à des informations venant d'Égypte.

Voilà qui était nouveau. Cela suggérait une enquête de grande envergure. Une brève panique perça le brouillard dans lequel elle se débattait.

— Que voulez-vous dire ?

— Hélas, je ne connais pas les détails. Il suffit de savoir que le gouvernement croit votre père en possession des Larmes d'Idihet.

Et voilà. Quelqu'un l'avait dit à haute et intelligible voix. Les mots résonnèrent dans sa tête comme une détonation. Elle eut l'impression que quelque chose s'effondrait en elle.

— Le gouvernement croit cela, dit-elle d'une voix dont le calme la sidéra.

— Oui. Retrouver les pierres est devenu une affaire d'extrême importance. Si elles devaient refaire surface en Angleterre, les conséquences politiques seraient désastreuses. Il y aurait sans doute de nouveau des troubles en Égypte. Cela fournirait aussi des munitions à ceux qui nous critiquent. La France s'oppose déjà à notre contrôle sur le canal de Suez.

Une pause, puis :

— Vous comprenez à présent pourquoi le gouvernement tente de régler l'affaire par des canaux inhabituels. Mais ce besoin de garder les choses secrètes n'est pas à votre avantage. On peut se permettre un tas de choses, les pires même, lorsqu'on n'est pas obligé d'en rendre compte.

Sonnée, elle secoua la tête.

— Ils vont le tuer.

— Non, fit James d'un ton coupant. Lydia, Phin a une proposition à vous soumettre.

Elle leva les yeux.

— Votre père arrive à Southampton demain, enchaîna le comte.

Ah bon ? Elle l'ignorait. Se pouvait-il qu'elle ait trouvé Ashmore beau ? Elle haïssait son visage. Comme il semblait distant et nullement impressionné par les nouvelles qu'il délivrait.

— Si nous tombons d'accord, il sera autorisé à se rendre à Londres. Et il demeurera libre, à une condition : que d'ici sept jours, les pierres soient remises au gouvernement anglais.

Un marché honnête. Il y avait juste un problème.

— Et s'il ne les a pas ?

— Priez pour qu'il les ait.

Sa gentillesse avait quelque chose de choquant.

— Quelles que soient vos convictions, mademoiselle Boyce, Scotland Yard est persuadé que votre père est complice. Si les pierres ne réapparaissent pas, il sera arrêté et interrogé. Si elles réapparaissent, aucun blâme ne retombera sur lui, en public comme en privé. Bien sûr, la même proposition tient pour une femme, acheva-t-il après une brève hésitation.

Elle était trop abasourdie pour comprendre ce que cela impliquait. L'exclamation de James l'alerta.

— Oui, elle a l'air d'une voleuse, n'est-ce pas ? Va au diable, Phin ! Je la ramène chez elle.

Le comte haussa les épaules.

— Il fallait que ce soit dit. Je suis désolé.

Avec effort, Lydia se leva. L'air lui paraissait épais, visqueux, comme si elle se mouvait dans l'eau.

— Ainsi, son innocence le condamnera, dit-elle doucement.

Dans la voiture, James l'entoura du bras pour l'attirer contre lui.

— Je ne sais que faire, murmura-t-elle. Comment peut-on prouver que l'on *n'a pas* quelque chose ?

— Je l'ignore, dit-il calmement. Reposez-vous un peu, Lydia. Vous ne pouvez résoudre ce problème maintenant.

Sa réponse la déprima. Elle voulait de l'optimisme, un plan d'action. Tournant la figure contre sa manche, elle inspira son parfum si familier désormais.

— Soyez franc avec moi, dit-elle en fermant les yeux. Me trouvez-vous stupide de croire en lui ?

Le macadam cédant la place aux pavés, le bruit couvrit le soupir de James, mais elle sentit sa poitrine s'élever et s'abaisser sous sa joue.

— Non, répondit-il. On ne vous a pas montré de preuves. Et je comprends que vous accordiez foi à votre père plutôt qu'à un inconnu.

La générosité de la remarque noua la gorge de Lydia. Il lui avait fallu faire un grand bond pour admettre sa logique. Un tel bond, songea-t-elle avec gratitude, était en soi un acte de foi.

— Puis-je vous demander quelque chose ? reprit-il d'un ton étrangement formel. Que feriez-vous si vous découvriez qu'il est bel et bien impliqué ?

Elle ne put répondre sur-le-champ. Elle se trouvait face à un gouffre qui s'était ouvert lorsqu'elle avait fracassé la stèle, et s'était agrandi depuis – chaque fois qu'elle avait refusé de se poser cette question, en fait. Et maintenant elle devait regarder dedans.

— Je ne supporte pas de penser du mal de lui, dit-elle d'une voix tremblante. Je vis comme une épouvantable trahison de seulement m'interroger sur son innocence. Jusqu'à ce que quelqu'un puisse prouver sans le moindre doute qu'il est coupable, l'honneur et l'amour m'imposent d'accomplir mon devoir filial.

Elle attendit sa réponse dans un silence douloureux. Mais, lorsqu'il parla, ce fut d'un sujet différent et d'un ton neutre.

— Phin et moi avons pris des dispositions pour faire surveiller votre maison. Vous serez suivie lorsque vous sortirez, mais c'est pour vous protéger. Cela vous va-t-il ?

Elle s'écarta, soudain anxieuse.

— Et mes sœurs... Vous les croyez en danger ?

Il sourit, repoussa une mèche de son cou.

— S'il y a une chose que tout le monde sait, c'est qu'en Angleterre, c'est *vous* l'homme de confiance de votre père.

Elle sourit en réponse, et se blottit de nouveau contre lui. Dans moins de dix minutes, elle serait à Wilton Crescent. Après une telle journée, elle aurait dû être ravie de rentrer, de revoir ses sœurs. Mais en réalité elle ne désirait qu'une chose : rester ainsi, lovée contre James.

Le nez dans sa veste, elle pouvait se l'avouer. Elle était tombée amoureuse de lui.

Vérité peu réconfortante. Il ne lui appartenait pas. Dans quelques minutes, ils se sépareraient. Et en public, lors d'un bal ou d'un dîner, si leurs regards se croisaient, elle devrait se détourner, parce qu'ils ne s'étaient rien promis qui l'autorise à le regarder aussi hardiment.

La voiture ralentit, puis s'arrêta. Elle jeta un œil par la fenêtre. Ils étaient à Picadilly.

— Ne bougez pas, fit James en ouvrant la portière.

Son ton soudain distant la surprit.

Il sortit pour voir quelle était la cause de cet arrêt imprévu. Elle attendit un moment qui lui parut très long. Puis la portière s'ouvrit, et James remonta dans la voiture.

Cette fois-ci, il s'assit en face d'elle.

— C'est un fardier qui s'est renversé.

Comme la voiture se remettait en marche, elle ouvrit la bouche, puis la referma. Elle ne savait que dire pour qu'il revienne près d'elle.

— Donc, vous allez continuer ainsi, enchaîna-t-il.

— À essayer de découvrir la vérité, vous voulez dire ?

— Si c'est ainsi que vous appelez cela.

— Que puis-je faire d'autre ?

— Quittez la ville. Allez passer une semaine à la campagne. Laissez votre père se sortir seul du pétrin dans lequel il s'est fourré.

Il n'avait donc toujours pas compris ?

— Je vous ai dit que je ne pouvais pas l'abandonner.

— Non, fit-il. J'imagine que non.

Puis, avec un petit rire étrange, il ajouta :

— Bien sûr que non. Rien ne vous fera reculer.

Elle fut soulagée. Recommencer cette discussion était au-dessus de ses forces.

— Vous me comprenez, alors ?
Il hocha la tête.
— Oui. Mais ne comptez plus sur moi, Lydia.
Les mots demeurèrent suspendus entre eux. Elle n'avait pas dû bien comprendre. Ils ne lui étaient pas destinés.
— Quoi ?
Il reprit en articulant avec froideur et précision :
— J'ai déjà suivi cette route, répondit-il froidement. J'ai vu une femme aveugle, obstinée, se ruer dans l'abîme. Je n'ai pas eu le plaisir de la voir mourir, mais vous semblez résolue à me fournir cette occasion. Je ne la saisirai pas, Lydia. Désormais, vous suivrez seule cette route.
— Non, chuchota-t-elle.
— *Si.* Vos agresseurs ne jouaient pas, et si j'avais été armé, chacun aurait une balle entre les yeux en ce moment, et le sol serait rouge de sang. Vous comprenez ça ? C'est à la mort que nous avons affaire à présent. Vous jouez avec elle. Le garçon, à l'*Empire,* a appuyé un couteau contre ma gorge. Il ne fera pas moins avec vous. Si vous ne laissez pas votre père régler ses propres problèmes, comme tout adulte le ferait, vous finirez assassinée. Et je n'irai pas pleurer sur votre tombe.
Elle tenta de déglutir. Sa gorge s'y refusa. L'image se forma dans son esprit : une journée venteuse, des gens en deuil, des corbeaux tournoyant dans le ciel. Des roses fraîchement cueillies, taches sanglantes sur la terre retournée. Et lui, à l'écart, les pans de son manteau claquant autour de lui. S'interdisant de pleurer.
Un frisson glacé la secoua. L'image était si nette, si vivante, elle ressemblait à une prémonition.
— Je ne veux pas me mettre en danger ! Mais quels sont mes choix ? James...
— Vos choix sont très clairs, répliqua-t-il placidement. Beaucoup de gens croient votre père cou-

pable. Que ce soit vrai ou faux, c'est à *lui* de régler le problème. L'alternative est de parier votre vie sur votre foi en lui. Et de perdre, très probablement.

Elle battit de paupières pour refouler ses larmes. Colère ? Chagrin ? Elle ne savait pas. Rien n'était clair dans sa tête. Sauf une chose : elle désirait éperdument s'asseoir près de lui, et qu'il lui prenne la main.

Ridicule ! La colère s'empara d'elle, dirigée avant tout contre elle-même.

— Que vous importe que je me retrouve dans le pétrin comme vous dites ? Vous ne pleureriez pas, même si j'abandonnais mon père et me jetais à votre tête. Avez-vous jamais prétendu m'aimer ? Et quelle valeur auraient mes sentiments pour vous si je me révélais capable d'une telle lâcheté ? Voudriez-vous de l'amour d'une telle personne ?

Sa voix se brisa de désespoir.

— Vous reprochez à votre père de prétendre aimer sa fille mais de ne pas se battre pour elle. En quoi serais-je différente si j'abandonnais mon père pour préserver ma tranquillité ? Dites-moi, James… il n'y a rien que vous désiriez davantage que de voir votre sœur libre, n'est-ce pas ? Y renonceriez-vous ? Si le monde entier vous disait qu'elle est folle, accepteriez-vous qu'elle demeure pour toujours dans un asile ? Je ne le pense pas !

De longues minutes s'écoulèrent avant qu'il réponde d'un ton las :

— Vous avez déjà fait votre choix. Je n'essaierai pas de vous convaincre que vous avez tort. On dit que l'histoire se répète, mais pas avec moi.

Elle demeura immobile jusqu'à ce que la voiture s'arrête. Déjà ? Elle jeta un regard surpris à James qui se penchait pour ouvrir la portière. Un valet attendait. Elle n'avait d'autre choix que de sortir.

— Ce n'était pas un jeu, dit-il comme elle posait le pied sur le marchepied.

Il était dans l'ombre de la voiture, mais elle crut le voir hausser les épaules.

— Vous devriez le savoir. Cela a cessé d'être un jeu il y a quelque temps déjà. Bonne soirée, mademoiselle Boyce.

15

Comme elle pénétrait dans la maison, elle entendit le rire d'Antonia à l'étage supérieur. Elle s'appuya au mur pour écouter. Un son joyeux, innocent, confiant. Elle aurait aimé que James l'entende. Peut-être aurait-il compris, alors. Antonia était née le visage inondé de soleil, et si ce soleil faisait mine de disparaître, toute la famille était prête à se brûler pour le retenir. Même Sophie. On ne renonçait pas à l'amour parce qu'il devenait douloureux.

Elle refoula ses larmes et prit son courrier sur le plateau. Un télégramme l'attendait. Ashmore avait eu raison sur un point : son père serait là le lendemain soir.

Les mots dansèrent devant ses yeux. Son corps entier lui faisait mal comme si on l'avait jetée contre un mur. Elle aurait pu accuser le chloroforme, mais elle n'était pas idiote.

— Tu es rentrée ! s'écria joyeusement Antonia depuis le palier. Seigneur, Lydia… tu es allée tout droit de la gare à la bibliothèque ?

— Oui, mentit-elle.

Elle eut l'impression qu'un doigt glacé lui frôlait la colonne vertébrale. Elle s'ébroua et commença à monter l'escalier.

— Eh bien, j'ai le plus…

Antonia s'interrompit et fronça les sourcils.
— Que se passe-t-il ? Tu n'as pas l'air bien.
— J'ai la migraine. Qu'allais-tu dire ?
— Seulement que j'ai la nouvelle la plus excitante. Mais tu es sûre que ça va ? Oui ? Vraiment ? Parfait, alors.

Elle se précipita pour ouvrir la porte de la chambre de Lydia et lâcha :
— Lady Farlow a réussi à avoir le St. George pour le mariage !
— Oh, c'est merveilleux, fit Lydia avant d'étreindre sa sœur.

Dieu qu'elle sentait bon ! Un mélange délicieux de violette, de soleil et de candeur. Un jour ou l'autre, elle souffrirait. Comme tout le monde. Mais ce ne serait pas à cause de sa famille.
— Je suis si heureuse pour toi, Antonia. Et toi aussi, tu l'es, n'est-ce pas ?
— Terriblement. J'ai toujours rêvé de me marier au St. Georges... Je dois t'avouer quelque chose, Lyddie, ajouta-t-elle en rougissant. Quelque chose que je n'ai dit à personne : il m'a embrassée ! Près du court de tennis, ce matin, à Bagley End. Nous étions derrière les buissons, personne ne nous a vus. Oh, quelle audace de sa part ! Tu n'es pas choquée, n'est-ce pas ?

Ce qui choquait Lydia, c'était d'être la première à l'entendre, elle que ses sœurs jugeaient si collet monté.
— Tu ne l'as pas dit à Sophie ?
— Non. Elle a été d'une humeur épouvantable toute la journée. Je ne sais pas ce qu'elle a.

Lydia craignait de le savoir.
— Je vais la voir, dit-elle.

Elle trouva Sophie allongée sur son lit, une compresse sur les yeux. Les rideaux étaient tirés et, sur la coiffeuse, un sachet de poudre d'écorce de bouleau, remède souverain contre les maux de tête et d'estomac, était ouvert. Comme le matelas s'affaissait sous le poids de Lydia, Sophie s'écarta en marmonnant.

— Je veux qu'on me laisse seule.

Lydia demeura silencieuse un moment. Elles n'étaient pas des confidentes, en matière d'amour. Normal. Jusqu'à très récemment, tout ce que Lydia aurait pu en dire concernait le mari de Sophie. Elle espérait qu'il en était de même pour Sophie. Sinon... Dieu tout puissant, elle ne voulait pas le savoir.

Mais la souffrance de sa sœur était si évidente qu'elle la poussa à rompre le silence.

— Il s'agit de M. Ensley ?

Sophie arracha la compresse et se redressa.

— Ne me parle plus de lui. C'est un grossier personnage sans aucune éducation !

— Tu avais pourtant l'air d'apprécier ses attentions hier soir, risqua Lydia.

— Et alors ? Cela ne lui donne pas le droit de... d'*attendre* des choses de ma part. Il a osé dire que je l'avais provoqué !

Lydia inspira brièvement. George lui avait lancé la même accusation, autrefois. Elle s'était sentie honteuse et humiliée, mais, à présent, elle voyait plus clairement dans le jeu des hommes. Ils étaient tout à fait capables de faire preuve de retenue, quoi qu'ils en disent.

— Sophie, est-ce qu'il t'a malmenée ?

Une expression étrange se peignit sur le visage de sa sœur.

— Un peu.

L'inquiétude et la colère s'emparèrent de Lydia. Elle tuerait cet homme.

— À quel point ?

— Oh, arrête ! Je n'ai pas besoin de *tes* conseils dans ce domaine.

— Bien, fit Lydia en se levant. Mais il faut en parler à George. On ne peut pas laisser ce mufle...

Lui agrippant le poignet, Sophie la força à se rasseoir.

— Non. Tu m'entends ? Il ne doit pas savoir. *Jamais.*

Lydia ne l'avait jamais vu aussi affolée.

— Seigneur, Sophie, ce n'est pas *ta* faute s'il...

Les ongles de Sophie s'enfoncèrent dans son poignet.

— Je suis sérieuse, Lydia ! Si tu oses, ne serait-ce que lui en toucher un mot, je te... je te jette à la rue !

Lydia en demeura muette de stupéfaction. Jamais, pas même au cours de leurs disputes les plus violentes, Sophie n'avait proféré une telle menace.

Celle-ci baissa les yeux, et lui lâcha le poignet. Elle s'empourpra, et tout devint clair.

— Mon Dieu, murmura Lydia. Tu l'as encouragé à t'embrasser.

— Je ne veux pas en parler.

— *Plus* que cela ? Dieu du Ciel, Sophie !

— J'ai dit *un peu*, riposta Sophie en redressant les épaules. Et qu'importe si ç'avait été *plus* ?

Elle retomba sur ses oreillers.

— Cela serait bien égal à George. S'il s'en souciait, il m'accompagnerait, non ? Mais le fait-il ? Bien sûr que non !

Elle eut un rire amer.

— Le *Parlement* est en session. Et peu importe que la moitié de la Chambre soit allée aux régates de Henley ! Je pourrais aussi bien être une vieille fille, pour ce que je vois mon mari.

Lydia ne put retenir une remarque excédée.

— Oh, en voilà une justification ! Tu savais qui il était quand tu l'as épousé.

— Quand je l'ai épousé, il a promis de m'aimer, non ? Pas de me sermonner et de me gronder comme si j'étais une fille de cuisine. Tu l'as vu ! Il me parle à peine, si ce n'est pour me reprocher de ne pas m'*intéresser* davantage à ses combats politiques. Je lui ai rétorqué qu'il s'était trompé de sœur si c'était *cela* qu'il voulait.

Au petit cri étouffé de Lydia, Sophie eut un ricanement impatient.

— Ce n'est pas vrai ? Et inutile de me regarder comme si j'étais un monstre. Je l'ai épousé pour *nous*, non ?

— Pour nous ?

— Oui, sauf que, maintenant, c'est *moi* qui paie ! C'est *moi* qui dois aller à ces dîners ennuyeux, écouter ces discours rasoirs et me conduire comme une assommante rabat-joie boutonnée jusqu'au cou, tout ça parce que les amis de George pourraient *désapprouver* que je dévoile un centimètre de peau. Et, pendant ce temps, Antonia et toi, vous faites tout ce qui vous plaît, grâce à l'argent de George !

Lydia regarda sa sœur dans les yeux.

— Que les choses soient claires, articula-t-elle lentement. Il y a quatre ans, tu m'as induite en erreur, tu m'as menti, tu t'es moquée de moi derrière mon dos pour *nous* sauver ?

Sophie agita la main d'un air exaspéré.

— Pour l'amour de Dieu, ne recommence pas ! Où serions-nous aujourd'hui si je n'avais pas accepté qu'il me courtise ? Tu es très intelligente, aucun doute, mais tu n'aurais pas pu nous entretenir toutes les trois avec l'argent que tu tirais des objets qu'envoie papa !

Lydia éclata de rire.

— Tu veux dire que je n'aurais pas pu nous faire mener *grand train*.

— Qu'est-ce que c'est censé signifier ? Dois-je avoir honte de préférer vivre décemment ?

— Non, riposta Lydia d'une voix si amère qu'elle lui brûla la gorge. Je sais combien tu tiens à ton confort, et quels sacrifices tu as dû consentir pour le conserver ! Tu savais que je l'aimais, mais cela ne t'a pas empêchée de me le prendre. Et maintenant tu te plains qu'il ne te convient pas ? Pire, tu espères que je vais compatir ? Mon Dieu ! C'est plus que de l'égoïsme, c'est *plus* que de la puérilité…

— Stupéfiant ! Tu en es *encore* à te raconter qu'il t'a aimée en premier ?

— *C'est le cas !*

— Tu n'étais rien pour lui !

— Tout Londres savait qu'il me courtisait !

— Doux Jésus, Lydia, il ne t'a pas jeté deux regards ! Il s'est lié d'amitié avec toi pour me rencontrer, c'est tout.

Elles étaient toutes les deux debout et hurlaient. On devait les entendre du couloir, songea Lydia, qui ne riposta pas. Fulminant, Sophie ne se soumit pas à la même réserve.

— Dis-le, alors ! Dis-moi ce que j'ai encore fait de mal ! Je sais combien tu *adores* jouer les martyres !

Les martyres ? L'accusation la désarçonna momentanément.

— C'était il y a des années, dit-elle.

Des années durant lesquelles la colère et le chagrin l'avaient réveillée la nuit. Mais tout cela était bel et bien fini. Elle se rendait compte désormais que son amour pour George avait été bâti sur des rêves. Elle n'avait pas éprouvé avec lui le centième de ce qu'elle ressentait avec Sanburne. Leurs conversations avaient été superficielles, ses attentions dictées par l'étiquette. Oh, elle ne voulait pas gaspiller une pensée de plus sur lui !

— Peu importe aujourd'hui laquelle de nous il a voulue en premier. Ce qui compte, c'est que tu l'as eu. Et merci mon Dieu ! Je parle sérieusement, Sophie. Je n'en voudrais plus, de toute façon.

— Ha ! s'exclama Sophie avec cette expression triomphante qu'elle affichait lorsqu'elle marquait un point au tennis. Et pourtant c'est toi qui n'arrêtes pas de ramener le sujet sur le tapis !

Lydia la regarda avec des grands yeux.

— Sophie, tu ne vois donc pas que ça n'a rien à voir avec George, mais avec nous ? Tu m'as trahie. Tu *savais* qu'il me plaisait, mais tu m'as laissée me monter la tête. Pour rire de moi avec lui.

Elle s'interrompit. Ce fait-là avait encore le pouvoir de la stupéfier.

— Comment as-tu pu me faire ça à *moi* ? Ta propre sœur ?

Sophie s'assit au bord du matelas.

— Cela apparaît cruel, admit-elle. Mais ce n'était pas mon intention ! J'étais jeune et j'avais peur de te le dire. Et à qui pouvais-je demander conseil ? Tante Augusta était à moitié piquée. Antonia portait encore des nattes. C'était trop personnel pour que j'en parle à mes amies.

C'était là l'explication la plus plausible qu'elle ait jamais donnée. Lydia apprécia l'effort, tout en regrettant de ne pouvoir y croire.

— Nous parlions tout le temps de lui. Si tu avais rassemblé ton courage, je t'aurais pardonné. Cela m'aurait fait terriblement souffrir, mais tu n'aurais été en rien fautive.

— Tu m'aurais peut-être pardonnée, dit Sophie d'une voix faible. Mais pas papa.

— Tu ne penses tout de même pas qu'il t'aurait empêchée de te marier ?

Sophie lui décocha un regard incrédule.

— Avec l'homme dont sa chère petite Lydia était tombée amoureuse ? Bien sûr que si.

— Mon Dieu, souffla Lydia. Mais c'est... horrible. Il t'aime. Tu es sa *fille*. Tu...

— Oh, inutile de te montrer condescendante avec moi ! s'écria Sophie en se levant. Et toi, qu'as-tu fait ? T'enfuir juste avant le mariage ? Est-ce que papa m'a jamais consolée du scandale que *tu* as causé ? Les regards, les ricanements, les chuchotements que nous avons dû endurer ?

— Qui a enduré le plus de regards, selon toi ? *Moi !*

— Toi ? Personne ne se souciait de toi au point de te regarder ! C'est *moi* qui ai souffert. Cela a complètement assombri le mariage ! Tout le monde demandait où vous étiez, papa et toi, et avec d'affreux petits sourires entendus ! Imagine un peu : devoir expliquer l'absence de son propre père, devoir mentir alors que tout le monde connaissait déjà la véritable histoire. Peut-être aurais-je dû dire la vérité : à savoir que papa n'avait qu'une fille – qu'Antonia et moi étions orphelines !

— C'était là la véritable raison de ton attitude ? Tu as voulu te venger de moi, en qui tu voyais sa préférée ?

Comme Sophie levait les yeux au ciel, Lydia eut une autre intuition.

— Ou bien tu voulais son attention sans partage ? reprit-elle plus lentement. C'est *cela*, n'est-ce pas ? Tu serais la première à te marier, ce qui te rendait unique. Mieux encore, tu épouserais l'homme en qui papa savait que, *moi*, j'avais placé des espoirs. Quelle meilleure façon d'attirer son attention que de lui montrer qu'un tel homme t'avait jugée plus digne d'intérêt ? Sauf que cela n'a pas tourné comme tu l'avais prévu. Papa était en Égypte, avec moi. Il n'a pas assisté à ton triomphe.

Le regard de Sophie se perdit au loin. Elle se laissa retomber sur le matelas.

— Non, en effet, murmura-t-elle d'un ton incertain.

— Papa aurait voulu être présent à ton mariage, reprit Lydia, qui ne se sentait pas d'humeur charitable, mais ne se voyait pas passer cette vérité sous silence. Il n'a parlé que de toi, ce jour-là.

Il avait raconté d'interminables histoires sur l'enfance de ses deux aînées, du temps où Sophie était sa plus grande admiratrice.

— *Un seul* jour, fit Sophie avec un rire amer. Que c'était généreux de sa part !

Elle secoua la tête et ses épaules se voûtèrent.

— Lydia... tout cela, ce n'était pas destiné à te faire du mal. Parfois je suis en colère contre toi, mais je sais que c'est absurde. Quelle raison aurais-je de t'envier ? Aucune, franchement. Je suis différente de toi, je ne pourrais jamais me contenter de livres et d'études. Et cela me rendrait très malheureuse que les messieurs me trouvent banale. Je ne me sens pas frivole pour autant. Ce n'est pas mal que d'aimer être appréciée... Aussi, reprit-elle avec un haussement d'épaules, pourquoi devrais-je me soucier de papa ? Je possède tellement plus que toi. Ce n'est peut-être pas justice que tu l'aies, lui.

Lydia alla à la porte. La main sur la poignée, elle déclara calmement :

— Papa ne t'appartient pas que tu puisses décider de me le laisser, Sophie. Et je n'ai pas besoin de ta charité. Tu as reçu beaucoup mais, comme tous les enfants gâtés, tu critiques et malmènes tes cadeaux. Seul problème : tu n'es plus une enfant, et ce que tu as malmené ce week-end n'est pas un jouet. C'est ton mariage. Si tu le brises, on ne pourra pas le remplacer.

Elle sortit et, une fois dans le couloir, inspira à fond. L'air était étouffant dans la chambre de sa sœur, chargé de trop de parfums. Comment Sophie pouvait-elle rester allongée là pendant des heures ? Rien d'étonnant à ce qu'elle ait des migraines.

« J'ai tellement plus de chance qu'elle », songea-t-elle.

La pensée semblait incongrue. Pourtant c'était vrai. Comme elle se dirigeait vers l'escalier, elle se sentit réellement chanceuse. Il semblait qu'elle n'en avait pas fini avec le rêve, après tout. Elle n'était ni trop vieille ni trop flétrie pour mettre son cœur en jeu.

Un sourire lui vint. Antonia était casée. Pour l'instant, elle ne pouvait rien faire pour son père. Mais il y avait une chose qu'elle devait faire pour elle-même.

Le crépuscule tombait sur Londres tel un grand voile bleu sombre. Il regarda le ciel à travers les vitres du jardin d'hiver. Les fleurs de l'acacia étaient en bourgeons. *Je n'avais jamais remarqué que les fleurs d'acacias étaient parfumées.*

Un verre serait le bienvenu. L'ivresse convenait au crépuscule. C'était au crépuscule qu'on était venu l'avertir. Le ciel avait la teinte de lèvres d'une noyée. Elizabeth était au piano et jouait un morceau à la sonorité métallique. Tous les tapis avaient été ôtés pour être secoués, et le parquet grinçait.

Son père ne s'était pas donné la peine de se déranger. C'était par un billet qu'il avait appris la nouvelle.

Il avait fait exceptionnellement froid ce printemps-là, et les branches nues griffaient les vitres, accompagnant plaintivement l'air que jouait Elizabeth. L'encre noire, le cachet encore mou... Le message s'était ouvert sous ses doigts tel un fruit pourri. Il l'avait lu quatre, cinq fois. Sans comprendre.

Stella avait tué son mari. Elle-même était gravement blessée, inconsciente, et elle ne survivrait probablement pas.

C'était stupéfiant que de telles horreurs puissent survenir inopinément, par une soirée aussi ennuyeuse. Au moment où, assis à la fenêtre, il buvait un verre en regardant le soleil disparaître derrière les arbres, Stella avait affronté l'horreur. Seule, avec ses pauvres moyens, et la peur au ventre. Le sang avait giclé partout. Elle avait dévalé l'escalier, les oreilles emplies de ses propres hurlements.

Avait-elle pensé à lui, en cet instant ? Elle était venue lui demander de l'aide. Moins d'une semaine auparavant, dans cette même pièce.

Et après la chute ? Tandis qu'elle gisait inerte, son esprit avait-il dérivé vers lui ? Lui, qui s'ennuyait et s'agaçait d'entendre Elizabeth pianoter.

Ces quatre dernières années, il s'était efforcé d'espérer qu'elle ne sentait rien. Qu'en dévalant l'escalier, elle avait plongé dans une douce et noire sérénité. Qu'elle n'avait pas tenté de l'appeler avant de se retrouver emprisonnée dans une chair souffrante et engourdie. C'était ce qu'il s'était dit, mais sans jamais oser le demander. Ni par lettre ni lors de leur unique entrevue dans ce trou à rats où elle était avant Kenhurst.

Bref, il n'aimait pas être sobre à la tombée de la nuit.

Il jeta un œil au verre d'eau qu'il avait à la main. Pourquoi serait-il sobre à un moment pareil ? Il n'y avait rien de gentil dans la disparition du soleil. L'immense tristesse envoûtante du crépuscule n'était pas seulement le produit de son expérience personnelle. C'était une vérité élémentaire. Le crépuscule était la main de la nuit, jetant sur la terre une obscurité qui finirait par les engloutir tous.

— Vous n'avez pas l'air bien.

Il sursauta, mais ne se leva pas, ne se retourna pas. Après tout, il n'était pas obligé d'avoir toujours l'air d'aller *bien*. Il était chez lui, non ?

— Comment avez-vous fait pour éviter Gudge ?

— Votre majordome ? C'est lui qui m'a fait entrer.

— Rappelez-moi de le renvoyer.

Lydia soupira. Ce qui le mit mal à l'aise. *Un hôte est toujours aimable. Un invité est toujours honoré. Soyez aimables avec ceux que vous aimez.*

Mais c'étaient là des leçons et des manières d'autrefois, qu'il avait remisées sur une étagère, en même temps que les mensonges qu'il avait aimé croire et les souvenirs qui n'avaient plus de sens : le rire joyeux de Stella, sa main reposant avec confiance sur son bras. Ou l'odeur de son père, lorsqu'il l'étreignait il y avait si longtemps : fumée de cigare, amidon, eau de vétiver. Dire que ce mélange d'odeurs l'avait jadis réconforté, c'était ahurissant.

Elle était toujours là. Son silence était comme les mains du crépuscule : il pesait sur lui plus lourdement que ses mots.

— Allez-vous-en, dit-il.

— Non. Je dois vous parler.

— Vous devez ? répéta-t-il, sardonique. Je m'interroge. Savez-vous réellement comment exprimer vos pensées ?

— Je ne vous suis pas, avoua-t-elle après un instant.

Bien sûr qu'elle ne suivait pas. Elle avait besoin de logique, de règles, de grosses flèches rouges. Les sentiments n'entraient pas dans le fonctionnement de son cerveau. Il avala une gorgée d'eau. Quelle boisson ennuyeuse et fade ! Bon, eh bien, il lui mettrait les points sur les *i*.

— Vous êtes en colère, dit-il. Vous commencez à vous rendre compte que j'ai raison. Votre père a trempé dans cette affaire. Mais vous ne pouvez toujours pas vous résoudre à le croire.

— Je ne suis pas du tout en colère, James, assura-t-elle, mais sa voix chevrotait. Je suis… pleine d'espoir.

— Oh ? Ainsi donc, vous espérez que je revienne sur ma décision.

Il s'était exprimé d'une voix dure afin qu'elle entende bien ce qu'il avait à dire. Il pouvait au moins faire ça pour elle.

— Pourtant, vous savez que c'est peu probable. Vous avez compris que, malgré tous mes défauts, je tiens parole. Alors vous êtes venue, prête à négocier. Avec votre corps, j'imagine ? Quel sens du sacrifice, mademoiselle Boyce ! Cette fois, votre pari pourrait avoir des conséquences.

— Vous vous trompez.

— Alors maudissez-moi pour vous avoir accusée. Envoyez-moi chez Hadès… c'est ainsi que vous le formuleriez, je suppose. Ou traitez-moi de foutu salaud, si vous connaissez ces mots. Mais, je vous en supplie, ne vous inclinez pas devant moi, je risque de vous décocher un coup de pied à titre de remerciement.

La respiration de la jeune femme était audible.

— Quelle triste opinion vous avez…

— Au contraire, coupa-t-il en ricanant. Je vous considère comme la quintessence du bon ton. L'allure, les manières, le vocabulaire, tout.

— Une triste opinion de *vous-même*, acheva-t-elle. Et imaginer que je vous laisserai me donner un coup de pied ! Franchement, James…

Il considéra de nouveau son verre. Une ravissante pièce de cristal, fabriquée à Waterford – le produit d'une des plus belles injustices de l'Angleterre à l'égard de l'Irlande. Ses bords biseautés irritaient la peau trop sensible de ses doigts, comme si tout le sang de son corps y affluait. Il avait déjà éprouvé cette sensation un jour de grand froid où Stella et lui étaient sortis jouer dans la neige. Dieu qu'ils s'étaient amusés !

La petite fille aux joues roses vivait à présent derrière des portes closes dont elle ne possédait pas la clef, épiée, nourrie, soignée comme une souris apprivoisée.

— J'ai besoin de vous, dit Lydia. Pas pour lui. Pour... moi.

— Dommage, répliqua-t-il posément.

Un bruissement de jupes le noya sous des effluves qu'il avait appris à reconnaître : un mélange de vanille et de violette, de lavande et de rose – tout un jardin ambulant auquel s'ajoutait une touche de cuisine pour faire bonne mesure, et que Dieu sauve les allergiques.

— Je suis prête à négocier.

Le liquide arrosa les doigts de James.

— Quelle grandeur d'âme ! Mais je vous conseille d'aller négocier ailleurs.

— Oh...

L'exclamation étouffée lui fit lever les yeux, et il découvrit qu'elle pleurait.

Un poing invisible le frappa entre les côtes et s'empara de son cœur. Et ne le lâcha pas tandis qu'il la fixait du regard.

— Lydia... pour l'amour de Dieu. Allez pleurer ailleurs. Pour quelqu'un qui veut se laisser influencer.

— Je ne peux m'en empêcher.

Elle se laissa tomber à genoux, tête baissée. Il ne vit plus que la raie séparant ses cheveux, fine et blanche entre les vagues sombres, tel un drapeau blanc.

— Je ne peux vous abandonner ni l'un ni l'autre, dit-elle d'une voix sourde. Et je ne sais comment vous aider.

Un instant, il crut l'avoir mal comprise. L'aider, *lui* ? L'idée était si stupéfiante qu'il ne put retenir un rire.

— C'est vous qui avez un problème, lui rappela-t-il. C'est vous qui êtes déterminée à vous faire tuer. N'ayant aucun penchant pour la sainteté, vous me pardonnerez si je me détourne du spectacle.

Elle garda le silence. Il sentit son souffle chaud sur son genou, à travers le tissu de son pantalon, le rendant conscient de sa chair, qu'il oubliait parfois quand il avait de la chance. De ce qui en lui restait sensible à ce genre de choses – chaleur, humidité, froid. Il ouvrit la bouche. Mais que restait-il à dire ? *Vous ne pensez pas ce que vous dites.* Ou bien *Vous voulez m'aider ? Mais c'est vous qui avez besoin d'aide.* Espèce de bas-bleu desséché, exsangue.

Ou bien ceci : *Vous êtes tout ce dont j'ai besoin.*

Ses lèvres s'y refusèrent. Il tendit la main – pour lui toucher les cheveux ? Pour suivre la raie du doigt ? Le chemin assuré qu'elle traçait sur le crâne de Lydia. Dans son verre, l'eau ne cessait de trembloter comme les jambes d'une débutante lors de sa première valse. Il inspira à fond et le posa sur la table à côté de lui. Sa main, à présent libre, plana, incertaine, au-dessus de la tête de la jeune femme.

— Vous devriez faire attention, murmura-t-il. Ne me donnez pas un tel avantage.

— J'ai confiance en vous.

Elle prit une inspiration tremblante.

— J'ai foi en *vous*, James.

Il posa la main sur ses cheveux d'un beau noir soyeux.

— Vous êtes folle, dit-il doucement. Comment une jeune fille aussi innocente a-t-elle pu vivre aussi longtemps ? Je n'ai rien fait pour mériter votre confiance.

Extirper les mots de ses tripes était terriblement difficile. Ils avaient des bords acérés qui lui déchiraient la gorge.

— La confiance de *qui que ce soit*.

Elle leva la tête. Ses larmes avaient laissé deux traînées brillantes sur ses joues.

— Je vous l'ai dit et redit, murmura-t-elle. Ce n'est pas quelque chose qu'on mérite. C'est *donné*, tout simplement. Et pourquoi ne vous le donnerais-je pas ?

Elle fit une pause et reprit très doucement :

— Ce qui est arrivé à votre sœur n'était pas votre faute.

Qu'en savait-elle ?

— Elle est venue me demander de l'aide. Tout ce que je pouvais lui offrir, c'est…

Les doigts de Lydia agrippèrent son pantalon.

— Vous n'aviez pas le pouvoir d'arrêter Boland. Vous avez proposé à votre sœur de l'aider à lui échapper. Si elle a refusé, c'était *sa* décision, pas la vôtre. Bonté divine ! Pourquoi ne le voyez-vous donc pas ?

Il laissa les mots flotter entre eux. Les examina, les retourna dans sa tête. Elle ouvrit la bouche pour dire quelque chose, puis sembla se raviser.

— Laissez tomber, dit-il. C'est ce que vous alliez me conseiller.

— Quoi ? Non !

Une expression à la fois amusée et tendre se peignit brièvement sur ses traits.

— Seigneur, c'est la dernière chose que je vous dirais. Votre amour pour votre sœur, votre loyauté envers elle, c'est admirable. Émouvant… Je ne trouve pas les mots pour le dire. C'est profond et féroce, et cela vous a poussé à faire des choses terribles, et peut-être à avoir des pensées tordues, et fausses, ce que je ne peux approuver. Mais c'est une partie de vous qui… qui me bouleverse.

Ses lèvres s'incurvèrent en une esquisse de sourire plus triste que joyeux.

— Qui me bouleverse violemment. Et que je détesterais voir disparaître. C'est la seule chose qui vous arrime au sol.

Quelque chose remua en lui. Comme le frisson qui précède la fièvre.

— Ce n'est pas la seule chose, dit-il lentement.

Elle entrouvrit les lèvres, les humecta nerveusement.

— Embrassez-moi.

Il pensa de nouveau à Stella – à l'horreur de l'avoir vue tituber droit vers la tragédie. À son refus de l'écouter. Il s'était senti si épouvantablement impuissant ! La souffrance et l'humiliation de cet immense échec étaient encore si vivaces en lui.

Il regarda Lydia. Le visage levé vers lui, les yeux clos, elle attendait qu'il l'embrasse.

S'il le faisait, il s'engageait. Il se condamnait à suivre le chemin sur lequel elle marchait déjà.

Il ne pouvait plus être témoin. Pas de nouveau.

Il ne pouvait pas non plus la rejeter. Pas alors qu'elle manifestait une telle confiance.

Il inspira profondément, puis se pencha pour poser les lèvres sur celles de Lydia. Sa bouche était douce sous la sienne – aussi douce que sa confiance, aussi facile à briser. Il lui avait dit qu'elle n'était pas fragile, mais sa main déployée couvrait aisément l'espace entre sa clavicule et sa nuque, et ses os étaient d'une finesse effroyable sous ses doigts. Et pourtant la femme qui habitait ce corps en niait la faiblesse – la défiait, prenait des risques inconsidérés. Il l'embrassa, plus durement qu'il ne l'aurait dû. Il fallait la faire revenir à la raison. Reconnaître sa vulnérabilité, afin qu'elle se comporte plus sagement.

Les bras de Lydia l'entourèrent. Elle le tira à elle. Il glissa sur les genoux, mais elle continua à tirer et tous deux se retrouvèrent allongés sur le sol. Son poids sur elle aurait dû lui arracher un cri. L'écraser. Mais il y avait de la résistance en elle. Les muscles de ses bras et de son torse étaient fermes. Elle émit un soupir doux ; il sentit ses lèvres sur sa gorge, puis ses dents le mordiller doucement.

Il lui attrapa les poignets, les cloua au-dessus de sa tête. Elle ouvrit les yeux, deux pleines lunes dorées, arrondis par l'interrogation.

Il la contempla, respirant plus difficilement. Peut-être y avait-il en chaque homme quelque sombre impulsion… Le besoin d'être brutal lorsque la subtilité échouait. Mais c'était une pauvre excuse, bonne seulement pour les lâches. Il lui donnerait le choix.

— Si nous faisons cela, je ne vous laisserai pas partir. Vous comprenez ?

— Je ne veux pas partir, murmura-t-elle. James, j'ai déjà fait mon choix. Je suis venue à *vous*.

Il aurait voulu la croire. Mais il n'était pas d'une nature aussi confiante qu'elle : il voudrait toujours tester ce que les autres proclamaient être la vérité. Il se releva, ignorant sa protestation. Puis il la souleva dans ses bras.

— Où m'emmenez-vous ? demanda-t-elle en se débattant comme il se dirigeait vers la porte.

Il s'immobilisa.

— Loin des domestiques. Là-haut, dans mes appartements.

Il attendit sa réaction.

Sa poitrine haletante se pressait contre la sienne. Sentant ses doigts se crisper sur sa cuisse, il s'obligea à se détendre. Il veillerait à ne pas marquer cette peau si blanche.

— Très bien, dit-elle en enfouissant le visage au creux de son épaule.

Il aurait voulu procéder dignement, sans hâte grossière, mais, apercevant une servante dans l'entrebâillement d'une porte, il prit ce prétexte pour grimper l'escalier à toute allure, puis remonter au pas de charge le couloir jusqu'à ses appartements. Que d'odieuses petites pièces inutiles avant d'arriver à sa chambre à coucher ! Il déposa Lydia sur le lit et évita ses mains qui tentaient de le saisir. Pas question de répéter la scène de l'abri à bateaux. Il n'y aurait entre eux ni obscurité ni vêtement.

Il s'attendait à des protestations, mais elle se laissa docilement ôter ses bottines, ses jarretières, ses bas. Ses jambes étaient plus crémeuses encore qu'il ne l'avait imaginé. L'idée que ce corps recelait d'autres secrets précipitait ses gestes. Un autre jour, il prendrait le temps de lécher ces fossettes au creux de ses genoux. Pour l'instant, il allait la dénuder méthodiquement, délibérément.

S'envolèrent jupe, jupons et corsage. La chemise et ce fléau abominable imposé à l'humanité, le corset. Les paupières closes, elle se soumettait à toutes ses manipulations. De temps à autre, un gémissement montait de sa gorge. Ce petit bruit le rendait fou. Ses mains commencèrent à trembler. La culotte, il l'ôta en dernier, la faisant glisser sur des hanches qui s'incurvaient aussi gracieusement que les collines de Chiltern, là où il l'avait possédée pour la première fois. À présent, elle était nue devant lui. Athéna et Vénus en une seule personne. Il recula jusqu'au pied du lit.

— Ouvrez les yeux, dit-il d'une voix rauque.

Ses seins se soulevèrent. Une rougeur teinta ses joues comme elle obéissait. Il était toujours habillé, ce qui parut la troubler. Sa tête roula sur le côté. Il s'accroupit près d'elle, l'obligea à le regarder.

— Je vous vois, murmura-t-il.

Il prit ses seins en coupe, en caressa l'extrémité du pouce. Posant la bouche sur l'un d'eux, il le téta doucement, puis plus fort, jusqu'à ce qu'elle se cambre vers lui.

Comment la peau d'une femme pouvait-elle être aussi douce ? C'était comme si le monde ne l'avait jamais touchée. Les doigts de James glissèrent au creux charmant de la taille, s'attardèrent sur la courbe somptueuse de la hanche, se glissèrent entre les cuisses qui s'écartèrent spontanément. Il s'inclina pour la lécher une fois, simplement pour la voir frémir comme dans son souvenir. Puis sa main descendit jusqu'à sa cheville si fine. Il la souleva, la porta à sa bouche pour y déposer un baiser.

— Je vois tout de vous, Lydia. Votre corps n'était que la dernière partie.

Elle se redressa et tendit les mains vers lui, mais il recula. Retombant sur les oreillers, elle murmura :

— Déshabillez-vous. Que je puisse dire la même chose.

Il ne la quitta pas du regard pendant qu'il se dévêtait. Elle baissa brièvement les yeux lorsqu'il ôta son pantalon et rougit davantage encore. Il revint vers elle, glissa le bras sous elle pour la retourner, puis déposa une pluie de baisers le long de sa colonne vertébrale, tandis que sa main se refermait sur la rondeur d'une fesse. Après quoi, il s'allongea sur elle, la couvrant de la tête au pied. Elle se tortilla comme il lui mordillait l'épaule.

— Rien à cacher maintenant, lui chuchota-t-il à l'oreille.

— Non, rien.

Elle se retourna sous lui. Son sexe durci se nicha entre ses cuisses, et un gémissement lui échappa. Il glissa plus bas pour éviter de céder trop tôt à la tentation.

Mais la main de Lydia suivit. Elle s'empara de lui et le caressa, d'abord gauchement puis, la main de James recouvrant la sienne pour la guider, avec une hardiesse grandissante. Il croisa son regard, et elle eut un petit sourire.

— Il faudra m'éduquer, dit-elle, avant de regarder leurs mains unies.

Il l'imita, et cela faillit l'achever. Il se hâta d'écarter la main de Lydia. Puis, ramenant les doigts sur le doux renflement de son ventre, il les plongea dans la toison bouclée, jusqu'à ce qu'il trouve son intimité. Son pouce remonta un peu et pressa. Elle lâcha un petit cri délicieux, puis un autre lorsqu'il introduisit un doigt en elle.

Il avait besoin d'être en elle à présent, et ce n'était pas uniquement une question de satisfaction physique. Comme il se positionnait, que leurs regards se soudaient, et que les bras de Lydia se refermèrent sur lui, il sentit une tension qui allait au-delà du désir. Telle la vibration qui ébranlait le parquet lorsque l'orchestre atteignait un crescendo. La douleur n'avait pas ce pouvoir. C'était *ceci* qui faisait vibrer ses nerfs : le corps de Lydia au moment où il s'introduisait en elle, le gémissement qu'elle ne pouvait retenir, la vue de sa tête qui retombait sur l'oreiller. Durant un étrange instant, il ne sut pas s'il serait capable de se retirer pour revenir avec force. L'étreinte chaude de sa chair intime, son corps voluptueux sous le sien et ses bras qui l'enserraient installèrent en lui quelque chose de définitif, qui l'entraîna profondément en elle. Elle lui sourit, et le choc descendit de son cerveau à ses reins, et il commença à se mouvoir.

Danse magique, chaleur partagée, douceur infinie. Leurs langues mêlées. Les ongles de Lydia s'enfonçant dans son dos. « Vous n'êtes pas faible du tout », songea-t-il, émerveillé. Comment avait-il pu l'oublier ? C'était une Walkyrie. Ses craintes étaient sans fondement. Il ne les laisserait jamais la piéger.

Les doigts de Lydia lui empoignaient les cheveux à présent. Il bascula sur le dos, l'entraînant avec lui. Ses mouvements à elle, si inspirés. C'était elle qui l'éduquerait ! Il l'avait toujours su. Il referma les mains sur sa taille et accéléra le rythme, sentant à la subite assurance de ses hanches le moment où elle découvrait comment prendre son propre plaisir. Elle se raidit et lui mordit la lèvre. Il roula de nouveau sur elle et repartit à l'assaut, deux fois, trois fois, jusqu'à la jouissance lui arrache un cri tandis qu'il s'effondrait sur la jeune femme.

Ils restèrent ainsi un long moment, secoués de spasmes. Les mains de Lydia glissèrent de ses épaules, lui caressèrent doucement les fesses, et elle l'embrassa avec ardeur. Venant d'une femme qui se battait aussi férocement pour son père, les baisers avaient valeur de serments.

— Vous ne me laisserez pas partir, murmura-t-il.

— Non.

Un long silence. Ses paupières closes frémirent comme il suivait du doigt son arcade sourcilière. Puis une fossette se creusa dans sa joue.

— Qu'y a-t-il ? murmura-t-il.

— Non, rien.

— Trop tard.

— Comment cela, trop tard ?

— Vous devez répondre, Lydia. À une table de jeu, vous feriez une proie facile.

La fossette s'effaça. Elle ouvrit les yeux et soupira.

— Votre père, dit-il doucement. Nous trouverons quelque chose. Je vous le promets.

— Il n'y a pas que ça, fit-elle. C'est à votre sujet que je m'inquiète. Je ne vous demanderai pas d'abandonner votre sœur. Mais cette tension entre votre père et vous... Il faut faire la paix avec lui. Sinon ce problème demeurera aussi entre nous.

— Mon père n'a rien à voir avec nous, répliqua-t-il.

Le regard de Lydia était trop ferme pour être confortable.

— Mon honnêteté ne sert à rien si vous ne m'écoutez pas.

Elle se dégagea, ramassa sa chemise et son corset.

— Aidez-moi à m'habiller.

— Sûrement pas !

— Il faut que je m'en aille, James, fit-elle avec une pointe d'impatience.

La colère s'empara de lui, surgissant de nulle part.

— Vous n'auriez pas dû venir, pour commencer. Mais vous l'avez fait. Et maintenant que vous êtes là, par Dieu, vous resterez.

— Ne soyez pas puéril, dit-elle calmement en enfilant sa chemise. C'est une chose de prendre le risque de susciter des rumeurs. C'en est une tout autre de les provoquer.

— Ce n'est pas ce que vous avez dit tout à l'heure. Vous saviez très bien à quoi vous vous engagiez en montant ici.

— C'est vrai, admit-elle en haussant les épaules. J'ai fait un pari. Je ne sais toujours pas comment cela tournera. Mais votre obstination ne me rassure pas.

Il la prit par le coude.

— Nous sommes là-dedans *ensemble*, Lydia.

Elle le regarda droit dans les yeux.

— C'est ce que je pensais. Mais vous vous comportez en lâche. Oh, j'ai vu que vous buviez de l'eau. Mais, tant que vous entretiendrez cette haine, rien ne me garantit que vous ne reviendrez pas au whisky.

Il saisit les lacets du corset et eut du mal à ne pas se soulager de sa frustration sur les côtes de la jeune femme.

— Ce n'est pas juste. Vous ne laisserez pas tomber votre père mais vous me demandez de laisser tomber ma sœur ?

— Jamais. Les deux n'ont rien à voir.

— Vous n'en savez rien.

Le sourire de Lydia le frappa au cœur. Il paraissait si étrangement résigné.

— Vous non plus, semble-t-il, murmura-t-elle.

16

Elle regagna Wilton Crescent à contrecœur. Elle ne s'y sentait pas chez elle. Mais la demeure de James ne pouvait être sa maison, du moins pas tant qu'elle demeurerait une forteresse érigée contre lord Moreland.

Sophie et Antonia s'étaient rendues à un dîner, lui apprit le majordome. Elle se prépara à se coucher de bonne heure, non parce qu'elle était fatiguée mais parce qu'elle avait hâte que cette journée s'achève. Et aussi parce que, très stupidement, elle se disait que peut-être James la rejoindrait. Elle avait beau savoir que c'était absurde, elle n'en compta pas moins les heures que sonnait la grande horloge du vestibule.

Ses sœurs rentrèrent à 2 heures passées. Elle les entendit se souhaiter bonne nuit. La maison redevint silencieuse et, après un temps infini, ses yeux se fermèrent enfin.

Lorsqu'elle se réveilla, la pièce était inondée de soleil et Antonia la regardait en souriant.

— Viens vite ! Tu ne devineras jamais qui est là !

Comme elle descendait l'escalier quelques minutes plus tard, elle entendit le brouhaha joyeux qui s'échappait du salon. Ses pieds eurent envie de courir jusqu'à lui. Quel dommage qu'elle doive ternir cette réunion par de tristes nouvelles !

Mais lorsque le son de sa voix – aussi familière et réconfortante qu'une berceuse – lui parvint dans le couloir, ses inquiétudes se dissipèrent. Elle fit irruption dans la pièce, et le visage chéri lui apparut comme la plus rassurante des réponses ; la moustache grisonnante, la peau hâlée, les épaules arrondies et la petite brioche qu'aucun régime ne réduirait jamais. Il n'avait pas du tout changé.

— Papa.

Il interrompit sa conversation avec Sophie. Son visage s'éclaira et ses bras s'ouvrirent pour l'accueillir.

— Lydia ! Ma chérie, où étais-tu donc ?

Sous la fumée de charbon et la sueur du voyage, elle reconnut le parfum que, depuis l'enfance, elle associait avec ce qui était rassurant, aimant et merveilleux.

— Papa, murmura-t-elle contre sa redingote. Dieu merci, vous êtes rentré.

Elle leva la tête et son regard passa du visage rayonnant d'Antonia au sourire faiblissant de Sophie, pour s'arrêter sur George qui affichait un air renfrogné. Son père suivit son regard et lui murmura à l'oreille :

— Il faut que nous ayons une conversation en privé, Lydia. Très bientôt.

Et, d'un seul coup, son moral chuta.

Plus tard, après le repas durant lequel leur père les régala de récits sur son voyage et les bouffonneries de ses ouvriers, Lydia se retira avec lui dans la chambre d'ami où ses bagages avaient été montés.

— Je ne sais pas comment vous dire cela, commença-t-elle ; il l'attira près de lui et posa le bras sur ses épaules comme il l'aurait fait avec un fils.

— Raconte, tout simplement. Tu peux tout me dire, mon petit.

Mais tandis qu'elle déroulait son récit – les mensonges de Mlle Marshall, l'agression au couteau de l'étrange garçon, la tentative d'enlèvement à laquelle elle avait échappé et, avec un sentiment grandissant de honte, la proposition d'Ashmore –, il s'écarta d'elle. Ce fut d'abord sa tête qui s'éloigna de la sienne, puis son bras qui retomba inerte sur l'accoudoir de son fauteuil. Son visage devint si rouge qu'elle eut peur pour lui.

Lorsqu'elle se tut, il se leva si brusquement que les pieds de son siège se soulevèrent et retombèrent brutalement sur le tapis.

— Mais c'est *grotesque* ! explosa-t-il. Qui est cet Ashmore ? Comment le connais-tu ? Comment ose-t-il proférer de tels mensonges ?

— C'est un ami... d'ami, répondit-elle, embarrassée.

Un ami de l'homme que j'aime. Elle avait espéré se confier à lui aussi à ce sujet, mais il se mit à arpenter la pièce d'un pas si énervé qu'elle préféra se concentrer sur l'affaire en cours.

— Pour qui se prend-il ? Juger sur de vagues hasards ?

Glissant les mains sous les cuisses, Lydia agrippa son siège.

— Il... donne l'impression de travailler pour le gouvernement.

Son père fit volte-face pour la regarder.

— En s'associant avec la racaille ? Qui enlève les gens en plein jour ? C'est scandaleux ! C'est à cela que s'occupe notre gouvernement ? Je peux lui trouver de quoi utiliser plus intelligemment ses loisirs : les Français se jettent sur l'Égypte, les Russes rôdent près des frontières de l'Inde. Et que font nos braves fonctionnaires ? Ils harcèlent une jeune fille à propos de pierres prétendument précieuses qu'un khédive a égarées ?

Sa fureur lui ressemblait si peu que Lydia ne savait que dire.

— Je suis désolée, murmura-t-elle. Je lui ai assuré que vous étiez innocent. Que tout cela n'était que mensonges. Je le jure !

Le visage de son père changea, s'apaisa.

— Bien sûr que tu as fait cela, dit-il en revenant la prendre dans ses bras. Lydia, ma fille, ne prends pas cet air désespéré. Nous allons tout arranger. Nous l'avons toujours fait, n'est-ce pas ? Il n'y a rien que nous ne puissions affronter ensemble.

C'était exactement ce qu'elle avait désiré entendre, mais cela ne suffit pas à dissiper ses craintes.

— Comment ? articula-t-elle. Qu'allons-nous faire ?

— J'irai voir cet Ashmore.

— Je vous accompagnerai, déclara-t-elle aussitôt.

— Pas question. Je ne t'obligerai pas à revoir cet individu, fit-il en lui caressant la joue du revers de la main. Tu ressembles tellement à ta mère. Lydia, cesse de t'inquiéter. Je prends les choses en main, désormais.

James attrapa un train à Victoria Station peu après l'aube. Il était direct jusqu'à Kedston où il prit un fiacre pour parcourir les huit kilomètres jusqu'à l'asile. L'établissement se dressait à l'écart de la grand-route, derrière un portail qui s'ouvrait sur une longue allée serpentant entre des collines. Pendant plusieurs minutes, il ne vit que des moutons et un ciel d'un bleu aussi doux qu'un regard d'enfant. Puis une rangée d'arbres apparut. Et disparut. Après quoi, la voiture effectua un demi-cercle et s'arrêta devant un petit perron.

Il descendit et leva les yeux. La prison de Stella était un grand bâtiment de deux étages, qui devait compter au moins soixante pièces au rez-de-chaussée. À l'extrémité ouest s'élevait une tour. À en juger par les vitraux, ce devait être la chapelle, autrement dit la clé de voûte des progrès que l'on attendait des internés. Une volée de marches menait à l'entrée principale. Une inscription était gravée au-dessus de la porte : *Si ce n'est le Seigneur qui bâtit la maison, ceux qui la construisent travaillent en vain.* Avec un reniflement de dédain, Jame entra.

Il avait envoyé un télégramme pour annoncer sa venue. Comme prévu, Dwyer s'était absenté. Une certaine Mlle Leadson le reçu. C'était une jeune femme brune menue avec un trousseau de clefs suspendu à la ceinture. Elle commença par essayer de le mettre dehors en lui rappelant que Stella ne voulait pas de visite.

— Comme je l'ai dit dans mon message, je suis déterminé à la voir. J'attendrai le temps qu'il faudra.

Sur ce, il s'assit dans l'un des fauteuils de l'accueil. On lui apporta du thé, puis Mlle Leadson revint à la charge.

— Je vous en prie, monsieur. Elle dit qu'elle ne changera pas d'avis.

— Dommage. Moi non plus.

Vers l'heure du déjeuner, les employés qui passaient lui jetèrent des regards nerveux. Mlle Leadson revint.

— Monsieur, elle vous supplie de partir.

— Quand je l'aurai vue.

Il n'y avait pas d'horloge dans la pièce. Était-ce à dessein ? Le passage du temps portait-il sur les nerfs des fous ? En d'autres circonstances, il y aurait vu un mauvais signe pour lui-même, mais aujourd'hui attendre ne le gênait aucunement.

Du thé, de nouveau. Son estomac grondait.

Un raclement de gorge attira son attention. Mlle Leadson se tenait sur le seuil.

— Venez avec moi, je vous prie, dit-elle.

Il se leva. Elle le précéda dans un corridor richement meublé jusqu'à l'aile qu'elle appela « l'appartement de ces dames ». À l'exception d'une servante portant un plateau presque intact, cette partie du bâtiment semblait déserte. Un silence quasi absolu régnait. Un épais tapis persan et de lourdes tapisseries assourdissaient les bruits. Il en fut agacé tout en admettant que c'était sûrement préférable aux cris et aux hurlements.

— Lady Boland a son propre appartement, expliqua Mlle Leadson.

Elle s'arrêta devant une porte qui ne portait aucune inscription. Il remarqua le judas et le verrou.

— Elle aime se promener dans les jardins quand le temps le permet, c'est pourquoi nous l'avons installée au rez-de-chaussée. Vous constaterez qu'elle ne se plaint de rien.

Il s'arma de courage, attendant que Mlle Leadson prenne son trousseau de clefs. *Stella, enfermée et examinée comme un animal.* Mais lorsque Mlle Leadson leva la main, ce fut pour frapper à la porte.

— Je lui parlerai en privé, déclara James d'un ton sec.

L'autre lui jeta un regard effaré.

— Mais bien sûr. Je ne songeais pas à m'imposer.

Une voix leur dit d'entrer. Mlle Leadson s'inclina et s'éloigna.

Il pénétra dans un petit salon meublé d'une table à écrire, de deux fauteuils et d'une bibliothèque. Un tapis vénitien recouvrait le parquet. Il eut l'impression de recevoir un coup au plexus en reconnaissant l'odeur de la maison paternelle. Orchidées et cire au citron. Il inspira prudemment. Stella avait toujours préféré l'eau de rose, mais il n'y en avait pas trace dans l'air. Était-ce un luxe interdit ?

— James, fit une voix provenant de la pièce voisine. Accorde-moi une minute, s'il te plaît.

Qu'il n'ait pas reconnu sa voix l'énerva. Il déambula dans la pièce, laissant ses doigts frôler divers bibelots. Un tambour à broder, inutilisé. Un roman de Mme Gaskell. Le portrait d'un chaton. Sa sœur avait toujours adoré les animaux de compagnie.

Un bruissement annonça son entrée. Il se retourna et sa poitrine se serra. Dans la pénombre, elle avait l'air semblable à elle-même. Grande et mince. Le visage heureusement intact, à part la cicatrice sur le menton, là où elle avait heurté une marche. Elle était vêtue simplement d'une robe en laine sombre. Sans tournure.

— Chéri, dit-elle en s'avançant vers lui.

Ils s'étreignirent, moins longtemps qu'il aurait aimé. Elle s'écarta presque aussitôt.

Il ouvrit la bouche, et s'aperçut qu'il ne savait que dire. Son petit sourire suggérait qu'elle comprenait. Cela l'ébranla. Il avait oublié à quel point elle tenait de Moreland. Il n'avait plus l'habitude de voir ce sourire sans éprouver du ressentiment.

— Je suis désolée de t'avoir fait attendre, dit-elle en lui indiquant un fauteuil.

Lorsqu'il fut assis, elle prit l'autre fauteuil.

— Tu n'aurais pas dû venir, bien sûr, reprit-elle. Mais je suis contente que tu aies eu beau temps pour voyager. Tu es venu en train, je suppose ?

De toutes les choses qu'il s'attendait à entendre, jamais il n'aurait imaginé qu'elle commencerait par le genre de platitudes mondaines qui, autrefois, l'ennuyaient prodigieusement.

— Oui, en train, répondit-il. Mais comment vas-tu ?

Les cils de Stella s'abaissèrent.

— Très bien. Je suis confortablement installée. On prend merveilleusement soin de moi.

— Vraiment ? fit-il en l'étudiant avec attention.

— Oh, oui. Il n'y a pas un moment désagréable. Au début, j'avais peur, bien sûr, car je n'avais que l'autre endroit comme référence. Mais c'est très différent, comme tu le vois. Un peu comme un hôtel. Enfin…

Elle rit doucement.

— Un hôtel avec des gens bizarres. Mais je ne suis pas obligée de les voir tous. Et je me suis fait des amis charmants. Tu n'imagines pas ce qui passe pour de la folie, de nos jours.

Il se sentit désorienté, un peu comme s'il rêvait.

— Un hôtel. Bien. Avec un trou dans la porte pour qu'ils puissent t'épier quand ça leur chante.

Elle fronça les sourcils. La remarque ne lui avait pas plu.

— Je sais que c'est pénible pour toi, dit-elle. Père m'a parlé de ta détresse. J'aimerais que tu te fasses moins de souci.

Le malaise de James s'accentua.

— Seigneur, comment pourrais-je ne pas m'en faire ? Tu mérites mieux que cela. Vous méritez d'être *libre*.

Elle soupira.

— Voilà pourquoi j'ai fini par accepter de te voir. Pour vous dire ceci de vive voix.

Elle inspira à fond.

— Je sais que cela va être dur à entendre.

Une autre inspiration.

— Je ne veux pas partir. James, je suis heureuse ici. Je *souhaite* y rester… encore un peu, du moins.

— Non !

L'exclamation avait fusé si violemment qu'il dut s'interrompre pour se ressaisir :

— Moreland t'a influencée.

— *Père*, James. Pour moi, il a toujours été *père*.

Ses grands yeux étaient confiants – les yeux d'un chiot. Facile à frapper, facile à câliner.

La pensée le prit de court. Jamais il n'avait été venimeux lorsqu'il s'agissait de sa sœur.

— Me voici de nouveau face à une femme qui refuse de penser du mal de son père – même s'il le mérite.

— Oh, ce n'est pas un saint ! Mais il n'est pas responsable de ce qui m'est arrivé.

Le coin de sa bouche se retroussa en une étrange petite grimace.

— La faute en revient en grande partie à Boland.

— En grande partie !

— En grande partie, s'entêta-t-elle. C'était une brute, et il méritait ce qu'il lui est arrivé. Mais…

Elle tourna la tête vers la fenêtre et il la vit avaler sa salive. Elle n'était pas aussi calme qu'elle tenait à le paraître. Il inspira profondément et se souvint du conseil que l'autre femme têtue lui avait donné : « Chacun est courageux à sa manière. Vous ne pouvez reprocher aux gens de ne pas se couler dans votre moule. »

— J'étais très jeune, poursuivit-elle. Frivole, têtue. Tant de choses que je regrette.

— Ce n'est pas une foutue excuse…

— Non, bien sûr. Mais tu m'avais prévenue, non ? Oh, je sais que c'est toi qui nous as présentés, mais tu t'es vite rendu compte que nous étions mal assortis. Durant tout le trajet vers l'église, tu m'as mise en garde. Mais j'ai refusé d'écouter.

— C'est la crainte des commérages qui t'a retenue. Toutes ces harpies qui jacassent…

— Tu es tellement déterminé à rejeter le blâme sur les autres, murmura-t-elle. Ne peux-tu pas m'en garder un peu ?

La vieille rage s'éveillait.

— Tu n'y es pour rien. Boland et Moreland...

— J'y suis pour beaucoup, rétorqua-t-elle avec une pointe d'irritation. Je ne regrette pas de l'avoir tué, James. Je n'avais pas le choix ; je ne le regretterai pas. Mais Dieu sait pourquoi je suis restée avec lui, pour commencer. Tu m'as offert une porte de sortie. J'ai refusé. Dieu du Ciel, *pourquoi* ai-je refusé ? Tout ceci aurait été évité...

Elle pressa la main sur sa bouche et, comme il faisait mine de vouloir la prendre dans ses bras, elle secoua la tête.

— Non, dit-elle enfin en laissant retomber sa main sur ses genoux. Je *me* suis trahie. J'ai choisi de rester avec lui et, tant que je ne saurai pas pourquoi, je ne peux partir d'ici. Comment pourrais-je me pardonner si je ne comprends pas pourquoi j'ai choisi de me faire autant de mal ? Comment pourrais-je vivre dans le monde si je ne suis pas sûre de ne plus me trahir ?

Il ne pouvait plus que la dévisager. Les émotions qui faisaient rage en lui étaient trop complexes et sauvages pour être articulées en pensées cohérentes.

— Tu restes ici pour... *te comprendre* ?

Elle le regarda droit dans les yeux.

— Oui. C'est exactement cela. En attendant, sois en colère contre père tant que tu veux, mais ne le sois pas par égard pour moi.

Elle se leva, et il comprit, stupéfait, qu'elle le congédiait. Il se leva à son tour, gauchement.

— J'aimerais te montrer quelque chose avant que tu ne partes, enchaîna-t-elle. Je devrais te le donner – tu en as autant besoin que moi –, mais je suis trop égoïste pour m'en priver.

Elle alla ouvrir le tiroir de la table à écrire et en sortit une liasse de lettres entourées d'un ruban jaune. Comme elle tirait sur celui-ci, les enveloppes s'éparpillèrent sur le sol.

— Quelle sotte ! s'exclama-t-elle en s'accroupissant pour les ramasser.

Avec quelle liberté les femmes pouvaient se mouvoir lorsqu'elles n'étaient pas corsetées et affublées d'une tournure, nota-t-il en se baissant pour l'aider.

— Qu'est-ce que c'est ? s'écria-t-il, sidéré. Elles sont toutes…

— … de père, oui, acheva-t-elle à sa place. Il m'écrit tous les jours. Tu pensais qu'il m'avait oubliée ?

Il s'assit sur les talons, les yeux rivés sur les lettres. À l'idée de les toucher, une sorte de vertige, de panique s'empara de lui. Comme à la perspective de mettre la main dans un placard et de frôler un monstre. Il sentait confusément qu'il était en présence de quelque chose d'exceptionnel et d'incroyable, la preuve tangible de ce qui pourrait fort bien détruire ses certitudes à la base.

— Lis ceci, s'il te plaît, dit-elle en lui tendant un feuillet.

Comme il hésitait, elle lui prit la main et la referma sur la lettre. Puis, tirant sur son poignet pour l'obliger à se redresser, elle se hissa sur la pointe des pieds et l'embrassa sur le menton.

— Lis-la, je t'en prie, insista-t-elle.

Elle se rassit et prit son tricot.

Dans le silence que seul le cliquetis régulier des aiguilles troublait, James regagna son siège.

Ma fille chérie,

Encore un dîner mondain. Les obligations de la saison sont sans fin. Tel est le prix à payer lorsqu'on fait de la politique, je le crains. Tu m'aurais bien rendu service ce soir. Ta belle-mère est gracieuse et charmante, mais il lui manque la joie de vivre que tu apportais à une tablée. Lorsqu'un moment embarrassant survient, elle l'apaise, mais ne peut l'effacer. Tu as toujours eu ce don. Je ne peux compter les fois où ton rire nous a fait oublier nos soucis.

J'espère que tu n'as pas oublié comment rire, à Kenhurst. M. Dwyer me dit que tu vas mieux, suffisamment bien pour recevoir certains de tes voisins. Je ne comprends pas ta réticence à nous voir. Ta belle-mère et moi aimerions tant venir ; nous n'attendons qu'un signe de toi.

Je n'ai pas grand-chose à t'écrire. Le dîner était ennuyeux, à part l'irruption de ton frère. Il est arrivé avec une danseuse d'opéra. Elle a beaucoup aimé notre plat principal dont elle a englouti sans façon une bonne portion. J'ai eu peur que Gladstone s'en offense. À tort. Parfois je pense que James pourrait convaincre le diable de communier. Dieu sauve mes collègues conservateurs lorsqu'il héritera du titre.

Si tu cherches une raison de guérir, Stella, je t'en prie, penses à ton frère. On ne peut le raisonner, et j'ai renoncé à essayer. Il ne me pardonnera jamais de ne pas t'avoir soutenue, et accueille toutes mes paroles avec scepticisme. Je pense qu'il n'ira pas bien tant que tu ne seras pas de retour parmi nous,

Ton père aimant,

Moreland

Le papier tremblait dans sa main. Bizarre. Il s'aperçut qu'il secouait la tête.

— Il sait que je désire rester ici, murmura Stella. Tant que je ne pourrai considérer avec sérénité tout ceci, je suis plus en sécurité à l'écart du monde.

— Je ne peux l'accepter.

— Je le vois bien. Contrairement à toi, père est capable de *respecter* mes désirs.

La remarque lui fit l'effet d'une gifle.

— Tu as sans doute choisi la lettre la plus gentille du lot. Je suppose que les autres chantent une autre chanson.

— Oh, James, fit-elle en tendant la main. Donne-moi cette lettre. Je ne sais même pas de laquelle il s'agit. Je l'ai prise au hasard.

— Il t'écrira des poèmes tant que tu seras enfermée, j'en suis sûr. C'est moi qu'il doit affronter en chair et en os.

Il jeta la lettre sur le sol.

— Et, malheureusement pour lui, je ne le lâcherai pas.

— Arrête de le harceler, dit-elle d'un ton coupant. Et laissez-moi livrer ma propre bataille.

— Oh oui, c'est une grande bataille que tu livres, enfermée dans un asile de fous !

Elle bondit sur ses pieds.

— Bonté divine, la façon dont je choisis de mener ma vie ne te regarde pas !

— Ta vie ? Tu appelles ça une *vie* ?

La colère qui l'avait rongé durant quatre longues années – qu'il avait combattue, et endurée, et ignorée parfois, sans jamais l'annihiler – se ranima si soudainement qu'il ne put la contrôler.

— *Cela ne me regarde pas ?* Que diable crois-tu que j'ai fait ces dernières années ? As-tu une idée de ce qu'a été mon existence ? Des nuits durant lesquelles je n'ai pu dormir, des visions qui m'assaillaient, des remords qui me taraudaient, des folies que j'ai faites pour tenter d'atteindre l'inconscience – pendant que *tu fouillais dans ton âme* sans te donner seulement le mal de m'*écrire* ? Sais-tu comment je...

Sa voix se brisa comme elle s'approchait de lui ; il s'aperçut, à sa grande surprise, qu'il avait les yeux emplis de larmes.

— Stella, as-tu une idée de ce que j'ai souffert pour toi ?

Elle prit son visage entre ses mains.

— *Cela ne te concerne pas*, James. Mon Dieu... oui, je suis désolée que tu portes le deuil de mon absence ! Mais que dois-je dire pour que tu acceptes ma décision ? Oui, j'aurais dû t'écouter ! Oui, j'aurais dû te suivre lorsque tu m'as proposé de m'emmener à Paris !

Elle cligna des yeux, et une larme roula sur sa joue.

— Mais ce n'est pas à toi de payer le prix de mes erreurs. C'est à *moi*. Laisse-moi cette responsabilité !

— Je ne peux accepter...

Les doigts de la jeune femme s'enfoncèrent dans ses joues.

— C'est la dernière fois que je le dirai. Je t'aime. Je t'aime pour avoir tenté de me secourir. Je t'aime pour ce que tu fais avec tes usines. Mais je ne serai plus ton excuse. Et le jour où je te reverrai, ce sera parce que *je* serai prête... non parce que tu le désires.

Elle soutint résolument son regard durant un instant, puis elle lâcha son visage. Ses bras se refermèrent autour de lui, et elle posa le front sur son épaule.

Il prit une inspiration saccadée, et l'étreignit. Elle tremblait. Il éprouva un bref moment d'abattement, puis quelque chose remua faiblement en lui, quelque chose de léger, de miraculeux.

— Je t'aime, dit-il d'une voix rauque.

— Je n'en ai jamais douté, chuchota-t-elle.

Elle avait commis une affreuse erreur, comprit Lydia après que son père eut quitté la maison pour se rendre chez Ashmore. Celui-ci savait qu'il y avait quelque chose entre James et elle. Comment son père réagirait-il s'il l'apprenait ? Se dirait-il qu'Ashmore mentait pour le torturer ? En viendrait-il à commettre quelque imprudence ?

Non, Ashmore serait discret, il ne dirait rien, tenta-t-elle de se convaincre en arpentant le salon. N'empêche qu'elle aurait dû insister pour accompagner son père. C'était trop important.

Ses sœurs avaient pris le brougham. Elle n'avait d'autre choix que de marcher. Elle attrapa un manteau dans le hall et sortit. Un homme s'approcha d'elle.

— Mademoiselle Boyce, lord Sanburne m'a demandé de vous accompagner partout où vous irez.

— Très bien. Si vous tenez à me suivre.

Il ne lui fallut pas plus d'une demi-heure pour rejoindre la demeure d'Ashmore. L'homme de Sanburne s'éclipsa, et elle sonna. La porte s'ouvrit immédiatement.

— Je voudrais voir le comte, annonça-t-elle.

Le majordome la parcourut d'un regard sceptique, et elle s'aperçut que, dans sa hâte, elle n'avait mis ni chapeau ni gants. Pour montrer qui elle était, elle déboutonna son manteau et s'en débarrassa d'un haussement d'épaules.

— Monsieur le comte est occupé, reprit l'homme, rassuré par la vue de la robe élégante. Peut-être pourrez-vous repasser plus tard, mademoiselle.

— Je crois qu'il est avec mon père, M. Boyce.

— Oh. On ne m'avait pas informé de votre visite, mademoiselle. Si vous voulez bien patienter.

Elle attendit qu'il s'éloigne puis, cédant à une impulsion, elle le suivit.

Après avoir tourné, puis descendu quelques marches, un bruit attira son attention : des vociférations étouffées. Elle reconnut la voix de son père.

— ... je ne sais pas où il est, mais si quelqu'un l'ouvre, nous serons tous dans un sacré pétrin.

Et si ma fille vient à en souffrir d'une façon ou d'une autre…

Le majordome s'arrêta. Elle l'imita.

— Oh ! souffla-t-il en découvrant sa présence. S'il vous plaît, mademoiselle ! Laissez-moi d'abord vous annoncer.

— Non, chuchota-t-elle. J'ai changé d'avis.

Et, tournant les talons, elle rebroussa chemin.

Une fois dehors, elle prit la direction d'Oxford Street et de la station d'omnibus. *Je ne sais pas où il est. Si quelqu'un l'ouvre…* Il n'y avait qu'une explication à ces déclarations. Mais elle se trompait sûrement.

Il n'y avait qu'une seule façon de le savoir.

M. Carnelly parut surpris de la voir.

— Bonjour, mademoiselle Boyce. Ça fait un bail !

— En effet, dit-elle. Monsieur Carnelly, avez-vous gardé les emballages d'origine des objets de M. Hartnett ?

Il fronça les sourcils.

— La caisse, vous voulez dire ? Oui, elle doit être quelque part derrière. Qu'est-ce que vous voulez en faire ?

— L'examiner, c'est tout. Je crains qu'un courrier ne soit resté collé à l'intérieur.

Carnelly gardant le silence, elle ajouta :

— La caisse appartient à mon père, non ? Cela ne devrait pas poser de problème.

— Non, admit-il sans hâte excessive.

— J'aurai aussi besoin d'un marteau.

Il fouilla sous le comptoir et en ressortit un marteau, puis il lui fit signe de le suivre. Ils s'enfoncèrent dans un dédale d'allées encombrées de restes de centaines de cargaisons.

— Merci, dit-elle lorsqu'il s'arrêta devant une caisse éventrée. J'aimerais être seule, à présent.

L'air perplexe, il repartit.

Ce ne fut pas une tâche facile. Dès le premier coup de marteau, une écharde de bois se ficha dans son doigt. Pour protéger les pièces de valeur durant le voyage, deux couches de toile grossière tapissaient l'intérieur des parois. Lydia dut faire appel à toute son énergie pour les arracher : chaque fois qu'une des agrafes cédait, elle titubait en arrière. Les planches nues apparurent peu à peu. Rien, constatait-elle, soulagée.

Puis, une autre agrafe ayant cédé, elle put retrousser davantage les toiles, et repéra l'extrémité d'un petit rouleau de tissu. Plus rapides que son cerveau, ses mains dénouèrent la lanière. Le rouleau s'ouvrit, crachant un petit sac en velours.

Elle l'ouvrit.

Cinq pierres scintillantes, et les fragments d'une sixième, glissèrent sur le sol. Rouge, bleu, vert, jaune, violet, et le blanc le plus limpide qui soit – elles semblaient absorber toute la lumière disponible, et l'ombre qui l'entourait se fit soudain plus dense, plus froide.

Elle avait trouvé les Larmes d'Idihet.

Leurs contours se brouillèrent. Lydia s'émerveilla vaguement de la sagesse de son corps qui avait déjà compris les conséquences de cette découverte – des conclusions autour desquelles son cerveau tournait et tournait, en refusant de s'en saisir.

Comme elle fermait les yeux, une larme s'écrasa sur le sol poussiéreux.

— Vous l'avez fait, n'est-ce pas ? Vous êtes complice du vol des pierres précieuses.

Son père leva les yeux de son journal. Puis son regard se posa sur George, son valet de chambre, qui préparait ses habits de soirée.

Cela suffit à Lydia. Que la première réaction de son père ne soit ni l'ahurissement ni une dénégation scandalisée, mais la crainte qu'on les entende en disait long.

— Laissez-nous un moment, dit-il à George.

La porte refermée, il regarda Lydia.

— Tu as parlé à Ashmore ?

— Mieux que cela. J'ai trouvé les pierres.

Il se redressa abruptement.

— Où sont-elles ?

— En sécurité. Contrairement à nous tous.

— Lydia… tu dois me croire. Je n'avais pas le choix.

— Oh ?

Son rire méprisant lui déchira la gorge.

— Permettez-moi de vous demander des précisions. Vous a-t-on appuyé le canon d'un pistolet sur la tempe ?

— Presque.

— Je vois. Il y a eu toute une série de pistolets au cours des ans. Parce que, selon Polly Mashall, cela faisait longtemps que Hartnett et vous trempiez dans cette affaire. Et il me semble que ces armes ne sont pas si fiables que cela. Si on en avait appuyé aussi souvent sur votre tempe, vous devriez être mort, à l'heure qu'il est.

— Lydia… Tu sais combien il est difficile de trouver des fonds. Et combien ce que j'ai entrepris est important. Fournir la preuve concrète de la véracité des récits bibliques ! Tu peux sûrement comprendre…

— Non ! Je ne comprends pas du tout.

Dieu ! Avec quelle véhémence elle avait protesté de l'innocence de son père ! Jusqu'où elle était allée pour le défendre ! Et pour quoi ?

— Seigneur, murmura-t-elle, je me sens tellement *idiote*. J'étais si convaincue par vos déclarations. Votre projet ? Parlons-en ! Du vol !

Savez-vous combien de gens sont morts dans le bombardement d'Alexandrie ? Bien sûr que oui ! Vous n'avez pu parler de rien d'autre pendant des *mois* !

Il rougit.

— Et sais-tu combien l'Égypte est plus heureuse depuis le départ d'Urabi Pasha ? Lydia, cet homme était un anarchiste ! Si j'étais sûr d'être responsable de son exil, je ne m'excuserais pas. Bonté divine, je le crierais sur tous les toits !

— Oh, fit-elle doucement. Ainsi, l'Égypte appartient aux Égyptiens – à condition que ce soit les *bons* Égyptiens. Ceux qui vous conviennent.

— Là n'est pas la question, jeta-t-il. Comment crois-tu que ce joli toit a pu vous abriter ? Sophie aurait-elle pu prétendre à ce mariage sans moi ? Tu penses vraiment que ton petit commerce a suffi à assumer les frais de vos débuts dans le monde ? Ou bien as-tu supposé que le reste de l'argent provenait de fonds rassemblés par *mes* soins ?

Cela durait donc depuis si longtemps ?

— Alors, pourquoi me faire croire que ce petit commerce, comme vous dites, était important ? Pourquoi me mêler à ça ?

— J'y étais obligé, dit-il d'un ton neutre. Les autorités commençaient à devenir méfiantes. Il devait y avoir un trafic légal pour couvrir l'illégal.

Bien sûr, songea-t-elle tristement. Elle avait toujours cru qu'il se reposait sur elle, qu'il lui faisait confiance et dépendait d'elle comme personne d'autre ne l'avait fait. C'était vraiment commode d'avoir une fille célibataire pour servir d'alibi.

Dieu, quelle idiote elle était ! Même avec George, elle n'avait pas été aussi bête !

— Ma fille.

Il lui prit la main. Elle le laissa faire. Elle le sentait à peine, de toute façon.

— Tu sais combien je vous aime toutes les trois. C'est *parce que* je vous aime que j'ai fait ça. *Pour la famille.*

Sophie avait dit la même chose. Et, comme lui, elle l'avait dit du ton du regret. Quelle hypocrisie ! Un vrai sacrifice ne demandait pas d'autres victimes que soi-même. Il ne laissait pas en sang le prétendu destinataire de son bienfait.

Elle soupira.

Il avait dit vrai : elle avait un toit sur la tête, et pas des moindres. George n'était pas un jeune homme vulnérable. Il se tenait au centre d'alliances puissantes – des alliés qui ne pouvaient se permettre de le lâcher si l'on apprenait que son beau-père s'était mal conduit. M. Pagett s'était publiquement engagé ; Antonia était à l'abri.

— Vous l'avez fait pour vous, dit-elle. Aucune fin ne justifie de tels moyens.

Sa voix vibrait de larmes contenues, mais elle ne les verserait pas pour lui. Elle ne lui donnerait pas cette satisfaction.

— Et George n'a pas aimé Sophie pour ses jolies robes payées par vos rapines. Il en est tombé amoureux, tout simplement. Vos excuses me donnent la nausée.

— Tu te trompes, Lydia. Je l'ai fait pour *toi*. Et pour Antonia. Je ne pouvais compter sur vos mariages. Il y a un compte qui t'est destiné. L'idée de te laisser sans rien n'a cessé de me tourmenter…

— Et l'Égypte ? Vous l'avez fait pour l'Égypte, aussi ?

— Oui, je suppose, dit-il, l'air perplexe.

— Et pour vos articles. Pour votre réputation.

— Tu penses que j'ai agi par ambition personnelle ? Que j'ai passé des années loin de toi, de tes sœurs, uniquement pour acheter un peu d'immortalité ? Mon projet est au-dessus de tout cela, Lydia. Il concerne les origines de l'*Humanité* !

Elle n'avait que faire d'une telle rhétorique. Les détails la mirent en fureur.

— Des années ? *Des années* loin de nous ? Notre vie entière, vous voulez dire. L'Égypte est toujours passée avant nous ! Quand Maman était *mourante*...

Elle s'interrompit. On aurait dit une petite fille de cinq ans en pleine colère.

— Antonia vous connaît à peine, reprit-elle d'un ton plus posé. Savez-vous avec quelle fréquence elle demande si vous lui avez écrit ? Et chaque fois je lui explique : le travail de notre père est important, il est très occupé, sa cause est noble. Mais ça ! C'est pour *ça* que vous nous avez abandonnées ? s'écria-t-elle d'une voix qui montait de nouveau dans les aigus. Contrebande, vol, recel, profits honteux ?

— Ne dis pas de bêtises, riposta-t-il sèchement. Comment peux-tu douter de mon dévouement à la science ? *Toi* entre tous ! Mon Dieu, tu n'as donc plus foi en moi ?

Foi. Elle savait mieux que quiconque ce que c'était. Plus durable que toutes les substances que la science avait découvertes – mais friable, et coupante comme du verre lorsqu'elle se brisait. Elle marcherait sur ces tessons jusqu'à la fin de ses jours. La douleur accompagnerait chacun de ses pas.

Elle se força à le regarder en face. Les rides de part et d'autre de sa bouche s'étaient creusées durant l'année passée. Ses sourcils commençaient à s'affaisser. Pourtant, c'était lui. Papa. Elle ne pouvait concilier ce cher visage, et l'inconnu qui l'habitait.

— Eh bien, vous aurez vos Larmes, dit-elle. Vous pourrez les apporter à Ashmore, et acheter votre liberté.

L'expression de son père passa de la surprise au soulagement, tel le condamné qu'on libère du nœud coulant. Elle en eut la nausée.

— Dieu te bénisse, murmura-t-il d'une voix rauque.

— Oui, n'est-ce pas ? fit-elle amèrement Quelle loyale petite fille je suis !

— Tu nous as sauvés, souffla-t-il, l'air hébété.

— Les anges chantent sûrement quelque part, commenta-t-elle. Mais pas au-dessus de l'Égypte.

17

À Wilton Crescent, le majordome informa James que Lydia n'était pas à la maison. Il hésitait à laisser sa carte lorsque Lydia apparut en haut de l'escalier.

— Attendez, dit-elle.

En la voyant descendre, il devina que quelque chose n'allait pas. Elle se mouvait avec raideur, comme une vieille femme, ou une très jeune fille s'efforçant d'adopter une attitude empreinte de dignité.

— Je suis contente que vous soyez venu, dit-elle en le rejoignant. Malheureusement, vous avez manqué mon père. Il est parti à Whitehall. Sinon, je vous aurais présenté au plus grand voleur de l'Empire.

Le chagrin avait creusé des rides autour de sa bouche et entre ses yeux. C'était peut-être ainsi qu'elle serait dans trente ans. Mais pas pour la même raison, Dieu merci.

— Lydia, dit-il en l'attirant dans ses bras.

Elle se laissa étreindre un instant, puis recula en redressant le menton.

— Je ne veux pas de votre pitié. Cela m'est déjà assez pénible de savoir que je la mérite.

— Ce n'est pas de la pitié que j'éprouve.

C'était de la colère contre Henry Boyce.

— Même si j'essayais, je n'y arriverais pas.

Elle avala sa salive.

— J'ai trouvé les pierres, vous savez. Elles étaient dans la cargaison d'Hartnett depuis le début. Dans la caisse d'origine, pas dans celle que Carnelly m'a fait parvenir.

Il eut envie de l'empoigner et de l'emporter hors de cette satanée baraque. Mais son instinct l'avertit de procéder prudemment.

— Je suis tellement désolé.

Dieu que les mots étaient vains ! L'émotion qui le submergeait était trop puissante pour qu'ils en rendent compte.

— Je dois réfléchir à ce que je vais faire maintenant, dit-elle d'une voix mal assurée.

Les yeux humides, elle pivota brusquement et se dirigea vers l'escalier. Pris de court, il fallut à James quelques secondes avant de lui emboîter le pas. Le premier étage était silencieux. Dans le couloir, une porte était restée ouverte. Le salon de Lydia. Du seuil, James vit que tout était sens dessus dessous. Des dizaines de livres étaient éparpillés sur le sol. Elle avait jeté des papiers dans une valise béante. Plus loin, dans sa chambre, des vêtements étaient entassés sur le lit.

Elle tomba à genoux près de la valise et remua les feuillets épars.

— Mes articles, expliqua-t-elle avec un rire étranglé. Les derniers que j'écrirai jamais, peut-être.

— Ne dites pas de bêtises. C'est le péché de votre père. Pas le vôtre.

— Péché. C'est le mot exact. Mais est-ce uniquement le sien ? N'est-ce pas ironique ? reprit-elle en se relevant. Je me trouvais très intelligente, et j'ai été la plus sotte des dupes. C'est très égoïste de se plaindre alors que tant de gens ont souffert dans cette affaire, s'empressa-t-elle d'ajouter. Savez-vous combien de morts a fait le bombardement d'Alexandrie? Non, n'approchez pas, s'écria-t-elle. J'ai trop honte. Je vous ai fait du tort, à vous aussi. Je vous ai sermonné comme la plus sotte, la plus aveugle, la plus bornée des...

Il doutait de réussir à lui obéir. Tout en lui s'inclinait vers elle telle une voile prise par la brise.

— Lydia, cela n'a pas d'importance.

— Si ! Cela a de l'importance. Vous m'avez traitée de naïve, et vous aviez raison. Ma naïveté a même failli vous coûter la vie. Si ce garçon au music-hall vous avait tué...

Au diable, cet incident ! Il avança, ignorant son ordre et sa retraite titubante. Des livres craquèrent sous ses bottes, des pages se déchirèrent. Peu importait. Il lui en achèterait d'autres. Comme il l'entourait de ses bras, elle murmura :

— Vous avez été gentil avec moi, James. Si gentil. Mais j'ai la chair de poule. De honte, je suppose. Je ne sais plus quoi penser. De moi comme de lui. Je ne sais pas si je peux... faire ça.

Il sourit dans ses cheveux.

— Quand vous êtes venue me voir, j'ai dit à peu près la même chose, et vous avez répliqué que vous aviez assez de foi pour deux. Je vous dis la même chose aujourd'hui.

— J'avais peut-être tort. Peut-être que, contrairement à ce que j'espérais, il n'y a rien de durable.

Ces paroles le transpercèrent.

— Vous n'aviez pas tort, répliqua-t-il en l'écartant légèrement pour la regarder. Rappelez-vous à qui vous parlez. J'ai une assez bonne idée de ce que c'est que de se sentir trahi – fondamentalement trahi – par l'homme que l'on aime le plus au monde. J'ai vécu avec ce sentiment jour après jour durant ces quatre dernières années. Cela m'a rongé. Et je pensais que cela avait détruit en moi toute aptitude à la confiance, à l'espoir.

Il attendit que Lydia accepte de croiser son regard.

— Vous m'avez réveillé. Et, que vous l'admettiez ou non, vous m'avez fait une promesse, vous vous êtes *engagée*, bon Dieu ! Vous n'allez pas vous détourner de moi, à présent.

Aux frémissements des lèvres de Lydia, il devina qu'un combat se livrait en elle.

— Non, murmura-t-elle. Je tiens mes promesses. Mais...

— Mais vous avez peur. Si votre père a pu vous trahir, pourquoi ne le ferais-je pas ? Vous oubliez une chose : je vous aime, Lydia. Et vous m'aimez.

Pendant un instant, elle parut agréablement stupéfaite. Puis elle fronça les sourcils et répliqua :

— Et alors ?

— Et alors ? répéta-t-il avec un rire incrédule. Je vais vous le dire : j'aimerais vous épouser, passer le restant de mes jours avec vous. Partager mon lit, mes pensées, mes propriétés, ma fichue collection d'antiquités avec vous. Si cela vous chante, vous pourrez même briser une statue par nuit. Je m'en moque. Tant que vous serez près de moi, je serai heureux.

Elle le regardait fixement, et il aurait été bien incapable de dire ce qui se tramait dans son cerveau.

— Je n'ai rien à vous offrir.

— Parfait, parce que je ne veux rien de vous, sinon vous-même.

Elle se détourna et baissa la tête, révélant la ligne gracieuse de sa nuque.

— Je ne vous ai pas dit le pire.

Il lui prit l'épaule pour la faire pivoter face à lui. Son regard triste lui serra le cœur.

— Je vous écoute.

— Je lui ai donné les Larmes.

— Bien sûr que vous les lui avez données. Que pouviez-vous faire d'autre ?

— Vous ne comprenez pas ? Il va s'en tirer à bon compte. Aucune tache ne souillera son nom. Je devrais m'en réjouir pour mes sœurs et moi... Mais il aura échappé à la justice, acheva-t-elle, les yeux pleins de larmes.

— Lydia, vous n'aviez pas le choix.

— Bien sûr que si ! Je prétends être une femme de principes, non ? J'aurais dû les rendre moi-même. Qu'il sache ce que c'est que d'être trahi.

— Non, dit-il. Je vous *connais*. Vous ne pouviez pas être l'architecte de sa chute... quand bien même cela vous semble juste en cet instant.

— C'est vous qui ne cessez de vous emporter contre l'hypocrisie, lui rappela-t-elle avec un rire amer. C'était là l'occasion de rompre avec cette mode. Comment pouvez-vous me regarder avec respect ?

— Facilement. Vous n'avez donc pas entendu ce que je viens de dire ? La partie au sujet de l'amour, et du reste ?

L'expression de Lydia se fit distante.

— Mais peut-être que l'amour ne vaut pas la peine qu'on se fie à lui. Regardez ma sœur. Il se sauve, comme le lait.

— Le nôtre ne se sauvera pas.

— Comment pouvez-vous le savoir ?

— Grâce à vous. Parce que, lorsque vous croyez à quelque chose, vous vous battez. Quel qu'en soit le prix, vous vous battez.

— Quitte à me ridiculiser, marmonna-t-elle.

Il ne trouvait pas les mots pour la convaincre et en éprouvait une intense frustration.

— Je sais que vous vous sentez très mal en ce moment, mais la souffrance va s'atténuer.

— Elle me ronge, murmura-t-elle.

— Cela ne durera pas toujours, Lydia. Un jour, vous trouverez la force de lui pardonner – de l'aimer pour ce qu'il a été pour vous, ce qu'il a fait pour *vous*, même si vous méprisez ce qu'il a fait à d'autres. Et je serai là tout le temps. Je vous aiderai à franchir ce cap.

Il ne put déchiffrer le regard qu'elle lui adressa.

— Je n'aurais jamais imaginé entendre de tels propos de votre part, avoua-t-elle. Vous, qui avez fait de votre vie une vendetta contre Moreland.

— J'avais tort.

Le sourire dubitatif de Lydia le mit mal à l'aise. Il ignorait comment la persuader. Certes, ses mots ne correspondaient pas à ses actions passées, mais…

— Vous me trouvez terriblement hypocrite, n'est-ce pas ?

— Non, répondit-elle sans conviction.

Il prit sa décision.

— J'ai deux ou trois choses à faire. Mais cette discussion est loin d'être terminée, précisa-t-il devant l'expression inquiète de Lydia. Je viendrai demain

— Mon père sera là, souffla-t-elle d'un air abattu.

C'était la tâche la plus difficile que James ait jamais eu à accomplir. Mais il le ferait pour Lydia. C'était la seule chose qu'il puisse lui donner qu'elle n'ait pas déjà reçue de lui.

Son père était assis derrière son grand bureau dans son cabinet de travail. Cire au citron et encre – ce mélange lui rappelait tant de mauvais souvenirs. Enfant, il n'avait été convoqué dans cette pièce que pour être puni. À coups de canne. Ou du revers de la main. Les plus infimes sottises lui avaient valu des coups. Un vase cassé au cours d'un jeu un peu agité. Une tache sur son costume. Le refus de finir son dîner.

Stella avait eu plus de chance. Elle s'était souvent faufilée ici, en dépit des ordres de Moreland, pour le taquiner et le câliner. Il grommelait, mais tolérait ces caresses.

— Le cabinet de travail, c'est ce qui nous sépare, James, avait-elle dit une fois. C'est là que j'ai appris ce qu'était l'amour, et c'est là que tu as découvert le ressentiment.

Il regarda Moreland lutter pour se mettre debout, rougissant de l'effort. Et soudain il devina : la grande faucheuse sévirait plus vite qu'il ne l'avait envisagé. Bientôt, ce cabinet de travail serait le sien, et il en effacerait l'odeur de cire au citron.

L'idée aurait dû le réjouir. Au lieu de quoi, elle s'enfonça comme un couteau en un endroit profondément enfoui en lui, et libéra une vague de regrets accablante.

Les choses n'auraient pas pu être différentes entre eux. Il était trop lucide pour s'autoriser un tel rêve. Son père et lui étaient trop semblables, trop têtus, déterminés à s'accrocher à leurs principes et, ce qui était moins honorable, à se cramponner aux torts que l'autre avait envers lui. Seigneur, il avait entretenu cette haine trop longtemps. À une époque, elle avait été un moteur : il s'était leurré en y voyant une noble cause qui donnait à son existence un certain piquant. À présent, c'était devenu un fardeau. Il en était écœuré. Si Stella n'en avait pas besoin, lui non plus.

— Eh bien ? aboya Moreland.

Les paumes à plat sur sa table, il se préparait à une nouvelle agression et fourbissait déjà ses armes ; ses articulations étaient blanchies par l'effort.

James s'éclaircit la voix. Il s'attendait à avoir du mal à prononcer les mots. Mais ils jaillirent comme s'il les avait répétés une centaine de fois.

— Je regrette, dit-il. Je regrette que nous ne puissions nous regarder autrement qu'avec méfiance.

Je ne pense pas que nous puissions jamais dépasser cela. Mais vous devez savoir que cela ne me fait plus aucun plaisir.

Moreland fronça les sourcils. Son visage était un masque soupçonneux.

— Qu'est-ce que c'est que cette sottise ?

— La meilleure du genre. Un peu d'honnêteté, sans le moindre vernis de courtoisie. Dwyer a dû vous dire que j'étais allé voir Stella.

— Bien sûr. En dépit de ses désirs et de mes conseils, tu n'en as fait qu'à ta tête. Bon sang, James, fiche-lui la paix ! ajouta-t-il avec une soudaine véhémence.

— Je vais le faire. Maintenant que je l'ai vue.

Il se laissa tomber dans le fauteuil face au bureau. Moreland parut surpris, eut un grognement méprisant, et s'assit à son tour. Et tandis que son père le fixait droit dans les yeux, histoire de l'obliger à baisser les siens, comme autrefois lorsqu'il avait huit ans et tremblait de peur en sa présence, James reprit :

— Je comprends un peu mieux pourquoi vous vous lavez si aisément les mains à son sujet. Elle est joliment installée à Kenhurst. Aux antipodes de l'autre endroit. Bien sûr, vous le saviez. Dommage que vous n'ayez pas pris la peine de me rassurer, moi qui l'ignorais.

Moreland se racla la gorge.

— Je n'ai pas de comptes à te rendre.

On en revenait toujours là, non ? Il protégeait ses privilèges de manière inflexible.

— Je ne vous ai jamais rien demandé, dit James amèrement. Mais vous auriez quand même pu me le dire. À la place, vous m'avez laissé me complaire dans mes propres chimères.

Et il avait dû savoir exactement quelle idée James se faisait de Kenhurst puisque tous deux étaient allés rendre visite à Stella dans sa première prison. Si elle avait été transférée, c'était sur l'insistance de James.

— Mais, bien sûr, vous ne m'avez rien dit. Non pas parce que ce n'était pas *digne* de vous de rassurer votre fils, mais parce que cela vous *plaisait* d'avoir le dessus sur moi – même s'agissant des craintes que je nourrissais pour ma sœur. C'est ce qui fait de vous un vrai salaud !

Les narines de Moreland frémirent.

— Quel idiot, jeta-t-il. Crois-tu que j'ai consacré un seul instant à me soucier de tes craintes ? Toi, qui fais délibérément un désastre de ta vie…

— Oui, l'interrompit James, j'ai fait un désastre de ma vie. Sur ce point, vous avez raison. Je me suis consacré à cette tâche en me disant que c'était pour le bien de Stella. Que je vous forcerais à regretter vos actes. À admettre que vous nous avez nui à tous les deux avec votre satanée indifférence et que vous avez détruit sa vie pour protéger votre fierté. Mais, même après avoir compris que c'était sans espoir – que vous étiez trop imbu de vous-même pour admettre ne fût-ce qu'une erreur –, j'ai continué. J'ai continué uniquement pour vous contrarier.

Il rit doucement.

— Quelle dévotion perverse ! Y a-t-il jamais eu fils plus fidèle ? Stella vous a pardonné, mais elle a toujours été moins exigeante. Quant à moi, je pense que la plus grande faute me revient : je méprise vos fautes mais je vous aime en dépit d'elles. Je ne vous haïrais pas autant s'il en était autrement.

Moreland se figea.

— Quel jeu as-tu en tête à présent ?

— Aucun.

James examina longuement son père avant de reprendre :

— Je suis fatigué de cette impasse. C'est puéril. Je désire en sortir. Nous ne nous entendrons jamais.

Je ne comprendrai jamais pourquoi vous avez encouragé Stella à revenir à Boland. Mais je peux comprendre qu'elle désire rester à Kenhurst pour l'instant, et que cela a dicté vos faits et gestes récents. C'est un début, au moins, acheva-t-il avec un haussement d'épaules.

Moreland laissa échapper un soupir.

— Si je pouvais revenir en arrière, je refuserais à Boland le droit de courtiser ma fille. Mais ce qui s'est passé ensuite ? Je ne pouvais rien y changer, James. Ni toi ni moi n'aurions pu faire quoi que ce soit. Elle était têtue, irréfléchie, et prête à n'importe quelle bêtise. Elle était un danger pour elle-même. Elle doit rester là-bas, pour le moment. Tu ne dois pas la convaincre du contraire.

— J'ai dit que je ne le ferai pas. Mais je veux quelque chose de vous.

— En échange, dit Moreland avec aigreur. J'aurais dû m'en douter.

— Non, pas en échange. Il s'agit, je suppose, de vous demander une faveur.

— Laquelle ?

— Il s'est passé quelque chose. J'ai besoin…

Seigneur, tout en lui renâclait à prononcer ce mot !

— J'ai besoin que vous vous comportiez en père.

Durant le silence qui suivit, il se demanda quelles pensées pouvaient bien traverser la tête de Moreland.

— Que s'est-il passé ? s'enquit ce dernier d'un ton bourru. Je ne promettrai rien tant que je n'en saurai pas plus.

— Rien d'autre que ce j'ai dit. Je veux que vous teniez le rôle du père. Je veux que vous m'aidiez à obtenir la main de la femme que j'aimerais épouser. En échange, je tiendrai le rôle du fils.

Lydia n'avait jamais réalisé que le mensonge pouvait être un aspect noble de l'amour. Alors que sa famille s'asseyait à la table du dîner – George et Sophie, Antonia et M. Pagett, leur père qui n'osait croiser son regard mais lui avait annoncé un peu plus tôt, d'une voix peu assurée, qu'Ashmore avait tenu parole –, elle sourit comme si son cœur débordait de bons sentiments. Antonia rayonnait sous le regard de son soupirant. Décidé à se faire un allié de M. Pagett, George se montrait plein de l'esprit qui l'avait jadis séduite au point de la rendre idiote. Sophie jouissait pour une fois de toute l'attention de leur père. Les sourires et les taquineries qu'elle lui adressait rendaient Lydia un peu triste. Sophie avait sans doute jadis souhaité capter l'attention de leur père, sans y parvenir. « Et je n'ai pas pensé à lui montrer comment s'y prendre », songea Lydia à regret.

Cette découverte l'aida à garder le silence quand leur père mentit de manière éhontée au sujet de sa journée. Il ne mentionna pas l'interrogatoire qu'il avait subi, et ne manifesta aucune honte lorsqu'il parla du khédive et des relations amicales qu'il entretenait avec ses collègues du Caire.

À en croire James, elle apprendrait à l'aimer même si elle ne le respectait pas. Ce n'était pas pour demain.

La conversation en vint à la lune de miel des futurs époux. M. Pagett avait proposé la Grèce et l'Italie, et Antonia ne cachait pas sa joie.

— Je risque d'apprécier tellement le climat méditerranéen que je refuserai de retrouver la grisaille de la vieille Angleterre ! s'écria-t-elle en riant.

— Sûrement pas, déclara M. Pagett en posant la main sur celle d'Antonia. Car votre sœur attendra notre retour.

Il tourna les yeux vers Lydia.

— Vous viendrez vivre avec nous, n'est-ce pas, mademoiselle Boyce ? Lady Southerton serait bien égoïste de vous garder pour elle seule.

Antonia sourit, et posa sa main libre sur celle de son fiancé.

— Nous nous étions fait une promesse, rappela-t-elle à Lydia. Je l'ai tenue, tu dois donc m'imiter.

— Nous verrons. Mais je te remercie.

— Je devrais avoir mon mot à dire, intervint Sophie. Pourquoi ne m'a-t-on pas informée de cet arrangement ? Supposez que…

Elle s'interrompit brièvement, car le majordome était entré et murmurait quelque chose à l'oreille de George.

— … supposez que *je* ne puisse pas vivre sans la compagnie de ma sœur ?

— Lydia, vous avez de la visite, annonça George.

— À cette heure ? s'étonna-t-elle. Comme c'est bizarre ! Dites à cette personne que nous ne recevons pas.

— Eh bien, je le ferais volontiers, si ce n'était pas lord Moreland.

— Lord Moreland ? Mon Dieu…

La peur qui l'envahit fut d'une violence jamais éprouvée. Quelque chose était arrivé à James ? Elle bondit sur ses pieds.

— Si vous voulez bien m'excuser, lança-t-elle avant de sortir précipitamment.

Sur le seuil du salon, la panique la fit s'arrêter.

— Milord, commença-t-elle. Je… Est-ce qu'il va bien ?

Le comte se tourna vers elle et lui adressa un petit sourire sévère.

— Votre stupéfaction est à la hauteur de la mienne, dit-il, narquois. Si quelqu'un m'avait dit il y a dix jours que je jouerais les émissaires pour James, je l'aurais traité de fou.

Les émissaires. Abasourdie, Lydia pénétra dans la pièce, et jeta un coup d'œil circulaire.

— Il n'est pas venu avec vous ?

Moreland ricana.

— Cela aurait paru logique, n'est-ce pas ? Donc, bien sûr, il n'est pas venu. Il m'a envoyé plaider sa cause. J'ai cru comprendre qu'il ne s'était adressé ni à votre père ni à lord Southerton, aussi j'admettrai que vous trouviez sa requête insensée. Si elle vous met mal à l'aise, je l'ignorerai volontiers.

Insensée était le mot approprié. Elle n'en revenait pas. Il avait envoyé son père ? *James* avait envoyé *Moreland* ?

Et soudain elle comprit. Et une suite d'émotions la traversèrent, si rapidement qu'elle en fut ébranlée. Stupéfaction. Incrédulité. Le début d'un véritable espoir – le premier moment d'espoir authentique depuis une éternité. Il lui fallut plusieurs secondes pour recouvrer sa voix. Elle avait chaud et la tête lui tournait comme si elle avait bu trois litres de gin.

— Non, dit-elle et sa voix se brisa sur la syllabe. Le vicomte me comprend très bien.

— N'en soyez pas si sûre, grommela Moreland. Il a exigé de moi une autre requête saugrenue.

Il plongea la main dans sa veste et en sortit une liasse de feuillets, qu'il tendit à Lydia d'une main légèrement tremblante.

Celle de Lydia n'était guère plus assurée. Elle prit les papiers, puis, comme le comte hochait la tête, ôta la ficelle qui les entourait.

La première feuille contenait les détails d'un voyage : bateau à vapeur jusqu'à New York, puis train jusqu'à Toronto, au Canada. Suivait une annotation manuscrite. *De là, Dieu sait comment nous rejoindrons les Indiens. Mais qu'en dites-vous ? Une lune de miel à étudier les déchets de tribus indiennes.*

Elle pinça les lèvres, pour s'empêcher de rire ou de sangloter, elle n'aurait su dire. Maladroitement, elle passa à la feuille suivante.

C'était une dispense de bans.

Moreland avait les yeux rivés sur elle.

— Oui, murmura-t-il. Peut-être vous connaît-il bien, finalement. Quoi qu'il en soit, dès que j'aurai votre réponse, je ferai ce qu'exigent les convenances et demanderai à parler à votre père. Ce serait à James de le faire, mais puisqu'il se cache comme un gamin, autant que j'aille jusqu'au bout de l'affaire.

« Non, ne le faites pas, faillit-elle répliquer. Cela ne concerne en rien mon père. »

L'instinct la retint. Le comte n'avait pas du tout l'air à l'aise dans son rôle. Ses épaules étaient rigides et ses doigts crispés sur la poignée de sa canne. James ne devait pas être plus à l'aise, là où il se cachait. Sans doute se demandait-il s'il n'avait pas parié trop gros en confiant cette tâche à son père.

C'est alors que la grandeur de son geste lui apparut dans sa totalité. Il était allé voir Moreland pour elle. Il s'était plié à une sorte de réconciliation pour elle. *Pour elle*. Comme preuve d'amour, il n'aurait pu faire mieux.

Elle retint ses larmes. James n'apprécierait pas qu'elle donne à Moreland cet avantage inutile.

L'idée jeta un voile de tristesse sur son émerveillement. « Nous serons seuls », décréta-t-elle. Elle ne voudrait pas de son père à leur mariage. Et ils ne passeraient pas de vacances dans la propriété de Moreland. Pas avant un long moment, du moins.

Mais il y avait Antonia. Et Stella, peut-être, dans quelques années. Et leurs propres enfants.

Leurs enfants.

Elle avait depuis longtemps renoncé à ce rêve. Ce n'était pas pour elle, voilà tout. Maintenant, cet espoir lui était permis. Aurait-il décroché la lune que James n'aurait pu faire ses preuves plus efficacement.

— Où est-il ? murmura-t-elle.

— Tapi dans sa voiture, sans doute, répondit Moreland avec une moue méprisante.

— Et *où est sa voiture ?*

Il écarquilla les yeux.

— Juste Ciel, mademoiselle Boyce. Ressaisissez-vous. Où pourrait-elle se trouver, sinon le long du trottoir ?

Elle s'élança hors de la pièce, remonta le couloir, traversa le vestibule bouscula le majordome, trop lent pour elle. La poignée de la porte se montra récalcitrante, mais elle en vint à bout. Elle dévala le perron, manqua de se prendre les pieds dans ses jupes qu'elle empoigna tandis qu'elle franchissait le portail en courant.

Il la guettait. Il la connaissait mieux qu'elle ne se connaissait. La portière de la voiture s'ouvrit. Mais elle aussi le connaissait. Il n'était pas un bon à rien, à l'intérieur ou à l'extérieur du petit monde de Mayfair. Et s'il voulait le prouver, eh bien, il n'y avait pas de meilleur endroit que le Canada.

Il l'agrippa, la tira dans la voiture.

— Bravo, fit-il avec un sourire. Vous avez aimé ma surprise ?

— Vous êtes impossible, souffla-t-elle avant de lui couvrir le visage de baisers. Envoyer votre ennemi pour plaider en votre faveur ! Une autre que moi aurait pu s'en offenser.

Glissant la main derrière sa nuque, il captura sa bouche. Après un délicieux moment de langues emmêlées et de lèvres pressées, il murmura :

— Nous avons établi une sorte de trêve. Il ne vous l'a pas dit ? Quel vieux salopard !

— Vous ne devez pas attendre de moi que j'en fasse autant, murmura-t-elle. Pas tout de suite, en tout cas. Cela prendra du temps.

Le sourire de James s'emplit de tendresse.

— Du temps, nous en avons. Nous avons toute la vie. Qu'en dites-vous ?

Elle hésita. La prudence était une habitude dont il n'était pas facile de se défaire.

— J'ignorais que vous vous intéressiez au Canada.

— J'ai toujours su ce qui m'attendait ici, Lydia, répondit-il gravement. Et je me suis rendu compte que cet avenir ne me plaisait pas. Je me connaissais aussi suffisamment pour craindre qu'il n'y ait pas d'ailleurs pour moi.

Sa main descendit le long du bras de Lydia et ses doigts s'entremêlèrent aux siens. Il sourit.

— Je ne peux pas dire que le Canada figurait sur la liste des endroits où j'envisageais de fuir. Mais lorsque j'ai commencé à penser à vous, j'ai entrevu un autre avenir, très différent, empli de possibilités. Comprenez-vous ?

Il porta leurs mains jointes à ses lèvres et déposa un baiser sur les doigts de Lydia.

— Cela signifie que c'est *vous* ma liberté, mon amour.

— Oui, murmura-t-elle. Et vous êtes la mienne.

— Je l'espère. Je m'élèverai pour être à la hauteur de vos attentes… tandis que vous me ferez la grâce de vous abaisser à mon niveau, ajouta-t-il avec un sourire espiègle. Alors, oui, j'ai développé un intérêt profond, passionné pour le Canada… qui durera aussi longtemps que le vôtre.

Elle se pencha pour presser sa bouche sur celle de James.

— Le Canada est joli, souffla-t-elle contre ses lèvres. Et vous l'êtes aussi.

Le rire de James résonna dans la bouche de Lydia.

— Ça, c'est mon texte, dit-il. Vous êtes censée me trouver *beau*.

— Je ne suis pas aussi conventionnelle que j'en ai l'air.

Il tendit la main pour frapper au plafond.

Comme le véhicule s'ébranlait abruptement, Lydia s'accrocha à James. Elle ne risquait certes pas de perdre l'équilibre, mais elle trouvait poli, lorsque votre amant vous contemplait d'un regard aussi intime et empli d'admiration, de se comporter en coquette.

— Et où allons-nous, monsieur ?

— Anticiper la lune de miel, mademoiselle Boyce – de manière peu conventionnelle et quelque part très loin de Mayfair.

— Vive le Canada, murmura-t-elle en agrippant la chemise de James pour l'entraîner avec elle sur la banquette.

Découvrez les prochaines nouveautés de nos différentes collections J'ai lu pour elle

Le 6 octobre :

La famille Huxtable — 2. Le temps de la séduction ↬ **Mary Balogh**

Il y a trois ans, Jasper Finley a accepté un pari audacieux : séduire la très vertueuse Katherine Huxtable en moins de deux semaines. Cela semblait presque trop facile pour ce séducteur aguerri… et pourtant ce fut un échec humiliant.
Lorsqu'il revoit Katherine, le pari renaît de ses cendres… mais il n'y a bientôt plus de place pour la frivolité : un scandale retentissant menace de ruiner leurs vies à tous les deux…

L'amour fou ↬ **Anna Campbell**

INÉDIT

Une situation désespérée a conduit Verity Ashton à changer de nom et à fuir sa famille. Elle est maintenant Soraya, la courtisane la plus désirée de Londres. Le duc de Kylemore semble être le seul à pouvoir l'apprivoiser : faisant fi de la société, il décide d'en faire sa femme. Lorsqu'elle disparaît, en quête d'une vie respectable, il la retrouve et l'enlève, bien décidé à la posséder.
Malgré son désir d'indépendance, Verity aura bien du mal à résister à cet homme qui lui donne quelque chose qu'elle n'a jamais connu : la tendresse…

Qui es-tu, belle captive ? ↬ **Kathleen E. Woodiwiss**

Le marquis Maxim Seymour a beau être séduisant et valeureux, pense Élise, il n'en est pas moins un assassin. Quelle chance que sa cousine Arabella épouse son rival à sa place !
Hélas, Maxim en décide autrement et fait enlever son ancienne fiancée. Mais lorsqu'il tend les bras vers sa douce Arabella, c'est une furie qu'il découvre : Élise ! Et avec l'hiver qui approche, les deux jeunes gens se retrouvent condamnés au huis clos…

Le 20 octobre :

La chronique des Bridgerton — 7. Hyacinthe ↬ **Julia Quinn**

Tout Londres s'accorde à le reconnaître : personne ne ressemble à Hyacinthe Bridgerton. Elle est brillante et diaboliquement franche, et pour Gareth St. Clair, un peu agaçante ! Le jeune homme va cependant se trouver souvent en sa compagnie : elle lui a proposé de l'aider à traduire le journal de sa grand-mère italienne. De fil en aiguille, il s'aperçoit qu'il y a en elle quelque chose de charmant et d'intrigant qui l'attire…

Les MacLeods —2. Le secret du Highlander ↬ **Monica McCarty**

Meg McKinnon doit épouser un homme loyal et sûr, afin qu'il aide son frère à la tête du clan. Elle l'a promis à son père et se rend à la cour pour commencer ses recherches. Le sombre et mystérieux hors-la-loi qui lui sauve la vie en chemin ne remplit certes pas ses critères… mais éveille en elle une passion qu'elle ne peut ignorer. Alex MacLeod dit être un mercenaire, mais la jeune femme a des doutes. Elle devra alors apprendre à suivre son instinct, ou bien risquer de perdre définitivement l'homme qu'elle aime…

***La maîtresse audacieuse* ☙ Jill Marie Landis**

Pour les habitants de Last Chance, Rachel est une institutrice frigide : pas étonnant, alors, que son mari soit mort dans les bras d'une prostituée.
Rachel, frigide ? Cette accusation fait sourire Lane Cassidy. Il l'a sentie frémir dans ses bras... Rachel ne restera pas longtemps veuve, il se l'est promis !
Le plus difficile, cependant, sera de la convaincre. Lane a été son élève autrefois et Rachel garde de lui l'image d'un adolescent rebelle et turbulent...

2 rendez-vous mensuels
aux alentours du 1er et du 15 de chaque mois.

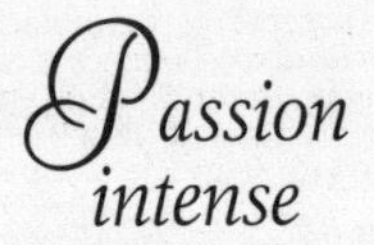

Quand l'amour vous plonge dans un monde de sensualité

Le 20 octobre :

***Une lady nommée Patience* ☙ Lisa Valdez**

Célèbre pour son exceptionnelle beauté, Patience Dare a toujours été entourée d'admirateurs. Mais aucun n'a su lui inspirer de l'amour – ni même du désir. Elle vient donc de décider de ne pas se marier, lorsque un baiser passionné de son énigmatique beau-frère vient réveiller en elle de violents désirs. Comment concilier son désir d'indépendance avec cette part cachée d'elle-même qu'il lui fait découvrir ?

***Liaisons sulfureuses — 1. Souvenirs* ☙**
Lisa Marie Rice

Viktor « Drake » Drakovich est une légende, une énigme que personne ne comprend mais que tout le monde craint. C'est un homme qui n'a pas de faiblesse... jusqu'à ce qu'il rencontre Grace Larsen. La jeune artiste devient vite son obsession. Mais entrer dans le monde de Drake, c'est aussi devenir une cible, et de nombreux ennemis ont attendu qu'il expose enfin son point faible...

2 romans tous les 2 mois
aux alentours du 15 de chaque mois.

Et toujours la reine du roman sentimental :

Barbara Cartland

Le 20 octobre :

Effrayée...
Le roi solitaire
La vengeance du comte

Une toute nouvelle collection,
cocktail de suspense et de passion

FRISSONS

Le 6 octobre :

Course poursuite fatale **Linda Howard**

Belle comme un ange mais capable de donner la mort de sang-froid, fragile en apparence mais plus coriace que bien des brutes… Voici l'agent Lily Mansfield de la CIA. Sa spécialité : l'élimination d'éléments perturbateurs. Lorsqu'une tragédie personnelle la pousse à quitter le rang pour s'investir dans une vendetta contre un clan mafieux, c'est elle qui devient perturbatrice…

Les enquêtes de Mallory Russo — 3. Acts of mercy
Mariah Stewart

INÉDIT

Sam Delvecchio, ancien agent du FBI, et Mallory Russo, sont aux prises avec un nouveau tueur en série qui semble les mettre au défi. Les cadavres sont retrouvés au milieu d'une macabre mise en scène rappelant les sept « œuvres de miséricorde corporelle » de la Bible.

Nouveau ! 2 romans tous les 2 mois
aux alentours du 1er de chaque mois.

Sous le charme
d'un amour envoûtant

CRÉPUSCULE

Le 6 octobre :

Le royaume des Carpates — 2. Sombres désirs
Christine Feehan

L'étranger l'a appelée au-delà des continents, par-delà les mers. Il a murmuré son tourment éternel et ses dangereux désirs. Et Shea O'Halloran, chirurgienne américaine, a ressenti sa peine et a désiré le guérir. Attirée dans les Carpates, elle y trouve un être ravagé, qui fait pourtant déjà partie d'elle. Mais sera-t-elle sa compagne… ou sa proie ?

9305

Composition
CHESTEROC LTD

Achevé d'imprimer en Italie
par GRAFICA VENETA
le 15 aout 2010.

Dépôt légal aout 2010.
EAN 9782290020845

ÉDITIONS J'AI LU
87, quai Panhard-et-Levassor, 75013 Paris
Diffusion France et étranger : Flammarion

gerait sa confortable petite vie. Oh, oui ! Il resterait à Londres aussi longtemps que Moreland serait là.

— Monsieur ferait bien d'attendre un peu avant de sortir, conseilla le valet. J'ai aperçu un éclair.

— Je suis un être imprudent et irréfléchi. Vous ne le saviez pas ?

— Non, monsieur, répondit le valet après une légère hésitation.

— Un libertin, bon à rien et irréfléchi – c'était la formulation exacte, je crois.

Qu'avait dit la jolie Mlle Boyce ? *Accablé d'argent et de privilèges, et sous-occupé.* L'hypocrisie ne faisait pas partie de ses défauts. Peut-être était-ce pour cela qu'il se sentait poussé à lui parler franchement en réponse. C'était amusant d'entendre une bouche aussi pulpeuse émettre des verdicts aussi tranchants. Une bouche *sous-occupée*. Elle devrait le remercier de lui avoir donné l'occasion de s'exprimer.

Il se redressa, décocha un sourire au valet stupéfait. La saison était loin d'être finie, mais il savait à présent comment s'occuper.

Il serait bientôt 13 heures. Dans les galeries, les visiteurs se bousculaient pour admirer les marbres du Parthénon qu'avait rapportés le comte d'Elgin. Dans la salle de lecture, en revanche, le calme régnait. Il n'y avait quasiment plus une place libre aux tables disposées en cercle autour des catalogues aux reliures bleues. Les chuchotements se fondaient en un ronronnement qui donnait envie de dormir à Lydia. Devant elle, deux vieux messieurs, affublés de longue redingote et de cravate bouffante à la mode une génération plus tôt, lisaient les éditoriaux en ronchonnant. À leur droite, un jeune couple soupirait devant des gravures de Venise.